Le Vent
sombre

Collection rivages/noir

ISBN : 2-86930-046-8
ISSN : 0764-7786

© Tony Hillerman, 1982
Titre original : Dark Wind

© Rivages, 1986
5-7, rue Paul-Louis Courier - 75007 Paris
10, rue Fortia - 13001 Marseille

Tony Hillerman

Le Vent sombre

Traduit de l'américain
par Danièle et Pierre Bondil

Collection dirigée par
François Guérif

rivages/noir

Ce livre est dédié au bon peuple de Coyote Canyon, Navajo Mountain, Littlewater, Two Gray Hills, Heart Butte et Borrego Pass, et avant tout à ceux que l'on déracine des lieux ancestraux qui étaient les leurs dans les Territoires Communs Navajo-Hopi.

Note de l'auteur

Le lecteur ne doit pas ignorer que je n'ai nullement la prétention d'être une autorité en matière de théologie hopi. A l'instar de Jim Chee, de la Police Tribale Navajo, je suis un étranger sur les mesas hopi. Je ne sais que ce que l'on peut apprendre à travers un intérêt de longue date, profondément respectueux, et suggère à ceux d'entre vous qui souhaiteraient en apprendre davantage sur la complexité de la métaphysique hopi de se tourner vers des auteurs mieux informés. Je recommande tout particulièrement *The Book of the Hopi* qu'a écrit mon excellent ami Frank Waters.

L'année liturgique propre à la religion hopi se divise en deux moitiés épousant les saisons ; elles servent plus ou moins de reflets l'une pour l'autre et obéissent à un calendrier complexe qui spécifie les cérémonies rituelles à observer. Celles-ci incluent les événements qui servent en partie de cadre à ce roman, mais le calendrier que j'ai utilisé ici n'est pas exactement conforme à la réalité.

Le temps s'est montré encore plus cruel envers le village de Sityatki que je ne l'ai laissé apparaître dans ces pages : il est depuis longtemps abandonné et le sable recouvre ce qui demeure de ses ruines.

Tous les personnages de ce livre sont de purs produits de mon imagination. Aucun n'est inspiré, aussi peu que ce soit, d'une personne réelle.

7

LES TROIS MESAS DES HOPIS

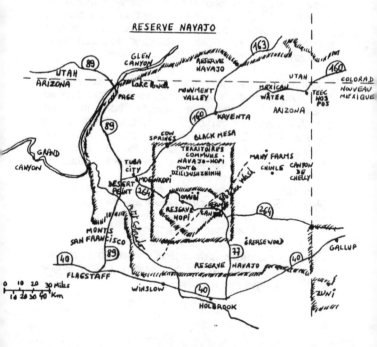

RESERVE NAVAJO

Note des traducteurs

Le lecteur américain est tout aussi ignorant que le lecteur français des mœurs et des coutumes des Indiens Navajo et Hopi. Nous avons donc décidé de respecter le choix de l'auteur, qui a disséminé ici et là dans son roman les informations nécessaires à en assurer la bonne compréhension, et de ne pas alourdir le texte d'une quantité de notes explicatives et de termes en italiques. Toutefois, il nous a semblé utile de faire figurer en fin d'ouvrage un glossaire qui devrait permettre au lecteur qui en éprouverait le besoin d'avoir une meilleure vue d'ensemble de ces civilisations. Les mots suivis d'un astérisque dans la traduction pourront renvoyer à ce glossaire. Nous avons en outre établi deux cartes, l'une des Territoires Communs Navajo-Hopi, l'autre des trois mesas Hopi : elles se trouvent ci-contre.

Par ailleurs, certaines particularités orthographiques (accords, majuscules notamment) se retrouvent dans le texte de Tony Hillerman ; et des termes d'origine indienne peuvent présenter des différences d'un livre à l'autre : quelques lignes extraites du remarquable ouvrage de Harry Hoijer, *A Navajo Lexicon*, University of California Press 1974, permettront aisément de comprendre pourquoi (extrait consacré aux noms, les verbes étant environ dix fois plus nombreux en navajo).

N 101 -tášt́óóš 'pine bark'.
N 102 tášč̀ìž̀ìì 'swallow (the bird)'.
N 103 -tášĹòh 'hair of arms and legs'.
N 104 táč̌ééh 'sweathouse'.
N 105 -táál: hàtáál 'chant; ceremony'. See S 139.
N 106 táálánhòòyàn 'Awatobi ruin'. táálá- ?; hòòyàn, N 302A.
N 107 -tàaɬ-: hàtàaɬ-ìì 'singer (in ceremonies)'. Lit. 'one who sings'; see S 139.4, E 5.
N 108 tą̀ž̀ìì 'turkey'. See S 147.1

1

Le garçon appartenant au Clan de la Flûte fut le premier à l'apercevoir. Il s'immobilisa sur place en la regardant fixement.

– Quelqu'un a perdu une botte, dit-il.

Même de l'endroit où il se trouvait, à au moins quinze mètres en retrait sur la piste, Albert Lomatewa se rendit parfaitement compte que personne n'avait perdu cette botte. Elle avait été placée à cet endroit et non abandonnée. Posée verticalement au beau milieu de la piste, la pointe dirigée droit sur eux. Visiblement, quelqu'un l'avait mise là. Alors, juste derrière une touffe d'herbes-aux-lapins morte qui avait envahi la piste, Lomatewa aperçut le haut d'une seconde botte. La veille, lorsqu'ils étaient passés par là, les bottes n'y étaient pas.

Albert Lomatewa était le Messager. Les décisions lui incombaient. Eddie Tuvi et le garçon du Clan de la Flûte feraient exactement ce qu'il leur dirait.

– Ne vous approchez pas, dit-il. Restez où vous êtes.

Il ôta de sur son dos le lourd fardeau de branches d'épicéas et le déposa avec vénération à côté de la piste. Puis il s'approcha de la botte. Elle était assez neuve, en cuir marron, décorée d'un motif cousu qui représentait une fleur, et elle avait un talon biseauté comme ceux des cowboys. Lomatewa jeta un coup d'œil à la deuxième botte, de l'autre côté de la touffe d'herbes-aux-lapins. Elles étaient identiques. Un peu après la deuxième botte, la piste contournait brusquement un gros rocher de granit. Lomatewa retint son souffle. Dépassant de derrière le rocher apparaissait la partie inférieure d'un pied. Ce pied était nu, et même de l'endroit où se tenait

Lomatewa, il voyait parfaitement qu'il avait quelque chose de terriblement anormal.

Il se retourna pour regarder les deux compagnons que sa kiva * avait désignés pour l'escorter dans son pèlerinage en quête de branches d'épicéa sacré. Ils se tenaient immobiles à l'endroit où il leur avait dit de rester : le visage de Tuvi impassible, celui du garçon trahissant l'impatience et la curiosité.

– Restez là-bas, leur ordonna-t-il. Il y a quelqu'un ici et il faut que j'aille voir.

L'homme était allongé sur le côté : les jambes, rigides, ramenées vers lui, le bras gauche raidi tendu en avant, le bras droit plié près du visage avec la paume de la main juste sous l'oreille. Il portait un blue jean, une veste assortie et une chemise à carreaux bleus et blancs dont les manches étaient relevées jusqu'aux coudes. Mais il fallut un certain temps à Lomatewa pour remarquer les vêtements de l'homme. Il ne pouvait détacher le regard de ses pieds : la plante de chacun d'eux avait été sectionnée. On avait coupé la partie inférieure des chaussettes qui avaient ensuite été remontées sur les chevilles où elles formaient des lambeaux de franges blanches. Puis le dessous du talon, les coussinets à la cambrure du pied et la partie inférieure de l'extrémité des orteils avaient été tranchés. Lomatewa avait neuf petits enfants, un arrière petit enfant, et il avait vécu assez longtemps pour voir beaucoup de choses, mais jamais encore il n'avait vu cela. Il emplit ses poumons d'air, le rejeta, et reporta son regard sur les mains de l'homme. Il s'attendait à les trouver écorchées pareillement. Et il ne se trompait pas. La peau en avait été tailladée de la même façon que pour les pieds. Alors seulement, Lomatewa regarda le visage le l'homme.

C'était un homme jeune. Pas un Hopi *. Un Navajo *. Au moins en partie. Il y avait un petit trou bordé de noir au-dessus de son œil droit.

Lomatewa, immobile, contemplait l'homme, se demandant comment il allait falloir s'y prendre. Il fallait s'y

12

prendre de telle sorte que rien ne vienne contrarier le bon déroulement de Niman Kachina. La chaleur du soleil s'abattait sur lui bien que ce ne fût que le début de la matinée, et l'odeur de la poussière emplissait ses narines. La poussière, toujours la poussière. Elle lui rappelait pourquoi rien ne devait contrarier le rituel. Depuis presque un an, le don de pluie leur avait été dénié. A trois reprises il avait éclairci ses maïs et néanmoins, le peu qui en restait était flétri et rabougri par la sécheresse sans fin. Les sources tarissaient. Il n'y avait plus d'herbe pour les chevaux. Le Niman Kachina devait se dérouler selon les règles. Il se détourna et revint vers l'endroit où l'attendaient ceux qui étaient chargés de l'escorter.

– Un tavasuh mort, leur dit-il.

Ce mot signifiait littéralement « Celui-qui-écrase-la-tête-des-ennemis ». C'était un terme méprisant que les Hopis utilisaient parfois pour désigner les Navajos, et Lomatewa l'avait volontairement choisi pour donner le ton de ce qu'il devait faire.

– Qu'est-ce qui est arrivé à son pied ? demanda le garçon du Clan de la Flûte. Le dessous de son pied a été coupé.

– Posez vos branches d'épicéas, dit Lomatewa. Asseyez-vous. Nous devons parler de tout cela.

Il n'avait aucune inquiétude quant à Tuvi. Tuvi était un homme de valeur appartenant au Clan * de l'Antilope, et il était membre de la Prêtrise * de la Corne Unique : c'était quelqu'un de très religieux. Mais le garçon du Clan de la Flûte n'était encore qu'un garçon. Pourtant, il ne disait plus un mot, assis tranquillement sur le chemin, à côté de son tas de branches d'épicéas. Les questions demeuraient dans ses yeux. Qu'il attende, se dit Lomatewa. Qu'il apprenne la patience.

– A trois reprises Sotuknang a détruit le monde, commença Lomatewa. Il a détruit le Premier Monde par le feu. Il a détruit le Deuxième Monde par la glace. Il a détruit le Troisième Monde par le déluge. Chaque fois il a détruit le monde parce que son peuple avait manqué de faire ce qu'il lui avait dit de faire.

Lomatewa gardait les yeux fixés sur le garçon du Clan de la Flûte tout en parlant. Son unique inquiétude lui venait du garçon. Celui-ci avait été à l'école à Flagstaff et il était employé par le service des postes. Le bruit courait qu'il ne plantait pas son lopin de maïs comme il fallait, qu'il ne connaissait pas comme il fallait son rôle à l'intérieur de la Société des Kachinas *. On pouvait compter sur Tuvi, mais il fallait enseigner beaucoup de choses au garçon. Lomatewa s'adressait directement à lui, et ce dernier l'écoutait comme s'il n'avait pas déjà entendu cette histoire des centaines de fois.

– Sotuknang a détruit le monde parce que les Hopis avaient oublié d'accomplir leur devoir. Ils avaient oublié les chants qui doivent être chantés, les plumes * de prière qui doivent être offertes, les cérémonies qui doivent être dansées. A chaque fois, le monde était envahi par le mal, les gens se querellaient sans répit. Ils devenaient des powagas * et utilisaient la sorcellerie les uns contre les autres. Les Hopis s'étaient détournés de la Route de la Vie qu'ils auraient dû suivre, et seuls quelques-uns restaient dans les kivas à accomplir leur devoir. Et chaque fois, Sotuknang lança un avertissement aux Hopis. Il retint la pluie pour que son peuple ait connaissance de son courroux. Mais personne ne tenait compte des saisons sans pluie. Ils s'acharnaient à essayer de s'enrichir, se querellaient, faisaient courir des ragots et oubliaient comment suivre la Route de la Vie. Et chaque fois, Sotuknang décida que le monde avait dépassé la mesure ; alors il sauva quelques-uns des Hopis parmi les meilleurs et détruisit tous les autres.

Lomatewa regarda le garçon du Clan de la Flûte droit dans les yeux :

– Tu comprends tout cela ? lui demanda-t-il.

– Oui, je comprends, répondit le garçon.

– Nous devons faire le Niman Kachina comme il faut cet été. Sotuknang nous a lancé un avertissement. Notre maïs se meurt dans nos champs. Il n'y a pas d'herbe. Les

14

puits tarissent. Quand nous appelons les nuages, ils ne nous entendent plus. Si nous ne faisons pas le Niman Kachina comme il faut, Sotuknang n'aura plus de patience. Il détruira le Quatrième Monde.

Lomatewa regarda Tuvi dont le visage était impassible.

– Très vite maintenant, reprit-il en s'adressant à nouveau directement au garçon, va venir le moment où les kachinas devront quitter le Monde de la Surface de la terre et retourner chez eux, dans les Monts San Francisco. Lorsque nous apporterons ces branches d'épicéas dans nos kivas, elles seront utilisées pour préparer les Danses du Retour en leur honneur. Pendant des jours et des jours il y aura beaucoup d'activité dans les kivas. Il y aura les prières à prévoir. Les plumes de prière à fabriquer. Tout à faire exactement comme il le faut.

Lomatewa marqua une pause, obtenant par ce silence l'effet qu'il souhaitait.

– Tout le monde doit avoir les pensées qu'il faut, reprit-il. Mais si nous signalons ce corps, la mort de ce Navajo, à la police, rien ne pourra être fait dans les règles. La police viendra, la police bahana *, pour nous poser des questions. Ils nous appelleront ousm Sothe kivas. Tout sera interrompu. Tous les Hopis penseront à autre chose. Ils penseront à la mort et à la colère alors qu'ils ne doivent avoir que des pensées sacrées. Le Niman Kachina sera raté. Les Danses du Retour ne seront pas faites comme il faut. Personne ne priera.

Il se tut à nouveau un instant, les yeux fixés sur le garçon du Clan de la Flûte.

– Si tu étais le Messager, que ferais-tu ?

– Je n'irais rien dire à la police.

– En parlerais-tu dans la kiva ?

– Non, je n'en parlerais pas.

– Tu as vu les pieds du Navajo, reprit Lomatewa. Sais-tu ce que cela signifie ?

– Quand elles sont dépecées comme ça ?

– Oui. Sais-tu ce que cela signifie ?

Le garçon du Clan de la Flûte baissa les yeux pour regarder ses mains.

– Je le sais, dit-il.

– Si tu en parles, ce sera la chose la pire de toutes. Les gens penseront au mal alors qu'ils doivent penser au bien.

– Je n'en parlerai pas, assura le garçon.

– Pas avant la fin des danses du Niman. Pas avant que les cérémonies soient terminées et que les kachinas soient repartis. Après, tu pourras en parler.

Lomatewa ramassa son tas de branches d'épicéas et fit passer les lanières sur ses épaules tandis que ses articulations lui arrachaient une grimace de douleur. Il accusait les effets de chacune de ses soixante-treize années, et il lui restait encore presque cinquante kilomètres à parcourir à pied pour traverser Wepo Wash * et effectuer la longue montée jusqu'à la Troisième Mesa. Il précéda ses deux gardiens sur la piste, passa à côté du corps. Pourquoi pas ? Ses gardiens avaient déjà vu les pieds mutilés et en connaissaient la signification. Et cette mort ne concernait en aucune façon les Hopis. En l'occurrence, cette manifestation du mal était Navajo et les Navajos allaient devoir payer.

2

Au moment où son avion approchait du bord de Balakai Mesa, Pauling vérifia le chronomètre. Il était trois heures, vingt minutes et trente secondes. Il était à l'heure et la direction suivie était la bonne. Il maintint le Cessna à une soixantaine de mètres au-dessus du sol, et à environ la même distance en contrebas de la crête rocheuse. Devant lui, suspendue légèrement de guingois juste au-dessus de l'horizon, la lune était jaune. Elle éclairait les traits de l'homme qui était assis sur le siège du passager, donnant à sa peau l'aspect de la cire. L'homme regardait droit devant lui. La lèvre inférieure coincée entre ses dents, il étudiait la lune. Sur la droite de Pauling, à moins de cent mètres du bout de l'aile de son avion, le mur de la mesa * défilait à toute vitesse : la lumière de la lune s'y réfléchissait, alternant avec des zones d'ombre profonde, ce qui donnait au pilote une impression de vitesse étrangement rare en vol, et il s'en délectait.

En bas, sur le sol désertique, le bruit du moteur devait être renvoyé par les falaises. Mais il n'y avait personne pour l'entendre. Personne sur des kilomètres et des kilomètres. Il avait lui-même choisi de passer par là, avait effectué le trajet deux fois de jour et une fois de nuit, avait mémorisé des points de repère et l'aspect du terrain. Il n'y avait aucune sécurité réelle dans ce genre d'opération, mais Pauling avait fait le nécessaire pour la rendre la plus sûre possible. Ici, par exemple, Balakai Mesa le protégeait des radars d'Albuquerque et de Salt Lake. Devant lui, juste sur la gauche de la lune déclinante, Low Mountain atteignait deux mille mètres d'altitude, et derrière elle, Little Black Spot Mesa se dressait plus haut encore. Au Sud, faisant écran au radar de Phoenix, la masse imposante de Black Mesa s'étirait sur cent cinquante kilomètres ou davantage encore. Sur tout le trajet qu'il avait parcouru depuis la piste d'atterrissage de Chihua-hua, les radars n'avaient pu le suivre que sur un peu plus de cent kilomètres. C'était un bon itinéraire. Il avait pris du plaisir à le découvrir, et il était maintenant heureux de l'effectuer à très basse altitude et de voir les points de repère surgir des ténèbres infinies sous cette lune mourante. Pauling aimait le danger, le défi, au même titre qu'il savourait la vitesse et la sensation d'être le cerveau commandant à une belle machine.

Balakai Mesa se trouvait maintenant derrière lui et la silhouette sombre de Low Mountain glissa devant le disque jaune de la lune. Dans l'obscurité, il ne pouvait discerner qu'un unique scintillement de lumière : la seule ampoule qui éclairait la station service du Comptoir d'Echanges de Low Mountain. Il fit virer le Cessna légèrement sur la gauche, épousant le cours du Tse Chizzi Wash, faisant un détour pour éviter l'endroit où le bruit de son moteur pourrait réveiller quelqu'un.

– On y sera bientôt ? s'enquit le passager.

– On y est presque, répondit Pauling. De l'autre côté de cette crête, là devant, il y a Oraibi Wash, puis une autre série de crêtes et on atteint Wepo Wash. C'est là que nous allons atterrir. Dans à peu près six ou sept minutes.

– Drôlement isolé, commenta le passager qui secoua la tête en regardant en contrebas par la fenêtre latérale de l'appareil. Personne. C'est comme s'il n'y avait personne d'autre que nous sur la planète.

– Y a pas grand monde. Juste quelques Indiens ici et là. C'est pour ça qu'on a choisi cet endroit.

Le passager regardait à nouveau la lune.

– C'est ce moment-là qui fait peur, dit-il.

– Oui, acquiesça Pauling.

Mais à quel moment de « ce moment-là » faisait-il allusion ? A l'atterrissage en pleine nuit ? Ou à ce qui les attendait lorsqu'ils auraient atterri ? Pour une fois, Pauling se surprit à regretter de ne pas en savoir un peu plus. Il était persuadé d'avoir deviné l'essentiel. De toute évidence, ils ne transportaient pas de la drogue. Ce qu'il y avait dans les valises devait avoir une immense valeur pour justifier tout ce temps et ces précautions particulières qui y étaient consacrés. Par exemple, le choix de cet endroit particulier, et la présence de ce passager. Cela faisait des années qu'il n'avait pas été accompagné d'un convoyeur. Et lorsque cela s'était produit, quand il avait commencé à faire ce genre de travail (après avoir dû s'arrêter de piloter pour le compte d'Eastern Airlines à la suite d'un mauvais électrocardiogramme), son passager n'avait été qu'un sous-fifre envoyé pour l'accompagner afin de s'assurer qu'il n'allait pas voler la cargaison. Cette fois-ci, le passager était un inconnu. Il était arrivé au motel de Sabinas .Hidalgo avec le patron, juste avant l'heure du départ pour la piste d'envol. Pauling s'était dit qu'il devait représenter celui qui achetait la cargaison. Le patron avait dit que Jansen serait sur place quand ils atterriraient, avec les acheteurs. « Deux signaux, rien, et encore deux signaux », avait précisé le patron. « Si vous ne voyez rien, vous ne vous posez pas. » Jansen représentant le patron, et cet inconnu représentant les acheteurs. Tous deux dignes de confiance. Il vint soudain à l'esprit de Pauling que son passager, tout comme Jansen, devait certainement être un proche de celui qui l'employait. Il devait être son fils, son frère, ou quelque chose comme ça. Il devait appartenir à la famille. A qui d'autre pouvait-on faire confiance dans ce genre d'opération, ou en tout autre domaine ?

Oraibi Wash défila sous eux, sombre sillon sinueux envahi d'ombres sous la lumière rasante de la lune. Pauling replia légèrement le train d'atterrissage pour faire franchir à l'avion la pente désertique, puis le remit en position lorsque le niveau du sol s'abaissa à nouveau. Un terrain accidenté, en bas, maintenant, un paysage creusé de dizaines de petits cours d'eau à sec qui devenaient autant de torrents drainant vers Wepo Wash l'eau des orages s'abattant sur Black Mesa. Il avait réduit les gaz et le moteur tournait maintenant à sa vitesse minimum. Devant lui, sur sa gauche, il repéra le soulèvement de basalte noir dont la silhouette constituait le bon point de repère au bon endroit. Et aussitôt, juste sous ses ailes, il vit le moulin puis le lit du wash envahi d'ombres qui serpentait tout de suite après. Il devrait voir les lumières maintenant. Il devrait voir Jansen actionner sa... Et il les vit. Une douzaine de lumières jaunes alignées : les verres des lanternes à piles sèches orientées dans sa direction. Et, presque aussitôt, deux éclairs de lumière blanche, suivis de deux nouveaux éclairs. Le signal de Jansen pour indiquer que tout allait bien.

Il effectua un passage à vitesse réduite au-dessus des lumières et entreprit de décrire un cercle toujours à vitesse réduite, se représentant exactement l'aspect du sol tandis qu'il en approchait ses roues, se concentrant pour substituer par la mémoire la lumière du jour à l'obscurité.

Il s'aperçut que son passager le regardait.

– C'est tout ce que vous avez ? demanda l'inconnu. Vous vous posez avec cette rangée de lampes-torches à la con ?

– Le but recherché c'est de ne pas attirer l'attention, répondit Pauling.

En dépit du peu de lumière il voyait bien l'expression alarmée qui se peignait sur les traits du passager.

– Vous l'avez déjà fait ? demanda l'homme d'une voix qui avait grimpé d'un ton dans les aigus. Vous avez déjà atterri à l'aveuglette comme ça dans le noir ?

– Juste une fois ou deux. Faut y être obligé. (Mais il voulait rassurer l'inconnu). Avant j'étais dans les Forces Aériennes de Combat. Ils nous entraînaient à faire atterrir leurs avions de transport dans le noir. Mais nous ne nous posons pas vraiment à l'aveuglette ici. Nous avons ces lumières.

L'appareil était maintenant dans l'axe des lumières. Pauling prépara l'avion. Roues baissées. Volets baissés. Sa mémoire lui indiqua alors comment se présentait le fond de l'arroyo *. Nez relevé. Il sentit la portance se faire instable sous les ailes, son passager se raidir dans le siège voisin, le bref instant qui précède le contact avec le sol et au cours duquel l'avion tombe plutôt qu'il ne vole.

– Vous avez drôlement confiance, dit le passager. Seigneur ! Seigneur !

C'était une prière.

Ils étaient maintenant sous le niveau des rives du wash, et les lumières fonçaient à leur rencontre. Les roues touchèrent le sol dans une secousse suivie d'un crissement lorsque Pauling fit jouer les freins. Parfait, pensa-t-il. Il faut apprendre à faire confiance. Et pendant la fraction de seconde où cette pensée lui venait à l'esprit, il vit que cette confiance était une effroyable erreur.

3

Au début, Jim Chee ne prêta aucune attention au bruit de l'avion. Quelque chose avait bougé derrière le moulin numéro 6. Quelque chose avait bougé et bougeait à nouveau avec un petit bruit furtif qui portait beaucoup plus loin qu'il n'aurait dû dans le silence précédant l'aube. Une demi-heure auparavant, il avait entendu le ronronnement du moteur d'un véhicule qui remontait le lit sablonneux de Wepo Wash avant de s'arrêter à peut-être quinze cents mètres en aval de l'endroit où il se trouvait. Le nouveau bruit suggérait que celui qui avait conduit le véhicule jusque-là s'approchait peut-être du moulin. Chee sentit l'excitation de la chasse monter en lui. Son esprit refusa le bourdonnement importun du moteur de l'avion. Mais ce bruit de moteur devint impossible à ignorer. L'appareil volait bas, à cent mètres à peine au-dessus du sol, et suivait une route qui allait l'amener juste à l'ouest de la cachette que Chee s'était aménagée dans un buisson de mesquite rabougri. Il passa entre Chee et le moulin, volant sans feux de navigation mais si près de lui que Chee distingua les reflets des lumières à l'intérieur de la cabine de pilotage. Il grava la forme de l'appareil dans sa mémoire : l'aile surélevée, la grande gouverne de direction absolument droite ; le nez qui plongeait devant le pare-brise. La seule raison qu'il put trouver pour expliquer un tel vol à une heure pareille c'était la contrebande. Contrebande de drogue, probablement. Qu'est-ce que cela pouvait être d'autre ? L'avion s'éloigna en direction de Wepo Wash et de la lune qui plongeait de plus en plus bas dans le ciel, et il disparut rapidement dans la nuit.

Chee ramena ses yeux et ses pensées vers le moulin. L'avion ne le concernait pas. Les policiers appartenant à la Police Tribale Navajo n'avaient absolument aucune compétence légale en matière de contrebande, ou de trafic de drogue, pas plus qu'en tout ce qui était du ressort du

Service de la Répression du Trafic des Stupéfiants [1] des Etats-Unis, ou de la guerre que livrait l'homme blanc contre les crimes de l'homme blanc. Ce qui le concernait c'était le vandalisme à l'encontre du moulin numéro 6 dont la structure métallique laide et disgracieuse se découpait sur le ciel étoilé à environ une centaine de mètres de l'endroit où il se tenait ; de loin en loin, lorsque la brise soufflait plus fort dans le calme de cette nuit d'été, elle arrachait des grincements métalliques aux ailes qui se mettaient à bouger. Ce moulin n'était là que depuis un an à peu près : il avait été installé par le Bureau de la Réunification des Terres Hopi Morcelées afin de procurer de l'eau aux familles hopi que l'on ré-installait dans Wepo Wash en remplacement des familles navajo explusées. Deux mois après sa construction, quelqu'un avait ôté les boulons qui le fixaient à sa base cimentée et, à l'aide d'une longue corde et de deux chevaux au moins, l'avait fait basculer. Les réparation avaient demandé deux mois, et trois jours après leur achèvement (les boulons étant désormais solidement soudés), il avait été vandalisé à nouveau. Cette fois-ci, une manivelle de cric avait été coincée dans la boîte à engrenages un jour de grand vent. Cela avait entraîné le dépôt d'une plainte au Bureau de la Réunification des Terres Hopi auprès du Bureau de l'Administration des Territoires Communs situé à Keams Canyon, il en avait résulté un coup de téléphone adressé à la section de Flagstaff du FBI, qui à son tour avait contacté le Service de la Loi et de l'Ordre du Bureau des Affaires Indiennes, lequel avait appelé le Quartier Général de la Police Tribale Navajo à Window Rock, qui avait envoyé une lettre à la sous-agence de la Police Tribale Navajo installée à Tuba City. Cette lettre avait eu pour conséquence une note qui avait atterri sur le bureau de Jim Chee. La note disait : « Voir Largo ».

Il avait trouvé le capitaine Largo derrière sa table de

---

(1) La D.E.A. : Drug Enforcement Agency.

travail, plongé dans le contenu d'une chemise cartonnée.

– Bon, voyons voir, avait dit Largo. Où en êtes-vous pour l'identification du corps de ce John Doe [1] qu'on a retrouvé sur Black Mesa ?

– Nous n'avons rien de neuf, avait répondu Chee.

Ce qui signifiait, et Chee n'ignorait pas que le capitaine Largo le savait, qu'ils n'avaient absolument rien.

– Je veux parler du gars à qui quelqu'un a collé une balle en pleine tête, celui qui n'avait ni porte-feuille ni papiers d'identité, précisa Largo exactement comme si la sous-agence de Tuba traitait en série des problèmes d'identification de victimes au lieu de n'être confrontée qu'à ce cas unique et exaspérant.

– Aucun progrès, avoua Chee. Il ne correspond à aucune des personnes portées disparues. Ses vêtements ne nous ont absolument rien appris. Nous n'avons rien sur quoi travailler. Zéro.

– Ah, fit Largo qui recommença à tourner les pages du dossier. Et pour le cambriolage du Comptoir d'Echanges de Burnt Water ? Vous avez avancé, là ?

– Non, capitaine, dit Chee en ne laissant pas son irritation transparaître dans sa voix.

– L'employé a volé les bijoux déposés en gage mais on n'arrive pas à retrouver sa trace ? C'est bien comme ça que ça se présente ?

– Oui, capitaine.

– Musket, c'est ça ? demanda Largo. Joseph Musket. Libéré sous condition de la Prison d'Etat du Nouveau Mexique à Santa Fé. C'est ça ? Mais nulle part on n'a retrouvé la marchandise revendue. Et personne n'a ni vu ni aperçu Musket ? (Largo l'observait d'un œil curieux). C'est bien ça, hein ? C'est vous qui êtes sur cette affaire ?

– Oui, c'est moi, avait répondu Chee.

Cela s'était passé vers le milieu de l'été, peut-être six semaines après que Chee eût été transféré de la sous-

---

(1) John Doe : Pierre Dupont.

agence de Crownpoint, et il ne savait pas comment déchiffrer le capitaine Largo. Maintenant c'était la fin de l'été, et il ne le savait toujours pas.

– Elle n'est pas ordinaire celle-là, avait dit Largo en fronçant les sourcils. Qu'est-ce qu'il a bien pu fiche de ces objets déposés en gage ? Pourquoi n'essaye-t-il pas de les vendre ? Et où aurait-il bien pu aller ? Vous croyez qu'il est mort ?

Cette même question n'avait pas cessé de tourmenter Chee depuis le jour où on l'avait chargé de l'affaire. Il ne possédait aucune réponse.

Largo le vit bien. Il poussa un soupir puis se replongea dans son dossier.

– Et pour ce trafic d'alcool ? s'enquit-il sans lever les yeux. Vous avez réussi à agrafer Priscilla Bisti ?

– On a bien failli, répondit Chee. Mais ses gars et elle avaient sorti tout le vin du camion avant qu'on n'arrive sur place. Impossible de prouver qu'il leur appartenait.

Largo le regardait, lèvres pincées. Ses mains étaient croisées sur sa panse rebondie. Ses pouces se redressaient puis se repliaient dans un geste patient.

– Il va falloir vous montrer très malin pour coincer la vieille Priscilla, dit-il en soulignant cette affirmation d'un hochement de tête. Très malin, répéta-t-il.

Chee garda le silence.

– Et ces histoires de sorcellerie du côté de Black Mesa ? demanda Largo. Vous avez trouvé quelque chose, là-dessus ?

– Rien de précis, répondit Chee. Il semble que l'on en parle davantage que normalement, et peut-être que c'est parce qu'il y a autant de gens qui vont être déracinés et conduits ailleurs pour laisser la place aux Hopis. L'ennui c'est que je suis arrivé ici depuis trop peu de temps pour qu'on accepte de me dire quoi que ce soit sur les sorciers *.

Il tenait à le rappeler à Largo. Il n'était pas juste, de la part du capitaine, de s'attendre à ce qu'il découvre quelque chose sur les sorciers alors qu'il était encore un

24

étranger ici. Les clans de la réserve du nord-ouest ne le connaissaient pas encore. Pour eux, rien ne prouvait qu'il n'était pas lui-même un de « ceux-qui-marchent-sous-une-peau ».

Largo ne fit aucun commentaire sur cette explication. il se saisit d'une autre chemise cartonnée.

– Peut-être serez-vous plus chanceux avec cette affaire-là, dit-il. Il y a quelqu'un qui en veut à un moulin.

Il fit glisser hors de la chemise une lettre qu'il tendit à Chee.

Chee lut le rapport de Window Rock tandis que la moitié de son esprit essayait d'analyser Largo. Selon la façon dont les Navajos établissent les liens de parenté, le capitaine était parent avec lui par l'intermédiaire des relations entre clans. En ce qui concernait Chee, le clan crucial « auquel il était né » était celui de sa mère, le Peuple à la Parole Lente, mais le clan « pour lequel il était né », celui de son père, était le clan du Peuple de l'Eau Amère. Largo était né « au » Peuple du Rocher Dressé, mais était né « pour » le Peuple au Front Rouge qui était également le clan secondaire « pour lequel était né » le père de Chee. Ce qui faisait d'eux des parents. Des parents éloignés, certes, mais des parents dans une culture qui considérait la famille * comme étant de la première importance et faisait du sens de la responsabilité à l'égard de ses membres une valeur primordiale. Chee lut la lettre et réfléchit aux liens de parenté. Mais cela lui remettait en mémoire la manière dont un oncle du côté de son père l'avait un jour trompé lors de la vente d'un réfrigérateur d'occasion, et que la pire punition qui lui eût été infligée au fouet dans l'école de Two Gray Hills où il était interne, avait été l'œuvre d'un de ses cousins du côté maternel. Il rendit la lettre à Largo sans faire aucun commentaire.

– Chaque fois que surviennent des problèmes, ici, dans les Territoires Communs, en général ça vient des Gishis, dit Largo. D'eux, ou peut-être de la famille Yazzie.

Il marqua une pause pour réfléchir avant d'ajouter :

25

– Ou les Begay. Ils sont toujours mêlés à tout un tas d'histoires.

Il plia la lettre pour la remettre dans la chemise qu'il tendit ensuite à Chee en concluant :

– Ça pourrait être absolument n'importe qui. En tout cas, arrangez ça.

– Arrangez ça, répéta Chee en prenant le dossier.

Largo le regarda avec une expression mesurée.

– C'est cela, dit-il. On ne peut pas tolérer que quelqu'un vienne bousiller ce moulin hopi. Quand les Hopis s'installeront sur nos terres, il leur faudra de l'eau pour leurs vaches.

– Vous avez d'autres suggestions pour les suspects possibles ?

Largo fit la moue.

– Nous devons évacuer de ces Territoires Communs environ neuf mille Navajos, répondit-il. Je dirais que cela réduit le nombre des suspects à environ neuf mille.

– Merci, dit Chee.

– Heureux d'avoir pu vous rendre service. Vous partez de là et vous ne vous arrêtez que quand il n'y en a plus qu'un. (Il sourit, montrant des dents blanches qui avaient poussé de travers.) Ce sera votre travail. Vous arrivez à ce qu'il n'y en ait plus qu'un et vous l'arrêtez.

Ce qui était exactement ce que Chee venait de passer une longue nuit à essayer de faire. L'avion s'était éloigné maintenant, et si quelque chose bougeait à proximité du moulin, Chee ne pouvait ni le voir ni l'entendre. Il bâilla, sortit son pistolet de son étui et se servit du canon pour se gratter entre les omoplates à un endroit qu'il n'aurait pas pu atteindre autrement. La lune avait disparu et les étoiles brillaient sans concurrence dans l'obscurité du ciel. Il faisait plus froid soudain. Chee ramassa sa couverture, la dégagea des buissons de mesquite et l'enroula autour de ses épaules. Il repensa au moulin, au genre de méchanceté nécessaire pour le vandaliser, et se demanda pourquoi le vandale n'élargissait pas ses attentions aux moulins 1 à 8 ; puis il repensa à l'énigme posée par

Joseph Musket qui avait dérobé dans les quarante kilos d'objets gagés en argent, des ceintures concho, des colliers squash blossom, des bracelets et divers bijoux, et n'avait ensuite absolument rien fait de son butin. Chee avait déjà si souvent tourné et retourné l'énigme de Joseph Musket dans son esprit qu'il en connaissait par cœur les moindres détails. Il se pencha une nouvelle fois sur le problème, cherchant ce qui aurait pu lui échapper.

Pourquoi Jake West avait-il engagé Musket ? Parce qu'il était un ami du fils de West. Pourquoi l'avait-il renvoyé ? Parce qu'il l'avait soupçonné de le voler. Cela tenait debout. Et puis Musket était revenu au Comptoir d'Echanges de Burnt Water la nuit qui avait suivi son renvoi, et il avait pillé la réserve où étaient rangés les bijoux gagés. Cela aussi tenait debout. Mais les bijoux volés réapparaissaient toujours. On les donnait à des amies. On les revendait. On les gageait dans d'autres comptoirs d'échanges ou à Albuquerque, à Phoenix, à Durango, à Farmington, ou encore dans tous ces endroits autour de la réserve où se pratiquait le commerce des bijoux. C'était si logique, si inévitable, si prévisible que dans tout le Sud-Ouest la police suivait un procédure similaire pour ce genre d'affaires. Ils envoyaient une liste descriptive et attendaient les résultats. Et lorsque les bijoux commençaient à réapparaître, ils remontaient la filière. Pourquoi l'inévitable ne s'était-il pas produit cette fois-ci ? Qu'est-ce que Musket avait de différent ? Chee réfléchit au peu de choses que le responsable de la libération conditionnelle de Musket avait pu lui dire sur le genre d'homme qu'il était. Même son surnom constituait un mystère : Doigts-de-Fer. Les Navajos avaient tendance à associer ces appellations à des caractéristiques physiques, surnommant une jeune fille mince Fille Mince ou un homme qui portait une moustache fine Petite Moustache. Quelle raison pouvait expliquer qu'un jeune homme fût surnommé Doigts-de-Fer ? Plus important encore, était-il toujours en vie ? Largo se posait la question, lui aussi. S'il était mort, cela expliquerait tout.

Hormis pourquoi il l'était.

Chee poussa un soupir, drapa la couverture autour de ses épaules et se surprit à réfléchir à une autre de ses enquêtes en cours. John Doe : cause de la mort, blessure par balle à la tempe. Projectile, calibre 38. Taille de John Doe, un mètre soixante-dix. Poids de John Doe, probablement soixante-dix kilos si l'on se référait à ce qu'il restait de lui lorsque Chee et Cowboy Dashee l'avaient ramené. Identité de John Doe ? Bon Dieu, qui pouvait le savoir ? Probablement Navajo. Probablement adulte, encore jeune. Assurément de sexe masculin. Il avait été l'entrée en matière de Jim Chee pour la tâche qui allait être la sienne dans la circonscription de Tuba City. Le premier jour qui avait suivi son transfert de Crownpoint.

– Prenez la voiture et allez reconnaître le terrain, lui avait dit Largo.

Mais alors qu'il se trouvait à quelques kilomètres à l'ouest de Moenkopi, sa radio de bord lui avait fait faire demi-tour et prendre la direction des Territoires Communs.

– Un témoin au Comptoir d'Echanges de Burnt Water possède des informations sur un cadavre, avait annoncé la radio. Voyez le shérif adjoint Dashee. Il vous attendra là-bas.

– Comment cela se fait-il ? avait demandé Chee. Ce n'est pas en dehors de notre zone ?

La radiotélégraphiste n'avait pas pu lui fournir de réponse, mais lorsqu'il était arrivé au Comptoir d'Echanges de Burnt Water et qu'il avait rencontré le shérif adjoint Albert (Cowboy) Dashee, celui-ci la lui avait donnée.

– Le macchabée est un Navajo, lui avait-il expliqué. A ce qu'on nous a dit. Il paraît qu'on l'a abattu, alors quelqu'un s'est dit qu'il fallait que l'un de vous nous accompagne.

Lorsqu'ils arrivèrent enfin à l'endroit où gisait le corps,

il leur sembla difficile d'imaginer comment on avait pu deviner sa tribu, et même son sexe. La décomposition était très avancée. Les rôdeurs mangeurs de charogne avaient trouvé le cadavre : animaux, oiseaux et insectes. Ce qu'il en restait n'était pour l'essentiel qu'un sac de chiffons contenant des os mis à nu, des tendons, des cartilages et un tout petit peu de chair plus ferme. Ils l'avaient observé un moment et s'étaient demandé pourquoi les bottes avaient été enlevées et laissées au milieu de la piste ; ils avaient aussi vainement cherché un indice qui leur aurait permis d'idendifier l'homme ou d'expliquer le trou qu'avait fait la balle dans son crâne. Et à ce moment-là, Cowboy Dashee avait eu un geste d'amitié.

Il avait déroulé le sac qu'ils avaient amené avec eux pour remporter le cadavre, et quand Chee s'était penché pour l'aider, Cowboy Dashee l'avait repoussé du geste.

– Nous autres, les Hopis, nous avons nos phobies, avait-il dit, mais nous n'avons pas le même problème que vous pour toucher les morts *.

Et ainsi, Dashee avait mis John Doe dans le sac pendant que Chee le regardait faire. Il ne restait donc plus qu'à découvrir l'identité de John Doe, l'identité de celui qui l'avait tué, et la raison pour laquelle il avait enlevé ses bottes avant d'être tué.

Un bruit lointain ramena Chee au moment présent : il venait approximativement de l'endroit où la voiture s'était arrêtée, en bas, dans le lit de la rivière asséchée ; le bruit du métal contre le métal, peut-être, mais trop lointain et trop diffus pour qu'il puisse le reconnaître. Puis il entendit à nouveau l'avion. Cette fois-ci, il était au sud par rapport à lui, et se dirigeait ves l'est. Apparemment, il avait décrit un cercle. La lune, en se couchant, avait laissé derrière elle un flamboiement orange vif sur lequel se découpait la crête de Big Mountain. Pendant un instant, l'avion fut suffisamment haut pour que son aile réfléchisse une lueur orangée. Il effectuait un virage. Achevait son cercle. Une nouvelle fois, il arrivait presque

29

droit sur lui, échappant à la lumière pour plonger dans les ténèbres. Chee entendit un bruit métallique au-dessus du ronronnement discret du moteur. Les roues qui s'abaissaient ? Il faisait trop sombre pour l'affirmer. L'avion passa à moins de deux cents mètres de Chee, le nez pointant vers le sol, à peine plus haut que l'endroit où le policier se tenait. Il s'engagea en rase-mottes au-dessus de Wego Wash puis disparut.

Brusquement, le ronronnement du moteur cessa. Chee fronça les sourcils. Le pilote avait-il coupé le moteur ? Non. Il l'entendit à nouveau, très assourdi maintenant.

Il faut environ cinq secondes au bruit pour parcourir quinze cents mètres. Mais même après quinze cents mètres, même après cinq secondes de déperdition due à la distance, le bruit atteignit les oreilles de Chee comme si la foudre s'était abattue. Comme une explosion. Comme si des tonnes de métal s'étaient écrasées contre le rocher.

Le silence régna à nouveau pendant une ou deux secondes, peut-être même trois. Puis un seul bruit bref claqua à quinze cents mètres de là, immédiatement identifiable malgré la distance. La détonation d'une arme à feu.

4

L'odeur âcre de l'essence parvint aux narines de Jimmy Chee. Il fit halte, dirigea le faisceau de sa lampe devant lui sur la pente de l'arroyo pour découvrir la provenance de l'odeur en même temps qu'il reprenait son souffle. Il avait couvert la distance depuis son buisson de mesquite en moins de quinze minutes, courant lorsque le terrain le lui permettait, s'aidant des pieds et des mains pour descendre dans le lit des cours d'eau asséchés et pour en ressortir, contournant arbustes et cactus, s'arrangeant pour que le rougeoiement de la lune déclinante reste devant lui sur sa gauche. A un moment, juste avant qu'il n'atteigne le rebord de la falaise dominant Wepo Wash, il avait entendu le hoquet d'un starter, un moteur qui démarrait, puis le bruit de plus en plus diffus d'une voiture qui s'éloignait en suivant le lit du cours d'eau vers l'aval. Il avait vu une lueur à l'endroit où les phrares de la voiture avaient éclairé brièvement la paroi de l'arroyo. Il n'avait rien vu d'autre. Maintenant, le faisceau de sa torche se reflétait sur du métal et, derrière ce métal, sur encore plus de métal en un amas enchevêtré. Chee observa ce que sa lampe lui révélait. Par-dessus le bruit de sa respiration haletante, il entendit quelque chose. De la terre qui glissait. Quelqu'un venait de quitter le wash en en escaladant la rive. Il fit pivoter le faisceau de sa lampe dans la direction du bruit. La lumière lui révéla un résidu de poussière, mais aucun mouvement. Ce qui avait délogé la terre était hors de vue.

Faisant désormais preuve de prudence, Chee s'approcha de l'épave.

L'aile gauche de l'avion avait apparemment reçu le premier impact, percutant une grande masse rocheuse qui contraignait le wash à un brutal détour vers le nord. Une partie de l'aile avait été arrachée, et la violence du choc avait fait pivoter l'avion sur lui-même, projetant le fuselage contre le rocher selon un angle d'environ quarante-cinq degrés. La lampe de Chee se refléta dans la vitre intacte de la cabine de pilotage. Il regarda à l'intérieur. La lumière éclaira le côté de la tête d'un homme aux cheveux blonds bouclés. Sa tête était penchée en avant comme si l'homme s'était assoupi. Aucune trace de sang. Mais en-dessous, l'avant broyé de la cabine avait reculé sous le choc. Là où la poitrine de l'homme aurait dû se trouver il y avait du métal. De l'autre côté de la cabine, Chee aperçut un deuxième homme dans le siège du pilote. Cheveux noirs avec des touches de gris. Du sang sur le visage. Un mouvement !

Chee plongea par la brèche qu'avait laissé dans l'aluminium la porte de la cabine arrachée, repoussa de son chemin un siège de passager disloqué et atteignit le pilote. Il respirait encore ou tout au moins en donnait l'impression. Chee s'accroupit comme il put au milieu de l'amas de métal torturé, tendit la main et dégrafa la ceinture de sécurité du pilote. Elle était couverte de sang chaud. Il s'insinua entre les deux sièges, s'avançant suffisamment pour pouvoir examiner le visage de l'homme dans la lumière de sa lampe. Il avait saigné abondamment par une blessure au cou, du côté droit : une entaille qui avait profondément déchiré les chairs mais dont le sang ne faisait plus que suinter. Il était trop tard pour poser un tourniquet. Le cœur n'avait plus rien à pomper.

Chee s'accroupit à nouveau et évalua la situation. Le pilote était mourant. Si cet espace étriqué avait été une salle d'opération avec un chirurgien en action et du sang ré-injecté dans le corps du pilote, celui-ci aurait pu avoir une chance. Mais Chee ne pouvait rien pour lui.

Néanmoins existe le besoin humain de faire quelque chose. Chee extirpa le pilote de son siège, tira son corps inerte entre les sièges puis à l'extérieur de la cabine déchiquetée. Il étendit précautionneusement le pilote sur la terre tassée, le visage dirigé vers le ciel. Il prit le poignet de l'homme et chercha son pouls. Il ne battait plus. Chee éteignit sa torche.

Maintenant que la lune était couchée, l'obscurité était totale dans le fond de Wepo Wash. Au-dessus de sa tête, libérées de la concurrence qu'avait représenté la lune, mille millions d'étoiles étincelaient dans le firmament d'un noir profond. Le pilote n'était plus. Son *chindi* s'était échappé pour errer dans les ténèbres : un fantôme de plus pour affliger le Peuple * de maladies et rendre les nuits dangereuses. Mais il y avait longtemps que Chee avait appris à dominer sa peur des fantômes, à l'époque où il était adolescent dans un internat.

Il laissa à ses yeux le temps de s'habituer à l'obsurité.

32

Au début, il ne vit que la ligne indiquant le sommet de la falaise, séparant la voûte étoilée des ténèbres. Graduellement, les choses prirent forme. L'aile jetée vers le ciel qui restait accrochée à l'avion, la forme du bloc de basalte qui avait détruit l'appareil. Chee ressentit une impression de froid sur la peau de ses mains. Il les mit dans les poches de sa veste. Il se dirigea vers le bloc rocheux et en fit le tour tout en réfléchissant. Il réfléchissait à la voiture qu'il avait entendue s'éloigner et à la personne, ou aux personnes, qui devaient se trouver à l'intérieur. Des personnes qui avaient tourné le dos au pilote et abandonné cet homme à une mort solitaire au milieu des ténèbres. La lumière venue des étoiles donnait maintenant une forme au canyon, définissait une différence entre son lit sablonneux et ses parois, allant même jusqu'à suggérer la présence d'arbustes à la base des falaises. Il n'y avait aucun souffle d'air maintenant, et le silence était total. Chee appuya sa hanche contre le basalte, sortit de sa poche une cigarette et une allumette de cuisine.

Il frotta l'allumette contre la pierre. Une grande lumière jaune jaillit et illumina le sable gris-jaune à ses pieds, le noir brillant du basalte, et le blanc de la chemise d'un homme. L'homme était assis sur le sable, les jambes allongées devant lui, et le jaillissement soudain de la flamme sulfureuse se réfléchit dans les verres de ses lunettes.

Chee lâcha l'allumette, recula, se saisit de sa torche en tâtonnant. L'homme portait un costume gris sombre accompagné d'un gilet assorti et d'une cravate bleue au nœud impeccable. Ses pieds avaient glissé sous lui, creusant des traces de talon dans le sable tandis que son pantalon remontait sur ses jambes de telle sorte que sa peau blanche était dénudée au-dessus des chaussettes noires. Dans le faisceau jaune de la torche de Chee, il semblait avoir peut-être quarante-cinq ou cinquante ans, mais la mort et la lumière jaune vieillissent les visages. Ses mains pendaient inertes le long de son corps, reposant sur le sable. Entre le pouce et l'index de sa main droite il tenait une petite carte blanche. Chee s'agenouilla à côté de cette main et dirigea la lumière sur elle. C'était une carte du Centre Culturel Hopi. En en coinçant les bords entre ses doigts, Chee la tira à lui et la retourna. Au verso, quelqu'un avait écrit :

« Si vous voulez tout récupérer, prenez une chambre à cet endroit. »

Chee reglissa la carte entre les doigts du mort. Cette affaire allait concerner les services fédéraux. C'était taillé sur mesure pour eux. Rien de tout cela n'allait le concerner le moins du monde.

5

Le capitaine Largo se tenait devant la carte murale où il faisait des calculs.

– L'avion se trouve ici, dit-il en appliquant un doigt grassouillet sur le papier. Et votre voiture était garée là ? (A nouveau il toucha le papier). Peut-être un peu plus de trois kilomètres. Peut-être moins.

Chee ne répondit pas. Il s'était rendu compte, trois questions avant celle-ci, qu'il se passait quelque chose d'inhabituel.

– Et vous nous avez communiqué votre premier rapport par radio à cinq heures vingt, ajouta l'homme qui s'appelait Johnson. Disons qu'il faut quarante minutes pour marcher jusqu'à votre voiture, ce qui laisse encore un laps de temps de cinquante minutes après le moment où vous dites que l'avion s'est écrasé.

Johnson était un grand maigre aux cheveux roux et au visage constellé de taches de rousseur. Il portait un jean et des bottes de cowboy noires confectionnées dans un cuir d'origine exotique. Sa moustache claire était bien taillée et ses yeux bleu pâle observaient Chee. Ils l'avaient observé dès l'instant où il avait pénétré dans le bureau, avec ce regard fixe et impersonnel, ne cillant jamais, que les policiers ont tendance à acquérir. Chee se rappela que c'était l'un des tics professionnels qu'il devait essayer d'éviter.

– Cinquante minutes, dit Chee. Ouais. Ça doit être à peu près ça.

Silence. Largo étudiait la carte. Johnson était assis sur une chaise qu'il avait inclinée en arrière contre le mur et, les mains croisées derrière la nuque, il gardait les yeux fixés sur Chee. Il bougea un peu, ce qui fit craquer la chaise.

– Cinquante minutes, c'est très long, remarqua-t-il.

Très long pour faire quoi ? pensa Chee. Mais il ne dit rien.

– Vous dites qu'avant d'arriver à l'épave, vous avez entendu démarrer un moteur de voiture, ou de pick-up truck [1], et que quelqu'un est parti. Et aussi qu'une fois sur place vous avez entendu quelqu'un escalader la rive du wash de l'autre côté de l'avion.

Le ton employé par Johnson transformait cette déclaration en question.

– C'est bien ce que je dis, répondit Chee.

Il surprit Largo en train de lui lancer un coup d'œil. Le visage du capitaine était pensif.

– Nos agents nous ont remis un rapport qui se rapproche beaucoup du vôtre, reprit Johnson. Vous ne comptez pas vos propres traces, bien sûr, donc vous avez observé quatre pistes différentes et eux en ont observé cinq. Quelqu'un qui a escaladé la rive du wash, comme vous l'avez dit. (Johnson leva l'un de ses doigts.) Plus les marques laissées par les chaussures aux semelles lisses et

---

(1) Pick-up truck : Omniprésent dans les états de l'Ouest, il s'agit d'un camion léger, en général monté sur un châssis d'automobile, dont l'arrière ouvert autorise tous les transports.

au bout pointu du macchabée. (Il leva un second doigt.) Plus des semelles alvéolées, et une paire de bottes de cowboy. (Deux nouveaux doigts se dressèrent.) Plus les semelles des bottes dont nous savons maintenant qu'elles vous appartiennent.

Johnson leva son pouce pour obtenir le compte juste de cinq. Il fixa Chee, attendant un acquiescement de sa part.

— Exact, dit Chee en regardant droit dans les yeux de Johnson, d'un bleu glacial.

— Nos agents (les gars du FBI), ont eu l'impression que les traces de bottes de cowboy recouvraient vos propres traces par endroits, et qu'à d'autres c'étaient les vôtres qui les recouvraient. Pareil pour les semelles alvéolées.

Pendant environ cinq secondes, Chee réfléchit à ce que Johnson venait de dire.

— Ce qui voudrait dire que nous nous trouvions tous les trois là-bas au même moment, conclut-il.

— Tous ensemble, renchérit Johnson. En groupe.

Chee se disait qu'on venait de l'accuser d'un crime. Puis il se rappela que quelqu'un avait dit un jour qu'une connaissance limitée de quelque chose pouvait être pleine de dangers, et il se dit que cet axiome s'appliquait on ne peut mieux à la lecture des traces laissées sur le sol. Ceux qui les analysent ont tendance à oublier que les gens marchent sur leurs propres traces. C'était là quelque chose que son oncle lui avait appris à savoir prendre en considération... et à savoir lire.

— Vous avez quelque chose à dire à ce sujet ? demanda Johnson.

— Non, répondit Chee.

— Vous prétendez que vous n'étiez pas sur place en même temps que les autres types ?

— Vous prétendez que j'y étais ? Ce que vous semblez dire, c'est que le FBI n'a pas eu beaucoup de chance quand ils se sont mis à la recherche de quelqu'un qui sache lire les traces de pas.

Johnson le regardait fixement avec une absence de

gêne absolue. Intrigué, Chee scruta son interlocuteur. Ses traits étaient durs, intelligents, sévères : le visage de quelqu'un qui était sûr de lui. Chee avait vu cette expression suffisamment souvent pour savoir la reconnaître. Il l'avait vue chez le garçon hopi qui avait établi le record du marathon de l'Université d'Arizona au cours des épreuves d'athlétisme de Flagstaff, et sur le visage du cowboy de rodéo qui avait remporté la grande ceinture à Window Rock, ainsi qu'ailleurs chez les gens qui étaient très, très bons dans leur spécialité, qui le savaient, et qui laissaient cette confiance arrogante transparaître dans la manière désinvolte dont ils se servaient de leurs yeux. L'expérience que Chee avait eue des agents fédéraux ne lui avait laissé aucune illusion quant à leurs compétences. Mais Johnson était à classer tout à fait à part. Si Chee avait été un criminel, il n'aurait pas aimé que Johnson se lance à sa poursuite.

— Vous maintenez ce que vous avez dit dans votre rapport, alors, finit par dire Johnson. Vous voyez quelque chose à ajouter qui pourrait nous aider ?

— Vous aider en quoi ? demanda Chee. Peut-être que je pourrais aider votre gars à apprendre quelque chose sur les marques laissées dans le sol.

Johnson laissa les pieds de sa chaise retomber par terre, décroisa ses mains et se leva.

— Heureux d'avoir fait votre connaissance, les gars, dit-il. Et à propos, M. Chee, j'aurai probablement besoin de discuter à nouveau avec vous. Vous serez dans le coin ?

— Il y a de grandes chances, répondit Chee.

La porte se referma derrière Johnson. Largo étudiait toujours la carte.

— Je ne peux pas vous dire grand chose sur tout ça, dit-il. Un peu seulement.

— Vous n'avez pas besoin de me dire grand chose, répondit Chee. Je peux en conclure que les stups ne pensent pas qu'il s'agit d'une coïncidence si je me trouvais là-bas du côté du wash quand l'avion s'est posé. Ils pensent que j'y étais en fait pour attendre l'avion et que moi, semelles alvéolées et bottes de cowboy, nous avons récupéré la cargaison de drogue. De drogue ou d'autre chose. Que j'ai passé les cinquante minutes manquantes à embarquer la marchandise. C'est à peu près ça ?

— Presque, répondit Largo d'une voix douce.

— Il y a encore autre chose ?

— Pas grand chose. A vrai dire, rien dont ils m'aient parlé.

— Mais quelque chose qui me rend suspect à leurs yeux.

— Qui rend quelqu'un du coin suspect à leurs yeux, corrigea Largo. J'ai l'impression que le Service de la Répression du Trafic des Stupéfiants ne croit pas que la cargaison ait été emportée très loin. Ils pensent qu'elle est cachée quelque part dans le coin.

— Comment pourraient-ils le savoir ? demanda Chee en fronçant les sourcils.

— Comme tout ce qu'ils savent. Je suis persuadé que la moitié de l'industrie de la drogue vient émarger chez eux. Y moucharder.

— Ça en a tout l'air.

— Et ils sont drôlement forts pour jouer aux devinettes.

— Oui, ça aussi je l'avais remarqué.

— Comme par exemple de penser que vous avez contribué à faire disparaître la cargaison.

— Et vous, vous pensez qu'ils se trompent ?

— Il y a de grandes chances.

— Merci, dit Chee. Johnson vous a dit qui se trouvait dans l'avion ?

— J'ai cru comprendre que le pilote ne leur était pas inconnu. L'un des habitués qui font passer de la marchandise en provenance du Mexique pour le compte de l'une des grandes organisations. Un type appelé Pauling. Je ne crois pas qu'ils connaissent encore l'identité du passager. Le gars qui était par terre, celui qui a été tué par balle, son nom était Jerry Jansen. Un avocat de Houston. Supposé avoir eu des liens avec le milieu de la drogue.

– Je ne l'ai pas touché : il a été tué par balle, alors ?

– Dans le dos, précisa Largo.

– Ça ne paraît pas bien compliqué, dit Chee. Un avion apporte une cargaison de drogue. Quelqu'un arrive en voiture pour recevoir la marchandise, d'accord ? Seulement voilà, l'avion s'écrase contre un rocher. Deux des gars qui sont venus chercher la marchandise décident de la voler. Ils tuent leur copain en lui tirant une balle dans le dos, laissent un petit mot pour les propriétaires, ou peut-être pour les acheteurs, pour leur dire comment prendre contact avec eux pour racheter leur camelote. Puis ils l'embarquent. D'accord ? Mais la DEA ne pense pas que la cargaison ait été emmenée bien loin. Ils pensent qu'elle est cachée quelque part dans le coin. D'accord ?

– C'est ce que Johnson semblait penser.

– Bon mais qu'est-ce qui peut leur donner cette idée-là ?

Largo regardait par la fenêtre. Il paraissait ne pas avoir entendu la question.

– Je serais prêt à croire, finit-il par dire, que la DEA avait des tuyaux sur cette livraison. Je pense qu'ils avaient un informateur là où il fallait.

– Oui, dit Chee avec un hochement de tête. Mais pour une certaine raison qui dépasse l'entendement du pauvre Indien ici présent, la DEA ne voulait pas se manifester en s'emparant de l'avion et en arrêtant tout le monde.

Largo regardait toujours par la fenêtre. Il jeta un coup d'œil à Chee par-dessus son épaule.

– Personne n'en sait foutrement rien, dit-il. Les fédéraux travaillent de manière aussi bizarre qu'étrange et ils ne donnent pas d'explications à la Police Tribale Navajo. (Il sourit.) Surtout pas quand ils pensent qu'un des membres de la Police Tribale a peut-être embarqué le corps du délit.

– Ça a de quoi vous rendre curieux, dit Chee.

– Ça oui. Je crois que je vais faire ma petite enquête.

– Je repense à cette carte. C'est peut-être à cause d'elle que les fédéraux pensent que la marchandise se trouve toujours dans le coin. Autrement pourquoi celui qui l'a détournée passerait par le Motel Hopi pour ses transactions ? Pouquoi est-ce qu'il ne les contacterait pas à Houston ou là où ils sont d'habitude ?

– Je me demandais quand l'idée allait vous venir, dit Largo. Si Jim Chee avait volé la marchandise, il n'aurait pas su comment entrer en contact avec les propriétaires. Par conséquent Jim Chee aurait laissé un message leur indiquant comment faire pour le joindre lui.

– En pensant que la presse allait imprimer son message ? C'est ça que j'aurais pensé ? Ça ne me serait pas venu à l'idée que la DEA pourrait garder le silence sur mon message ?

– Peut-être. Mais si vous aviez envisagé cette possibilité, vous auriez été suffisamment intelligent pour ne pas ignorer qu'ils allaient envoyer leurs hommes de loi pour venir fureter partout. Le propriétaire de l'avion, en tous cas, a le droit légal et légitime de vouloir tout savoir sur l'accident. Ils auraient demandé à voir le rapport du policier chargé de l'enquête, et nous le leur aurions montré. Donc Jim Chee n'aurait pas oublié de spécifier dans son rapport ce qu'il y avait d'écrit sur cette carte. Exactement comme vous l'avez fait.

Jim Chee, qui en fait n'avait jamais pensé à tout ça, acquiesça de la tête.

– Drôlement futé de la part de Jim Chee, dit-il.

– J'ai reçu un appel il y a quarante-cinq minutes. De Window Rock. Votre copain a remis ça. Au moulin à vent.

– Cette nuit ? s'enquit Jim Chee dont le ton trahit l'incrédulité. Après l'accident ?

Largo haussa les épaules.

– Le Bureau des Territoires Communs a appelé Window Rock. Tout ce que je sais c'est que quelqu'un a à nouveau bousillé le mécanisme et Window Rock ne veut plus que ça se reproduise.

Chee en resta sans voix. Il fit un pas vers la porte puis s'arrêta. Largo était debout derrière sa table de travail et lisait quelque chose dans le dossier de Chee. C'était un homme de petite taille qui avait cette silhouette sans hanches, au torse arrondi, si répandue dans l'ouest du pays navajo, et son visage tout en chair demeurait serein tandis qu'il lisait. Chee le respectait. Mais il n'était pas sûr de pouvoir avoir de l'amitié pour lui. Probablement pas.

– Capitaine, dit-il.

Largo leva les yeux.

– Ces cinquante minutes perdues sur les lieux de l'accident posent un problème à Johnson. Et à vous ?

– Je ne pense pas.

L'expression de son visage était totalement neutre.

– Il y a quelque chose que je sais et que Johnson ignore, ajouta-t-il en soulevant le dossier dans sa main. Je sais que vous travaillez lentement.

6

Derrière le comptoir, Jake West expliquait les subtilités concernant les mandats postaux à une jeune fille navajo qui paraissait vouloir acheter quelque chose par correspondance dans le catalogue de Sears et Roebuck. Par un sourire et un signe de tête, West avait indiqué à Chee qu'il l'avait vu entrer, mais il n'avait rien fait pour accélérer les choses avec sa cliente. Et d'ailleurs, Chee ne s'attendait pas à ce qu'il le fasse. Il s'appuya contre l'armoire métallique qui contenait les aliments surgelés et attendit, absorbé dans ses pensées, puis prêta l'oreille aux trois bavards et bavardes qui parlaient de sorciers sur la véranda, juste devant la porte restée ouverte. Il y avait là

41

une femme navajo entre deux âges (une Gishi, avait conclu Chee), une autre femme navajo plus âgée, et un Navajo plus vieux encore, que la plus jeune des femmes avait appelé Hosteen * Yazzie. C'était elle qui parlait le plus souvent, d'une voix forte pour se faire entendre de son auditoire dur d'oreille. Il s'agissait de la sorcellerie qui sévissait dans la région Black Mesa-Wepo Wash.

Ces potins ayant trait à la sorcellerie paraissaient typiques de ce à quoi l'on peut s'attendre au cœur d'une saison de sécheresse et de difficultés nombreuses (et pour les Navajos de la Réserve des Territoires Communs, c'était assurément une saison où les difficultés étaient nombreuses.) C'était la même histoire que d'habitude. Quelqu'un qui chassait l'antilope au crépuscule avait vu un homme rôder alentour, et cet homme s'était changé en hibou avant de s'envoler. L'une des filles Gishi avait entendu ses chevaux qui devenaient nerveux, alors elle était sortie pour aller voir et il y avait un chien qui les embêtait, alors elle avait tiré sur le chien avec sa 22 long rifle et le chien s'était transformé en homme et avait disparu dans l'obscurité. Un vieil homme, là-bas sur la mesa, avait entendu une nuit des bruits sur le toit de son hogan, et il avait vu quelque chose descendre par le trou à fumée. Peut-être que c'était de la saleté qui s'était détachée. Peut-être que c'était de la poussière de cadavre que le sorcier y avait jetée. L'attention de Chee dévia sur autre chose. Il entendit Hosteen Yazzie dire : « Sans doute que le sorcier l'a prise sur cet homme qu'il a tué, sa poussière de cadavre », et à nouveau Chee écouta, très attentivement cette fois. « Oui, sans doute », dit la femme Gishi, et la conversation changea, passa à un autre sujet et à un autre jour. Chee changea de position contre l'armoire réfrigérante et s'interrogea sur le sorcier qui avait tué un homme. S'il franchissait le seuil pour aller demander à Hosteen Yazzie de lui expliquer ce que tout cela signifiait, il ne rencontrerait qu'un mur de silence. Ces Navajos ne le connaissaient pas. Jamais ils ne parleraient de sorcellerie avec quelqu'un qui pourrait

42

précisément être ce sorcier qui les tourmentait.

A l'autre extrémité du magasin retentit le rire de West. Il était maintenant penché au-dessus de sa jeune cliente et, comparée à la masse de l'homme, elle donnait l'impression d'être un modèle réduit de jeune fille. Il devait peser cent vingt kilos, se dit Chee, peut-être cent trente : moitié muscle, moitié graisse, il avait cette silhouette arrondie qui le faisait paraître petit tant qu'il ne se trouvait pas près de vous. Son hilarité révélait une magnifique rangée de dents au milieu de sa barbe bouclée. Là où la barbe et la moustache ne le cachaient pas, son visage grêlé et marqué par la petite vérole avait tout d'un paysage lunaire. Seul son front, agrandi sur le haut par la calvitie, était lisse : un lac serein de peau rose entouré d'une masse de boucles grisonnantes.

Jim Chee avait rencontré Jake West alors qu'il venait tout juste d'arriver : le jour où l'on avait découvert le corps de John Doe. Et le lendemain du jour où ils avaient ramené le cadavre, sa radio de bord lui avait fait parvenir un message lui demandant de passer par le magasin de Burnt Water, parce que West avait quelque chose à lui dire. Le quelque chose en question n'allait pas bien loin : c'était une information suggérant l'endroit que pourrait utiliser l'un des trafiquants d'alcool de la région pour effectuer ses livraisons à ses clients. Mais c'était ce jour-là que Chee avait vu, effectivement vu, Joseph Musket. Ce n'est pas souvent qu'un policier a l'occasion de voir un voleur la veille du vol.

Chee s'était garé devant le magasin, était entré et avait vu West discuter dans son bureau avec un homme jeune qui portait une chemise de couleur rouge. West lui avait lancé quelque chose du genre « J'en ai pour une minute », et une minute plus tard l'homme était sorti du bureau de West, était passé à côté de Chee puis avait quitté le magasin. West l'avait regardé partir d'un œil furieux depuis le seuil de son bureau.

– Le petit salopard, avait-il dit. Je l'ai fichu à la porte.

– Ça n'a pas l'air de lui faire grand chose, avait

répondu Chee.

– Ça ne m'étonne pas. Je lui offre du boulot pour qu'il puisse bénéficier d'une libération conditionnelle et ce salaud se pointe au travail quand ça lui chante, bon Dieu. Même que c'est pas souvent. Et je crois bien qu'il me volait.

– Vous voulez déposer une plainte ?

– Laissez tomber, dit West. C'était un ami de mon fils. Mon gars il a jamais été très doué pour choisir ses amis.

Et dès le lendemain matin, Chee avait reçu un nouvel appel. Quelqu'un avait pénétré sans effraction dans la réserve où West gardait les bijoux gagés par ses clients, et en était reparti avec une quarantaine des plus belles pièces. Seuls West et Joseph Musket avaient eu accès à la clef. Depuis ce jour-là, Chee avait appris un certain nombre de choses sur West. Cela faisait vingt ans qu'il tenait le magasin de Burnt Water. Il était arrivé de Phoenix, ou de Los Angeles, suivant les sources de renseignements, et il avait été pendant un certain temps marié avec une femme hopi, mais il ne l'était plus. Il avait eu un fils, peut-être deux, d'un précédent mariage, et s'était bâti une réputation tout à fait honorable si l'on considérait ce qui faisait la réputation des responsables de comptoirs d'échanges. Il ne figurait pas sur la liste des trafiquants d'alcool reconnus qu'avait établie le capitaine Largo, n'avait jamais été pris à faire du recel d'objets volés, versait des sommes relativement honnêtes en échange des bijoux qu'il acceptait en dépôt, pratiquait des taux d'intérêt relativement honnêtes, et il semblait s'entendre fort bien avec ses clients navajos et hopis. Les Hopis, avait-on dit à Chee, le considéraient comme un *powaga* (« un cœur-double »), l'une de ces personnes dans lesquelles vit l'âme d'un animal en même temps que l'âme d'un humain. C'était là la version compliquée du sorcier, chez les Hopis. Au sujet de cette rumeur, Chee avait interrogé deux Hopis qu'il avait rencontrés. L'un lui avait répondu que c'était une ânerie, que seuls les descendants du Clan du Brouillard pouvaient être cœur-

44

doubles et que le Clan du Brouillard était pratiquement éteint dans les villages hopis. L'autre, une femme âgée, pensait que West était peut-être un cœur-double, mais qu'il en était un piètre exemple. West venait de recevoir son argent des mains de la jeune fille navajo et lui tendit son mandat postal.

Sa haute silhouette longea le comptoir pour se rapprocher de Chee tandis qu'un immense sourire découvrait ses dents blanches au milieu de sa barbe.

– M. Chee, dit-il en tendant les main.

La main de Chee disparut dans la sienne mais, tout comme sa voix, sa poignée de main était étonnamment mesurée. Son sourire avait fait place à une expression sévère.

– Vous êtes juste un peu en retard. Je vous attendais cinq minutes plus tôt.

Chee avait déjà été le témoin des petits tours qui amusaient West. Il n'était pas dupe. Mais il joua le jeu.

– Comment avez-vous fait pour savoir que j'allais venir ?

– Grâce à mon pouvoir psychique. Et comme vous autres Navajos vous refusez de croire à ce genre de pouvoir, j'ai ancré une idée dans votre esprit de manière à vous en fournir la preuve. (West fixa Chee avec des yeux farouches.) Vous êtes en train de penser à une carte à jouer.

– Ben non, répondit Chee.

– Mais si, insista West. C'est inconscient. Vous ne le savez même pas vous-même, mais j'en ai ancré l'idée dans votre tête. Allez, arrêtez de nous faire perdre notre temps et dites-moi de quelle carte il s'agit.

Chee s'aperçut qu'il pensait à des cartes à jouer. A un paquet de cartes étalé sur une table. Beaucoup de piques. Aucune carte en particulier.

– Alors, insista West, ça vient ?

– Le trois de carreau, dit Chee.

L'expression farouche de West s'effaça derrière une autosatisfaction souriante.

– C'est exactement ça, dit-il.

Il portait une combinaison de travail à rayures bleues et blanches qui était trop large en dépit de sa masse. Il plongea la main dans l'une des poches.

– Et puisque vous autres Navajos vous êtes des gens tellement sceptiques, je vous ai préparé une petite preuve.

Il tendit à Chee une petite enveloppe telle qu'on en utilise pour envoyer des mots rapides ou des cartons d'invitation.

– Le trois de carreau, annonça-t-il.

– Fantastique, commenta Chee.

Il remarqua que l'enveloppe était fermée et la glissa dans sa poche.

– Vous ne l'ouvrez pas ?

– Je vous fais confiance, et en fait je suis venu pour voir si vous pouviez m'aider.

– Vous vous occupez de cet accident d'avion ? demanda West en levant les sourcils. Cette histoire de drogue ?

– Cela est du ressort des agents fédéraux. Le FBI, la DEA. Nous ne nous occupons pas d'affaires de ce genre. Je travaille sur une histoire de vandalisme.

– Le moulin, dit West qui prit un air pensif. Oui. C'est une drôle d'histoire.

– Vous en avez entendu parler ?

– Naturellement, dit West en riant. Avant, c'est-à-dire. Maintenant tout le monde parle de l'accident de l'avion, de trafic de drogue et du meurtre de ce type : c'est beaucoup plus intéressant qu'un moulin vandalisé.

– Mais peut-être pas aussi important.

West le regarda, considérant ce qu'il venait de dire.

– Euh, oui, dit-il. De votre point de vue, oui. Cela dépend de qui se fait tuer, n'est-ce pas ?

Il fit signe à Chee de venir le rejoindre derrière le comptoir, puis de le suivre en franchissant le seuil qui séparait le magasin de la partie habitation.

– Il faudrait tous les tuer, dit West en s'adressant au couloir devant lui. Tous des vermines.

Son salon était une pièce toute en longueur, fraîche et sombre. Les épais murs de pierre étaient percés de quatre fenêtres, mais des plantes grimpantes avaient poussé devant elles avec tant de vigueur qu'elles ne laissaient plus passer qu'une lumière diffuse et verte.

— Asseyez-vous, proposa West avant de prendre place lui-même dans un large fauteuil de relaxation en plastique. Ensuite nous pourrons parler de moulins à vent, d'avions et de types qui se font tirer dans le dos.

Chee s'assit sur le canapé. Il s'enfonça dans les coussins moelleux. Il se sentait toujours mal à l'aise dans ce genre de siège.

— Nous devons d'abord nous entendre sur un point, commença Chee. Ce type qui s'attaque à ce moulin peut très bien être l'un de vos amis ; ou il se pourrait que vous considériez que ce n'est pas une si mauvaise idée que ça de s'attaquer à ce moulin étant donné les circonstances. Si c'est le cas, je repars et c'est sans rancune.

— Ah, fit West avec un large sourire. J'aime la façon dont votre cerveau fonctionne. Pourquoi perdre son temps en bavardages ? Mais les choses étant ce qu'elles sont, j'ignore qui c'est, je n'aime pas le vandalisme et, pire encore, peut-être que ça va entraîner des problèmes encore plus graves, et Dieu sait que nous n'avons pas besoin de ça.

— Parfait, acquiesça Chee.

— L'ennui c'est que je n'arrive pas à y voir clair dans cette histoire. (West posa les coudes sur les accoudoirs de son fauteuil et joignit l'extrémité de ses doigts comme pour faire une tente). Le bon sens me dit que c'est l'une de vos familles Navajo qui fait ça. Qui pourrait leur en vouloir ? Ça doit faire quatre générations, peut-être cinq, que la famille Gishi vit le long de ce wash, les Yazzie à peu près autant, et d'autres depuis aussi longtemps peut-être. Et ils vivent à la dure, en allant ailleurs s'approvisionner en eau, et la cour fédérale a à peine rendu la terre aux Hopis que l'administration leur creuse tout un tas de puits.

Jusque-là, West avait fixé ses doigts. Il leva les yeux pour regarder Chee et conclut :

— C'est comme si en plus on se fichait d'eux.

Chee ne dit rien. West s'y entendait parfaitement à discuter avec des Navajos. Il adoptait son propre rythme jusqu'à ce qu'il eût dit ce qu'il avait à dire, sans attendre ces encouragements polis qui sont typiques dans la conversation des Blancs.

— Vous avez quelques gentils petits salopards là-bas, poursuivit-il. Y a pas à dire. Y a qu'à faire boire un verre de trop à Eddie Gishi et ça le rend agressif. Et il y en a a deux ou trois qui sont pas mieux que lui sinon pires. Alors peut-être que l'un d'eux hésiterait pas à s'en prendre à un moulin. (West observa ses doigts joints en réfléchissant à cette possibilité.) Mais je suis pas vraiment convaincu.

Chee attendit. West allait lui expliquer pourquoi lorsqu'il aurait mis de l'ordre dans ses idées. Sur le dessus de la cheminée en pierre, derrière le fauteuil de West, s'alignait toute une série de photographies de formats différents : un adolescent qui paraissait sympathique dans son uniforme de marine, le même garçon sur ce que Chee supposa être un agrandissement d'une photographie officielle prise à l'université, West lui-même représenté en smoking et chapeau haut-de-forme et paraissant beaucoup plus jeune. Tous les autres clichés montraient au moins deux personnes : West en compagnie d'une jolie petite femme hopi qui était probablement sa seconde épouse, West et la même femme avec l'adolescent, le même trio avec diverses personnes que Chee ne put identifier. Aucune de ces photos ne paraissait récente. Elles étaient recouvertes de poussière : on aurait dit une sorte de musée surgi d'un passé révolu et mort.

— Je ne pense pas que ce soit eux qui l'aient fait, finit par reprendre West, à cause de la façon dont ils se conduisent. Ils racontent des tas de choses là-dessus, bien sûr. Ils en parlent beaucoup. (Il leva les yeux vers Chee pour essayer d'être plus clair.) Vous venez de Crowpoint.

Là-bas, au Nouveau Mexique. Tout y est davantage organisé. Il y a plus de gens. Plus de choses à faire. Par ici, le cinéma le plus proche se trouve à Flagstaff, à plus de cent cinquante kilomètres. La réception des émissions de télévision est très mauvaise et de toute façon la plupart des gens n'ont pas l'électricité. Il se passe pas grand chose et y a pas grand chose à faire. Alors si quelqu'un renverse un moulin à vent, ça rompt la monotonie.

Chee hocha la tête en signe d'assentiment.

– On entend avancer beaucoup d'hypothèses. Vous savez... les gens essayent de deviner qui c'est. Les Hopis, eux, ils sont sûrs qu'ils le savent. C'est les Yazzie, ou c'est tous les Gishi, ou quelqu'un d'autre. Ils sont furieux. Et inquiets. Ils se demandent ce qui va arriver maintenant. Et les Navajos, eux, ils trouvent ça assez drôle, un certain nombre d'entre eux en tous cas, et ils essayent de deviner qui c'est. Le vieux Hosteen Nez lâchera une remarque hypothétique sur l'un des jeunes Yazzie, ou ce sera Shirley Yazzie qui insinuera que les Nez travaillent dans la réfection des moulins à vent. Et cetera.

West replia la tente que formaient ses doigts et se pencha en avant.

– Vous entendez des petits trucs de ce genre dans la bouche de *tout le monde*. (Il accentua les trois derniers mots.) Si c'était un des Navajos qui était responsable, je crois pas qu'ils s'amuseraient à faire des hypothèses. Je crois qu'ils garderaient le silence actuellement. C'est comme ça qu'ils fonctionnent, les Navajos de Wepo Wash.

West adressa à Chee un regard légèrement embarrassé.

– Cela fait vingt ans que je vis avec eux, expliqua-t-il. On finit par les connaître.

– Alors qui est-ce qui le casse ce moulin ? demanda Chee. Si vous nous écartez, nous, les Navajos, ils ne reste plus que les Hopis, et vous.

– Ce n'est pas moi, dit West en accompagnant ces mots de son immense sourire asymétrique. J'ai rien contre les moulins à vent. Quand tous les Navajos auront été déplacés, la majeure partie de mes clients seront des Hopis. Je suis pour qu'ils aient tous leurs moulins en bon état de marche.

– C'est toujours le même moulin, insista Chee. Et sur les terres allouées aux Gishi pour leurs bêtes. On pourrait penser que ça se limite aux Gishi.

– Sur les terres *anciennement* allouées aux Gishi, corrigea West. Maintenant elles sont en territoire hopi. (Il secoua la tête.) Je ne crois pas que ce soit les Gishi. C'est la vieille Emma Gishi qui dirige toute la troupe. Elle est pas commode et faut pas la chatouiller. Mais elle a le sens pratique. Renverser un moulin ça peut rien lui apporter. Elle ne le ferait pas par vengeance et si Emma dit de pas le faire, aucun des Gishi le fera. Avec elle ça tourne comme dans les chemins de fer. Vous voulez boire quelque chose ? J'ai entendu dire que vous ne buvez pas de whisky.

– C'est vrai, dit Chee.

– Du café ?

– Je ne dis jamais non.

– Je vais nous en préparer du soluble, dit West. Ce que j'ai voulu dire, là, c'est que ça tourne comme ça tournait autrefois dans les chemins de fer. Pas comme maintenant.

West franchit le seuil de la pièce et disparut dans ce que Chee supposa être la cuisine. Il entendit un bruit de vaisselle. Il sortit l'enveloppe de sa poche et l'étudia. Une petite enveloppe blanche tout à fait ordinaire sur laquelle ne figurait aucun signe. A l'intérieur il pouvait distinguer la forme de la carte. Il était absolument certain que c'était le trois de carreau. Comment West s'y était-il pris ? Chee se sentit légèrement pris de remords. Il n'aurait pas dû refuser à West le plaisir de voir l'aboutissement de son tour. Il remit la carte dans la poche de sa chemise d'uniforme puis étudia la pièce. Trois couvertures navajos, dont deux étaient de beaux exemples de tissage Two Gray Hills, et dignes de figurer dans une collection. Contre le mur, en face des fenêtres, une vieille bibliothèque marquée de taches sombres contenait quelques livres et un ensemble de statuettes kachina. Chee reconnut Masaw, l'esprit gardien de ce monde-ci, le Quatrième Monde des Hopis, en même temps que le dieu du feu et de la mort et le seigneur de l'Enfer. C'était un magnifique travail de presque trente centimètres de haut qui devait valoir un millier de dollars. La majorité des autres kachinas étaient également hopis, mais les figurines Shalko Zuñi étaient représentées, ainsi que leur esprit Longue Corne et deux membres grotesques de la fraternité des Têtes Boueuses. Autant de très beaux objets, mais Masaw était visiblement la pièce maîtresse de la collection. Il tenait une torche à la main et son visage était le masque traditionnel constellé de taches de sang.

West réapparut sur le seuil, deux tasses à la main.

– J'espère qu'il est assez chaud. Je n'ai pas attendu que l'eau bouille.

Chee trempa les lèvres. Le café était à peine plus que tiède et avait un goût de boue.

– Parfait, dit-il.

– Bon, dit West en se réinstallant dans son fauteuil. Nous avons parlé des moulins à vent. Maintenant parlons un peu des accidens d'avion et des gangsters morts.

Chee trempa à nouveau ses lèvres dans sa tasse.

– D'après ce qu'ils ont dit dans le journal et à la télé hier soir, et d'après les bribes d'information qui nous arrivent de droite et de gauche, j'ai l'impression que quelqu'un est parti avec la marchandise.

– Ça semble être ce que pensent les fédéraux, dit Chee.

– Deux hommes tués dans l'accident d'avion. Un troisième abattu et laissé sur place, assis, un message à la main. Alors la DEA conclut que la came a été détournée. C'est ça ?

– Je parie que vous en savez autant que moi là-dessus. Peut-être plus. Ce n'est pas de notre ressort.

West ne tint pas compte de la remarque de Chee.

– D'après ce que j'ai entendu, vous autres vous pensez

51

que la came est cachée quelque part dans le coin. Que celui qui s'en est emparé l'a pas embarquée avec lui.

Chee haussa les épaules. West attendait sa réponse.

– Eh bien, finit par dire Chee. C'est effectivement le genre d'impression que j'ai. Ne me demandez pas pourquoi.

– Mais pourquoi est-ce qu'ils l'auraient pas embarquée ? Ils étaient venus pour ça. Pourquoi ne pas l'embarquer ? Où est-ce qu'ils la cacheraient ? C'est grand comment ?

– Je n'en sais rien. Vous voulez essayer de la trouver ?

L'immense sourire de West s'ouvrit dans sa barbe.

– Alors ça, ça serait chouette ! Trouver un truc comme ça. Ça doit valoir une fortune. Il paraît que c'est de la cocaïne et ce truc ça se vend des milliers de dollars l'once. J'ai entendu dire que la livre de camelote pure rapporterait cinq cent mille dollars une fois diluée et vendue au client.

– Où est-ce que vous trouverez un acheteur ?

– Quand on veut vraiment quelque chose, on y arrive, répondit West qui finit son café et reposa sa tasse en faisant la grimace. Quel goût épouvantable ! Et le pilote ? Quelqu'un a dit qu'il était encore en vie quand vous êtes arrivé là-bas.

– C'était tout juste. Qui est ce quelqu'un qui vous raconte tout ça ?

West éclata de rire.

– Vous oubliez la règle fondamentale du bon chasseur de ragots. Il faut jamais dire qui vous l'a dit, sinon on vous dit plus rien.

Vraisemblablement Cowboy Dashee, pensa Chee. Cowboy était un bavard et c'était le genre de renseignements qu'il devait connaître. Mais une demi-douzaine de flics en tous genres avaient dû passer par le comptoir d'échanges depuis l'accident. Ça pouvait être n'importe lequel d'entre eux ; ça pouvait venir en seconde ou en troisième main, ou être tout simplement le fait d'une très bonne intuition.

West changea de sujet. Est-ce que certains des bijoux gagés qui lui avaient été volés avaient été retrouvés ? Est-ce qu'on avait découvert la trace de Joseph Musket ? Est-ce que Chee avait entendu la dernière histoire de sorcellerie ? Elle concernait l'une des filles Gishi qui avait vu un grand chien embêter ses chevaux, alors elle lui avait tiré dessus avec sa 22 long rifle et le chien s'était transformé en homme puis s'était enfui. Chee répondit qu'il en avait entendu parler. West ramena alors la conversation sur Musket.

– Vous pensez qu'il a quelque chose à voir dans tout ça ?

– Dans l'affaire de drogue ou l'affaire de sorcellerie ?

– L'affaire de drogue. Vous savez que c'était un arnaqueur. Peut-être qu'il a eu vent de quelque chose d'une façon ou d'une autre. Par le télégraphe des taulards. J'en ai entendu parler. Peut-être qu'il y est pas étranger. Vous y pensez ?

– Oui, répondit Chee. J'y ai pensé. Il y a autre chose à quoi j'ai pensé. Si vous êtes sérieux quand vous parlez d'essayer de trouver ce que nous recherchons, je crois qu'à votre place je ferais un trait dessus. Celui qui est en possession de la marchandise va avoir les pires ennuis du monde. Si les fédéraux ne lui mettent pas la main dessus, c'est le propriétaire qui le fera.

– Vous avez raison, acquiesça West.

Chee se leva, sortit l'enveloppe de sa poche.

– C'est vraiment le trois de carreau qui se trouve là-dedans ?

– C'est ce que vous avez dit. Le trois de carreau, je crois que vous avez dit.

Chee ouvrit l'enveloppe. Il en retira le trois de carreau.

– Comment faites-vous ?

– C'est de la magie, répondit West avec son large sourire.

– Je ne comprends pas comment vous faites.

West tendit vers lui ses grandes mains, les paumes tournées vers le plafond.

– Je suis un magicien, expliqua-t-il. Pendant des années ça a été ma profession. Dans un cirque quand ça marchait bien, et ensuite pendant de nombreuses années dans les fêtes foraines.

– Mais vous ne voulez pas me dire comment vous vous y prenez ?

– Ça gâcherait tout. Considérez simplement que c'est la victoire de l'esprit sur la matière.

– Merci pour le café, dit Chee en remettant son chapeau. Beau garçon que vous avez là.

Il indiqua les photographies d'un signe de tête avant d'ajouter :

– Il est toujours dans les marines ?

Le visage de West perdit sa grande mobilité d'expression. Il se figea.

– Il a été tué, dit-il.

– Je suis désolé. Dans les marines ?

Il regretta d'avoir posé cette question. West n'allait pas y répondre. Mais il le fit.

– Après en être sorti, dit-il. Il s'est fait de mauvais amis à El Paso. Ils l'ont tué.

7

A l'aube, Chee gara son pick-up truck près du moulin. Il claqua la portière derrière lui et contempla vers l'est le ciel qui rougeoyait des lueurs du soleil levant. Il bâilla, s'étira et emplit ses poumons de l'air froid du petit matin. Il se sentait remarquablement bien. C'était cela *hozro*. C'était cela la beauté que Femme-qui-Change * leur avait enseigné à atteindre. C'était cela le sentiment de l'harmonie, la sensation d'être en accord avec le monde. A l'est, le flamboiement orangé se transforma en un jaune profond pendant que Chee chantait le chant de l'aube. Il n'y avait personne pour l'entendre à des kilomètres à la ronde. Il le chanta de toute sa voix, accueillant Garçon de l'Aube, accueillant le soleil, bénissant le jour nouveau.

– Que la beauté marche devant moi, chanta-t-il. Que la beauté marche derrière moi. Que la beauté marche tout autour de moi.

Il ouvrit sa chemise, sortit sa bourse * à médecine, et il préleva une pincée de pollen qu'il offrit à l'air en mouvement.

– Dans la beauté mon chant s'achève, chanta-t-il.

Cette sensation qui était la sienne se maintint pendant tout le petit déjeuner : du café chaud qu'il avait préparé dans son thermos en acier, deux sandwiches à la saucisse, et du *piki*, ce pain hopi mince et dur. Tout en mâchant, il passa en revue les événements récents. Joseph Musket avait-il disparu pour mettre au point le vol de la drogue ? Ce vol avait-il été commis uniquement pour donner à la disparition de Musket un motif trompeur ? Ce qui expliquerait pourquoi aucun des bijoux dérobés n'avait réapparu. A moins que la disparition de Joseph Musket n'ait un rapport avec le meurtre de John Doe ? Le cambriolage avait eu lieu deux nuits après que les policiers eurent ramené le corps de John Doe. Se pouvait-il que Musket eût intentionnellement provoqué West de façon à ce que celui-ci le renvoie, et ce, parce qu'une fois le corps découvert il y avait une certaine raison qui le forçait à disparaître, et parce qu'il voulait disparaître sans éveiller les soupçons ? Un instant, cette explication sembla tenir debout. Puis Chee se souvint qu'il n'y avait eu aucun effort véritable de fait pour cacher le corps. Il avait été abandonné sur la piste menant à la source Kisigi, piste écartée et peu utilisée, mais qui était le seul chemin menant à un important sanctuaire hopi, si toutefois Dashee savait de quoi il parlait. Cela lui donna une nouvelle idée. S'il était possible d'apprendre des Hopis à quel moment ce sanctuaire était visité, on pourrait (enfin, on pourrait peut-être) estimer de manière plus précise le moment où l'homme avait été tué. Pour l'instant ils ne pouvaient compter que sur l'estimation sans grande signification du médecin légiste qui disait « mort au plus depuis un mois, au moins depuis deux semaines. » Cela aiderait-il de savoir quand le corps s'était retrouvé sur la piste ?

Chee croqua une nouvelle bouchée, mâcha et réfléchit à cette question. Il ne voyait pas comment il pourrait en être ainsi. Mais qui sait ? Pour le moment il se sentait d'un optimisme inébranlable. Deux alouettes hausse-col, un mâle et une femelle, poussaient leurs trilles matinales derrière le moulin ; il sentait l'air frais sur son visage et le pain *piki* croquait sous ses dents, emplissant sa bouche de la saveur du blé et du lard. Un jour il résoudrait l'énigme de John Doe. Un jour il trouverait Joseph Musket. (Pourquoi t'appelle-t-on Doigts-de-Fer ?) Un jour, peut-être même aujourd'hui, il mettrait la main sur l'homme qui vandalisait le moulin. Il se sentait en harmonie avec toutes les choses de ce genre ce matin... Il se sentait même capable de persuader ces Navajos bizarres de Black Mesa de lui parler de leur problème de sorcier. Dans quelques instants, le soleil allait être suffisamment haut pour lui fournir la lumière rasante dont il avait besoin afin de lire, sur le sol, les traces même les moins apparentes. Alors il verrait ce qu'il pourrait apprendre sur l'acte de vandalisme le plus récent. Probablement n'apprendrait-il pas grand chose. Mais même si la terre sèche et durcie par la sécheresse ne lui révélait rien du tout, cela aussi serait juste et naturel, en accord avec la façon dont il réagissait vis-à-vis de cet affreux moulin et du vandale qui le détestait à ce point. Tôt ou tard, il comprendrait de quoi il s'agissait exactement. Il découvrirait la cause. Aussi dénué de sens que cela puisse paraître, il y aurait une raison pour tout expliquer. Le vent ne soufflait pas, la feuille ne tombait pas, l'oiseau ne chantait pas sans raison, pas plus que le moulin ne provoquait une colère aussi violente sans raison. Tout s'intégrait dans le schéma de l'univers ainsi que Femme-qui-Change le leur avait appris lorsqu'elle avait formé les quatre premiers clans navajos. Jim Chee avait ingéré ce fait en même temps que le lait de sa mère, et au cours des leçons sans fin enseignées par son oncle.

– L'ordre est dans toute chose, lui avait dit Hosteen Nakai. Cherche comment elles s'organisent.

Chee laissa la moitié du café dans le thermos qu'il enveloppa dans une serviette éponge. Avec les deux sandwiches aux saucisses qui lui restaient, cela constituerait son déjeuner de midi. Une compagnie de colins de Gambel, dont les hautes huppes de plumes montaient et descendaient à chaque pas, paradaient à la queue-leu-leu sur la pente en contrebas du moulin, se dirigeant vers l'arroyo qui se trouvait à une centaine de mètres au nord. Les oiseaux devaient être à la recherche d'un peu d'eau à boire en ce début de matinée. Plus loin, au creux de l'arroyo, se dressaient trois trembles : deux vivants et le troisième depuis longtemps transformé en squelette. C'étaient les seuls arbres de ce type sur des kilomètres, et ils devaient indiquer une nape souterraine peu profonde. Peut-être une source. S'il n'y avait nulle eau accessible, la sécheresse aurait chassé tous les oiseaux * de ce lieu.

Chee trouva des traces de pas sur la terre, celles qu'y avaient laissées le vandale et le Hopi qui avait découvert l'acte de vandalisme. Elles ne lui apprirent rien d'utile. Puis il examina le moulin lui-même. Cette fois-ci, le vandale s'était servi d'une sorte de levier pour fausser la longue bielle reliant le système d'entraînement, au-dessus de la tête de Chee, au cylindre de la gaine de pompe. C'était un système efficace pour détruire l'appareillage car il laissait à la force engendrée par les pales en mouvement, ainsi qu'au pompage, le soin d'arracher les dents des engrenages. Mais le vandale allait vite épuiser ce genre de possibilités. Les boulons qui maintenaient le moulin sur son socle étaient désormais solidement soudés à leur place, et le système d'entraînement était protégé. Le responsable de l'entretien du moulin pouvait facilement empêcher que ce nouvel attentat se reproduise en utilisant un tuyau de cinq centimètres de diamètre comme gaine de protection pour la bielle de pompe. Chee examina pensivement le moulin en en cherchant les points faibles. Il ne trouva rien qui pût être abîmé sans l'aide d'un équipement particulier. Un chalumeau portable, par exemple, pourrait servir à découper une portion des supports métalliques et la structure toute entière s'écroulerait une nouvelle fois, ou bien il pourrait servir à provoquer une fois de plus un beau gâchis au niveau du système d'entraînement. Mais jusqu'à présent, le vandale n'avait rien utilisé d'aussi sophistiqué. Des chevaux, une corde, une barre de fer... rien de compliqué. Que pouvait maintenant faire un homme ne disposant pas d'équipement particulier pour causer des dommages importants ? Ce qu'il pouvait trouver de mieux consistait à mettre le système au point mort de manière à arrêter le pompage, puis à déverser du ciment dans le puits. Cela ne nécessiterait qu'un entonnoir en plastique, un sac de ciment, du sable et un seau. Un investissement d'une dizaine de dollars. Et la solution serait radicale.

Le soleil était plus haut, et Chee élargit le champ de ses investigations, scrutant le sol en décrivant des cercles de plus en plus larges. Il trouva des traces de sabots et des empreintes de pas, mais rien d'intéressant. Puis il descendit dans l'arroyo qu'il se mit à inspecter, d'abord vers l'amont puis vers l'aval. Quelqu'un qui portait des mocassins avait fréquemment utilisé ce lit sablonneux comme sentier. Ces traces de mocassins avaient de quoi surprendre. Les Navajos, mêmes les plus âgés, n'en portent pratiquement jamais, et à la connaissance de Chee, les Hopis ne les utilisaient que lorsque certaines circonstances religieuses l'exigeaient.

La piste s'achevait au pied des trembles. Ainsi que Chee l'avait deviné, de l'eau suintait en cet endroit pendant les saisons humides, et l'humidité avait engendré la croissance robuste de buissons de tamaris, de chamiso, d'oliviers de Bohême et de plusieurs variétés d'herbes qui poussent dans les contrées arides. Les traces disparaissaient dans cette végétation * et Chee les y suivit. Il découvrit par où l'eau suintait. Ici, l'arroyo avait tracé son lit en contournant un affleurement de shiste gris très dur. L'eau qui suintait s'était attaquée à cet accident du relief, creusant une cavité qui pouvait avoir un mètre vingt de haut, trois fois plus en largeur, et qui s'enfonçait aussi loin que les yeux de Chee pouvaient distinguer dans l'obscurité profonde. Le rocher en cet endroit avait gardé des taches vertes laissées par des algues maintenant mortes, et était recouvert d'une belle épaisseur de lichen. Chee s'accroupit pour étudier le shiste. La brise matinale agitait les buissons autour de lui, s'apaisait puis renaissait. Il aperçut un mouvement dans les profondeurs de la cavité envahie d'ombres. Une plume qui bougeait et deux minuscules yeux jaunes.

– Ah, fit-il.

Il s'avança à quatre pattes. Les yeux étaient peints sur un bâton : une moitié de visage minuscule encadré par deux plumes duveteuses. Derrière ce bâton il y en avait d'autres alignés de manière irrégulière, une petite forêt de plumes.

Chee ne toucha à rien. Les mains et les genoux reposant sur le sol, il observa le sanctuaire et les plumes de prière qui le décoraient. Il se souvint que les Hopis les appelaient *pahos* et qu'ils en faisaient l'offrande aux esprits. Celles qu'il distinguait clairement de l'endroit où il se tenait semblaient avoir toutes été faites par le même homme. Les formes sculptées étaient similaires et les couleurs utilisées se ressemblaient. Il remarqua que l'un des *pahos* était tombé sur le sol. Il l'examina. L'une des plumes était à demi cassée mais la peinture était récente. Ce semblait être le plus récent des *pahos*. Un kachina mécontent aurait-il rejeté l'offrande de la saison nouvelle ? Ou se pouvait-il qu'un intrus maladroit eût renversé le *paho* ?

A midi, de retour à son véhicule, Chee alla sortir son déjeuner de la boîte à gants. Il s'assit, passa les jambes par la portière ouverte et mangea lentement, organisant les éléments d'information épars qu'il avait réunis au cours de la matinée. Pas grand chose. Mais pas une complète perte de temps. Par exemple, de la source, on avait une excellente vue sur le moulin. Celui qui la décorait avait fort bien pu voir le vandale. Chee fit passer son sandwich en buvant un peu de café. Comment West avait-il réussi son tour de cartes ? Choisissez une carte. Chee avait choisi le trois de carreaux. West lui avait tendu le trois contenu dans une petite enveloppe cachetée. Il ne semblait pas que ce fût réalisable; Il y réfléchit à nouveau, faisant appel à sa mémoire. Il avait dit : « Trois de carreau », et la main de West avait plongé dans la poche de gauche de sa combinaison de travail, d'où elle avait extrait l'enveloppe. Qu'aurait fait West s'il avait dit le valet de trèfle ? Il retourna la question dans sa tête. Puis il se mit à rire tout bas. Il avait compris le truc. Il jeta un coup d'œil à sa montre. Un peu plus de midi. Un vol de carouges à épaulettes rouges s'activait depuis un bon moment dans l'arroyo. Ils passaient d'un groupe d'oliviers de Bohême à un autre, changeaient soudain de direction pour aller se poser sur un autre groupe d'oliviers, toujours dans l'arroyo. Chee mastiquait la première bouchée de son second sandwich. Ses mâchoires s'immobilisèrent. Ses yeux scrutèrent les alentours. Ils ne remarquèrent rien. Il reprit sa mastication. Lorsqu'il eut fini son sandwich, il vida son thermos. Une colombe survola la pente du petit ravin. Elle vira abruptement lorsqu'elle approcha de même buisson d'oliviers sauvages. Chee continua de boire. La seule chose capable d'inciter les oiseaux à faire preuve d'une telle prudence était la présence d'un être humain. Quelqu'un était en train de l'épier. Existait-il un moyen de s'approcher du buisson d'oliviers sans alerter le guetteur ? Chee n'en trouva aucun.

Il posa le thermos sur le siège du véhicule. Qui pouvait bien être le guetteur ? Peut-être Johnson, ou l'un des hommes de Johnson appartenant à la DEA, qui espérait que Chee allait les conduire à la marchandise volée. Peut-être le vandale du moulin. Peut-être le Hopi qui s'occupait du sanctuaire. Ou peut-être Dieu sait qui. Là où il était, l'air était presque immobile, mais un souffle de vent fit courir un tourbillon de poussière dans Wepo Wash. Le tourbillon entra dans le wash, le traversa en diagonale dans la direction de Chee. Au-dessus de lui, le moulin gémit tandis que ses ailes se mettaient à tourner. Mais la bielle de pompage demeurait immobile. Le mécanisme d'entraînement qui reliait la bielle aux pales n'était plus là (on l'avait emmené pour le réparer à la suite des dégâts subis), et le moulin ne pompait rien. Chee essaya à nouveau de trouver qui pouvait être ce vandale. Il n'avait pas assez d'informations. Il essaya à nouveau de trouver qui pouvait bien le guetter. Sans succès. Il reconsidéra la solution qu'il avait imaginée pour le tour de cartes et estima qu'elle était correcte. Pourquoi le pilote de l'avion avait-il percuté les rochers ? Chee ferma son véhicule à clef et prit la direction de Wepo Wash.

Il marcha parallèlement à l'arroyo tout en surveillant les oiseaux. S'ils s'enfuyaient du buisson d'oliviers sauvages où ils étaient occupés à se nourrir, cela lui indiquerait que son guetteur le suivait, qu'il avançait le long de l'arroyo en direction du wash. Sinon, il supposerait que le guetteur était davantage intéressé par le moulin à vent que par un policier navajo. Les oiseaux s'envolèrent dans un grand tumulte et remontèrent l'arroyo jusqu'aux arbres qu'ils avaient précédemment évités. C'était exactement ce à quoi Chee s'était attendu.

8

Les seules raisons que Jimmy Chee aurait accepté d'invoquer pour se justifier d'être descendu dans Wepo Wash étaient qu'il se donnait ainsi une possibilité d'identifier celui qui l'observait, et peut-être même de se trouver face à face avec lui. Il allait lui laisser le temps de le suivre. Après quoi il disparaîtrait brusquement, probablement en tournant dans un petit arroyo qui débouchait dans le wash un peu plus loin. Une fois que Chee serait hors de vue, le guetteur serait contraint de prendre une décision, de le suivre ou non. Dans un cas comme dans l'autre, Chee pourrait alors renverser les rôles. C'est lui qui deviendrait le chasseur.

Tel était son plan. Mais il se trouvait maintenant dans le wash et, à peine à une centaine de mètres de l'endroit où il se tenait sur le sol tassé et sablonneux, le soleil se refléta sur les débris de l'avion. L'épave, c'était l'affaire du FBI et de la DEA. La présence d'un membre de la Police Tribale Navajo ne serait pas appréciée à moins d'une invitation expresse.

Mais Chee était curieux. Et aux yeux de celui qui l'observait, une visite à l'épave de l'appareil semblerait une explication logique à sa venue dans le wash.

Tout autour du lieu de l'accident, le sol avait été copieusement piétiné et l'avion lui-même mis à sac. Les ailerons et les stabilisateurs avaient été éventrés, un réservoir d'essence emporté et des trous percés dans la mince couche d'aluminium de la dérive au cours de ce qui avait dû être les recherches destinées à retrouver la cargaison transportée par l'avion. Sourcils froncés, Chee scruta le wash, la zone qui avait tenu lieu de piste d'atterrissage. Ainsi qu'il en avait gardé le souvenir, l'appareil s'était écrasé contre une masse basaltique qui jaillissait en plein milieu. Le cours d'eau avait contourné ce piton rocheux d'un côté comme de l'autre, érodant la terre et abandonnant une île de pierre noire au cœur d'une mer de sable. S'il n'y avait pas suffisamment d'espace pour atterrir en amont de ce mur de pierre, et il semblait y avoir toute la place nécessaire, il y avait visiblement un espace suffisant pour l'éviter tant sur la gauche que sur la droite. Pourquoi le pilote ne l'avait-il pas fait ? Il ne s'était pourtant pas posé comme ça en aveugle dans l'obscurité complète. Chee poursuivit sa marche en amont de la zone piétinée. Il gardait les yeux rivés au sol, en quête d'une réponse. Son guetteur pouvait attendre.

Il s'était écoulé un peu plus d'une heure lorsqu'il entendit un bruit de voiture. Il savait maintenant pourquoi l'avion s'était écrasé. Mais de nouvelles questions se posaient.

La voiture était une Ford Bronco bleu foncé. Elle s'arrêta à côté de l'épave. Deux personnes en descendirent. Un homme et une femme. Ils restèrent là un moment à regarder dans la direction de Chee puis se dirigèrent vers l'appareil. Chee se dirigea vers eux. L'homme était grand avec des cheveux gris, il n'avait pas de chapeau et portait un jean et une chemise blanche. La femme non plus n'avait pas de chapeau. Elle était plutôt petite et son visage était entouré de boucles de cheveux bruns coupés courts. Ce n'était pas le FBI. Et probablement pas la DEA, quoique n'importe qui pût en faire partie. Debout à côté de l'épave, ils regardaient l'appareil, mais en fait ils l'attendaient; Chee se rendit compte que l'homme était plus âgé qu'il ne le paraissait de loin ; il devait avoir un peu plus de cinquante ans : l'un de ces hommes qui s'entretiennent, qui sont membres d'un club de tennis, qui courent et font de la musculation. Son visage était tout en longueur avec deux rides profondes aux coins du nez et des yeux qui, de par leurs grandes pupilles noires, semblaient quelque peu brillants et humides. La femme jeta un regard vers Chee puis reporta ses yeux sur l'épave. Son visage ovale dont toute couleur s'était retirée paraissait accuser un coup terrible. Chee supposa qu'elle devait avoir la cinquantaine, mais pour l'instant elle personnifiait toute la vieillesse du monde. Quelque chose en elle soulevait un écho dans la mémoire de Chee. L'homme était sur la défensive : il arborait l'expression de quelqu'un qui vient d'être pris en flagrant délit et qui s'attend à ce qu'on lui demande qui il est et ce qu'il est en train de faire. Chee lui adressa un signe de tête.

– Nous sommes venus voir l'avion, dit l'homme. J'étais son avocat et voici Gail Pauling.

– Jim Chee, répéta-t-elle. C'est vous qui avez trouvé mon frère.

Chee comprit alors à qui elle le faisait penser. Son frère était le pilote.

– Je ne crois pas qu'il ait souffert, dit-il. Cela a dû se passer en une seconde. Trop vite pour pouvoir comprendre ce qui se passait.

– Mais qu'est-ce qui s'est passé ? demanda Mlle Pauling en désignant du bras le bloc de basalte. Je ne peux pas croire qu'il ait foncé droit dessus comme ça, en plein vol.

– Ce n'est pas ce qu'il a fait, pas exactement, précisa Chee. Ses roues ont touché le sol environ cinquante mètres en amont. Il était au sol.

Elle regardait fixement l'épave et avait toujours l'air anéantie. Chee n'était pas certain qu'elle l'eût entendu.

– Il a dû lui arriver quelque chose, prononça-t-elle comme si elle se parlait à elle-même. Il n'aurait jamais foncé droit dessus comme ça.

– C'était en pleine nuit, dit Chee. Ils ne vous l'ont pas dit ?

– Ils ne m'ont rien dit du tout, dit Mlle Pauling qui sembla apercevoir Chee pour la première fois. Seulement qu'il s'était écrasé et qu'il était mort, que la police croit qu'il transportait de la contrebande, et qu'un policier qui s'appelle Jim Chee était celui qui avait tout vu.

– Je ne l'ai pas vu. Je l'ai entendu. C'était environ deux heures avant l'aube. La lune était couchée.

Chee décrivit ce qui s'était passé. L'homme de loi l'écoutait avec la plus grande attention, observant de ses yeux humides le visage du policier. Chee ne mentionna pas le coup de feu qu'il avait entendu, pas plus que les autres bruits.

Le visage de la femme était incrédule.

– Il s'est posé dans l'obscurité complète ? demanda-t-elle. Il a été dans l'Armée de l'Air. Mais sur une piste d'atterrissage. Et avec un radar. J'étais toujours inquiète. Mais je ne peux pas croire qu'il se serait posé en aveugle, comme ça.

– Oh mais non, fit Chee en désignant d'un geste du bras le lit du wash en amont. Il s'était déjà posé là à trois reprises au moins. Juste un jour ou deux avant, à en juger d'après les traces sur le sol. Probablement le jour. Pour s'entraîner, je dirais. Et puis, quand il s'est posé cette fois-là, il avait des lumières.

– Des lumières ? s'enquit l'avocat.

– Comme des lanternes à piles, expliqua Chee. Alignées sur le sol.

Mlle Pauling regardait fixement l'endroit désigné par Chee, l'air complètement déroutée.

– Elle ont laissé une marque, expliqua Chee. Je vais vous montrer.

Il les précéda en marchant sur le côté du wash. Son guetteur était-il toujours à l'affût quelque part ? Et si tel était le cas, que pensait-il de tout cela ? Si le guetteur était Johnson ou l'un des hommes de la DEA chargé par Johnson de le suivre, il ne croirait jamais que cette rencontre n'avait pas été arrangée à l'avance. Chee envisagea cet aspect des choses. Il n'y vit aucun sujet d'inquiétude.

Ils marchaient dans l'étroite bande d'ombre projetée par les parois presque verticales du wash. Au-delà de cette ombre, la lumière du soleil étincelait sur la surface gris-jaune du fond de l'arroyo. Des vagues de chaleur miroitaient au-dessus du sol plat et le seul bruit audible était celui que faisaient les semelles des bottes sur le sable.

Derrière lui, l'avocat s'éclaircit la gorge.

– M. Chee, commença-t-il. Cette voiture dont vous avez parlé dans votre rapport, celle qui s'est éloignée... Est-ce que vous l'avez aperçue ?

– Vous avez lu mon rapport ?

Chee était surpris, mais il ne tourna pas la tête. C'était là exactement ce que Largo avait prédit.

– Nous sommes passés par votre poste de police à Tuba City, reprit l'homme de loi. Ils me l'ont montré.

Bien sûr, pensa Chee. Pourquoi pas ? Cet homme était l'avocat de la victime de l'accident. L'avocat, accompagné du plus proche parent.

– Elle était partie, répondit Chee. J'ai entendu le moteur démarrer. Une voiture, ou peut-être un petit camion.

– Et le coup de feu ? demanda l'homme de loi. Carabine ? Fusil à pompe ? Pistolet ?

Question intéressante, pensa Chee.

– Pas un fusil. Probablement un pistolet.

L'écho du coup de feu retentit dans sa mémoire. Probablement un pistolet de fort calibre.

– Vous diriez un vingt-deux, ou quelque chose de plus gros ? Un trente-deux ? Un trente-huit ?

Encore une question intéressante.

– Je ne pourrais rien affirmer.

– Essayez tout de même ?

– Je dirais un trente-huit, ou encore plus gros, répondit Chee.

Qu'allait chercher à obtenir la question suivante ? Peut-être encore une affirmation gratuite : le nom de la personne qui, d'après Chee, avait appuyé sur la détente.

– Les armes à feu m'ont toujours intéressé, dit l'homme de loi.

Ils arrivèrent alors juste à la hauteur de l'endroit où l'avion avait touché le sol pour la première fois. Chee sortit de l'ombre et s'avança dans la chaleur éblouissante. Il s'accroupit à côté des traces.

– Là, dit-il en pointant le doigt. Vous voyez ? C'est ici que la roue droite a touché en premier. Et ici la roue gauche. Il tenait l'avion pratiquement à l'horizontale.

Près du point de contact de l'avion avec le sol, il y avait une ligne d'environ cinq centimètres de large tracée dans le sable. Chee se redressa et avança d'une douzaine de pas.

– C'est ici que la roue du nez de l'appareil a touché le sol, dit-il. Je pense que Pauling a tracé cette ligne pour marquer l'emplacement. Et là-bas... Vous voyez ces traces ? (Il tendit le bras vers le milieu du wash). C'est là qu'il a décollé les deux fois.

– A moins qu'il n'ait atterri là-bas et décollé ici, suggéra l'avoué de sa voix douce.

Il eut un petit rire retenu et doux avant de poursuivre :

– Mais quelle différence cela fait-il ?

– Pas grande différence, répondit Chee. Mais c'est vraiment ici qu'il s'est posé. Les traces sont plus prononcées à l'endroit de l'impact et là où l'avion a rebondi. Et si vous allez là-bas pour regarder de plus près vous vous rendrez compte qu'il y a eu davantage de sable rejeté en arrière sur les marques à l'endroit où il a décollé. C'est dû au moteur qui s'emballe pour le décollage, vous savez, alors qu'il tournait au ralenti quand il a atterri.

– Oui, dit l'homme de loi dont les yeux scrutaient Chee. Bien sûr. Tout cela est encore visible dans le sable ?

– Si l'on regarde bien, répondit Chee.

– Mais s'il a touché le sol ici, intervint Mlle Pauling dont les yeux étaient fixés sur l'épave un peu plus loin dans le wash, il avait tout le temps de s'arrêter. Il avait davantage d'espace qu'il ne lui en fallait.

– La nuit de l'accident il ne s'est pas posé ici, dit Chee.

Il se dirigea vers l'épave ; parcourut cent mètres, deux cents mètres ; s'arrêta enfin. Il s'accroupit à nouveau, toucha du bout du doigt une légère indentation dans le sable.

– La première lanterne se trouvait ici, expliqua-t-il en regardant par-dessus son épaule. Et ses roues ont touché exactement ici. Vous voyez ? A peine plus d'un mètre au-delà de la lanterne.

Mlle Pauling regarda les marques laissées par les roues, puis reporta ses yeux vers l'épave qui était tout de suite là, juste devant eux.

– Mon Dieu, s'exclama-t-elle. Il n'avait pas la moindre

67

chance de s'en tirer, n'est-ce pas ?

– Quelqu'un a installé cinq lanternes bien alignées les unes derrière les autres entre ici et le rocher, dit Chee en montrant l'emplacement du doigt. Il y avait cinq autres lanternes de l'autre côté du rocher.

Les lèvres légèrement écartées, l'homme de loi avait le regard fixé sur Chee. Presque instantanément il comprit les implications découlant du placement des lanternes; Mlle Pauling était obnubilée par autre chose.

– Est-ce qu'il avait ses feux d'atterrissage ? Votre rapport ne le précisait pas.

– Je n'ai vu aucune lumière, répondit Chee. Je pense que je les aurais vues.

– Il dépendait donc entièrement de la personne qui devait disposer les lanternes, dit-elle.

C'est alors que la signification de ce que Chee avait dit sur les lanternes placées de l'autre côté du rocher la frappa. Elle leva vers lui un visage bouleversé.

– Cinq autres lanternes de l'autre côté du rocher ? Derrière le rocher ?

– Oui.

Il ressentit de la pitié pour cette femme. Perdre son frère est quelque chose d'affreux. Apprendre que quelqu'un l'a tué est pire encore.

– Mais pourquoi... ?

– Quelqu'un voulait peut-être qu'il atterrisse mais qu'il ne redécolle pas, dit Chee en secouant la tête. Je n'en sais rien. Je me trompe peut-être pour les lanternes. Tout ce que j'ai trouvé ce sont les petites dépressions dans le sol, semblables à celles-ci.

Elle le regardait fixement, sans un mot. Elle le sondait du regard.

– Vous êtes sûr de ne pas vous tromper ?

– A vrai dire, oui, dit Chee. Cette petite forme ovale avec des indentations précises tout autour... ça correspond juste à la taille et à la forme de ces piles sèches sur lesquelles on monte les ampoules des lanternes. Je vais mesurer et je vérifierai, mais je ne vois pas ce que ça pourrait être d'autre.

– Non, dit Mlle Pauling en laissant échapper un long soupir tandis que ses épaules s'affaissaient et qu'un peu de vie semblait la quitter. Je ne vois pas ce que ça pourrait être moi non plus. (Son visage avait changé, s'était durci). Quelqu'un l'a tué.

– Ces lanternes, dit l'avocat. Elles n'étaient plus là quand vous êtes arrivé ? Vous n'en avez pas parlé dans votre rapport.

– Elles n'y étaient plus. J'en ai découvert la trace juste avant votre arrivée. Quand je suis venu ici la fois d'avant il faisait nuit.

– Mais il n'en était pas question non plus dans le rapport complémentaire. Celui qui a été rédigé après que la carcasse de l'avion eut été fouillée et tout ça. Et ça, ça a été fait de jour.

– Par les agents fédéraux, fit remarquer Chee. Il faut croire qu'ils n'ont pas vu les marques.

L'homme de loi fixa sur lui un regard pensif.

– Je ne les aurais pas vues, moi, finit-il par dire avec un sourire. J'ai toujours entendu dire que les Indiens savaient très bien lire les traces dans le sol.

Des années auparavant, alors qu'il était étudiant de dernière année à l'Université du Nouveau Mexique, Chee avait pris la résolution de ne plus jamais se laisser irriter par ce genre de généralisations. C'était une résolution qu'il parvenait rarement à tenir.

– Je suis Navajo, dit-il. Nous n'avons pas dans notre langue de mot correspondant à « Indiens ». Seulement des mots spécifiques : pour les Utes, les Hopis, les Apaches. Un blanc est un *belacani,* un Mexicain un nakai. Et ainsi de suite. Il y a des Navajos qui savent bien lire les traces dans le sol, et il y en a qui ne savent pas. Cela s'apprend. Comme le droit.

– Bien sûr, répondit l'avocat sans cesser d'observer Chee. Mais comment l'apprend-on ?

– J'ai eu un professeur. Le frère de ma mère. Il m'a montré ce qu'il fallait chercher.

Chee se tut. Il n'était pas d'humeur à discuter de ces choses avec cet inconnu bizarre.

– Soyez plus précis, insista l'homme de loi.

Chee essaya de trouver des exemples, haussa les épaules.

– Vous voyez un homme passer. Vous allez regarder les traces qu'il a faites. Vous le voyez passer avec un objet lourd à la main. Vous regardez ses traces. Vous y retournez le lendemain pour regarder ses traces après un jour. Et après deux jours. Vous voyez deux hommes, un gros et un maigre accroupis à l'ombre en train de discuter. Quand ils s'en vont, vous allez regarder les traces que laisse un gros quand il s'accroupit sur ses talons, et celles que laisse un maigre.

Chee se tut à nouveau. Il pensait à son oncle lorsqu'il suivait la piste des cervidés dans les hauteurs de Chuska. Lorsqu'il lui montrait comment les mâles laissaient traîner leurs sabots en période de rut, comment on pouvait estimer l'âge d'une biche en observant l'écartement des orteils dans l'empreinte laissée par l'animal. Il pensait à son oncle lorsqu'il s'agenouillait à côté des traces laissées dans la boue par un véhicule, lorsqu'il vérifiait l'humidité présente dans les ondulations et lui montrait comment on pouvait estimer combien d'heures s'étaient écoulées depuis que le pneu avait laissé l'empreinte. Et beaucoup d'autres choses encore, bien sûr. Mais ce qu'il avait dit était suffisant pour satisfaire aux règles de la courtoisie.

L'homme de loi avait sorti son portefeuille. Il y prit une carte de visite qu'il tendit à Chee.

– Je m'appelle Ben Gaines, dit-il. Je vais représenter les intérêts de M. Pauling. Pourrais-je utiliser vos services ? En-dehors de vos heures de travail ?

– Pour faire quoi ?

– Pour faire à peu près ce que vous ferez de toute façon, répondit Ben Gaines en désignant de la main la carcasse de l'avion. Pour reconstituer exactement ce qui s'est passé ici.

– Mais ce n'est pas ce qu'on va me demander de faire. Cette affaire ne me concerne pas. Il s'agit d'un délit majeur dans lequel ne sont impliqués que des non-Navajos. Cet endroit faisait partie de la Réserve Commune Navajo-Hopi, mais maintenant il appartient seulement aux Hopis. C'est en dehors de ma zone de travail. En dehors de mes compétences. Je suis venu pour travailler sur une autre affaire. Je suis descendu jusqu'ici par curiosité.

– Ce n'en est que mieux, dit Gaines. Il n'y aura pas de problème de conflit d'intérêts.

– Je ne suis pas certain que le règlement l'autorise. Il faudrait que je pose la question au capitaine.

Chee s'aperçut que, de toute façon, il ferait ce que l'avocat lui demandait. Sa propre curiosité l'exigeait.

Gaines eut un petit rire étouffé.

– J'étais en train de penser que ça ne serait pas plus mal si votre chef n'était pas au courant de cet arrangement. Non qu'il soit condamnable. Mais quand on demande à un bureaucrate s'il existe un règlement interdisant quelque chose, il répond toujours oui.

– Ouais, fit Chee. Qu'est-ce que vous voulez que je fasse ?

– Je veux que vous découvriez ce qui est arrivé ici à Pauling. D'après votre rapport on dirait qu'il y avait trois personnes ici quand ça s'est produit. Je veux en être sûr. Vous avez entendu un coup de feu. Ensuite vous avez entendu une voiture, ou peut-être un pick-up truck, qui s'éloignait. Je veux savoir ce qui s'est passé. (Gaines désigna les alentours d'un geste du bras). Vous trouverez peut-être des traces qui vous le diront.

– Comme traces il y a tout ce qu'il faut maintenant, dit Chee. Celles d'une douzaine de policiers fédéraux, de la Police de l'Etat d'Arizona, des policiers du comté etc., tous à piétiner dans tous les sens. Sans compter les miennes, les vôtres, et les siennes à elle.

Chee désigna Mlle Pauling d'un signe de tête. Elle était retournée vers l'épave de l'avion et regardait à l'intérieur de la cabine de pilotage.

– Mon cabinet paye quarante dollars l'heure pour un travail de ce genre, dit Gaines. Découvrez tout ce que vous pourrez.

– Je vous tiendrai au courant, répondit Chee de manière délibérément ambiguë. Que voulez-vous savoir d'autre ?

– J'ai l'impression, commença prudemment Gaines, que la police ne sait pas trop ce qu'il est advenu de la voiture que vous avez entendue démarrer. Ils n'ont pas du tout l'air de penser qu'elle ait quitté la région. J'aimerais savoir ce que vous pourrez trouver à cet égard.

– Ce que je pourrai trouver sur ce que la voiture est devenue ?

– Si vous pouvez, oui.

– Cela m'aiderait si je savais ce que je dois chercher.

Gaines hésita un long moment.

– Oui, dit-il. Certainement. Venez simplement me dire ce que vous avez trouvé.

– Où ça ?

– Nous serons à ce motel qui est tenu par les Hopis. Là-haut, sur Deuxième Mesa.

Chee acquiesça de la tête.

A nouveau, Gaines hésita.

– Encore une chose, ajouta-t-il. J'ai entendu dire que cet avion transportait une cargaison. Si par hasard vous la retrouviez, il y aurait une récompense. Je suis persuadé qu'il serait possible d'obtenir une certaine somme de la part des propriétaires si cette cargaison était retrouvée.

Gaines sourit à Chee, ses yeux humides exprimant la sympathie.

– Une grosse somme, insista-t-il. Si par hasard cela se produit, faites-moi signe. Discrètement. A ce moment-là je me mettrai au travail et je découvrirai un moyen d'entrer en contact avec celui qui serait propriétaire de cette chose. Vous vous chargez de trouver la marchandise. Je me charge de trouver les propriétaires. Un peu comme un marché entre vous et moi. Vous voyez ce que je veux dire ?

– Oui, dit Chee. Je vois.

9

C'était la fin de l'après-midi et les rayons du soleil pénétraient à l'oblique à travers les fenêtres du Comptoir d'Echanges de Burnt Water, transformant l'intérieur caverneux en une mosaïque aux contrastes violents. D'éblouissants reflets de soleil alternaient avec la fraîcheur de la pénombre. Et dans la lumière dansaient des grains de poussière. Dans l'esprit de Chee ils s'associaient à l'image de la sécheresse.

– Un sanctuaire ? reprit Jake West. Bon sang, mais la région en est couverte de ces sanctuaires, entre ceux des Hopis et les vôtres à vous.

West était assis dans une zone d'ombre et sa tête, avec sa barbe fournie, se découpait en silhouette sur le mur, dans une tache de soleil de forme oblongue.

– Celui-ci se trouve dans l'arroyo qui est juste à l'est du moulin, dit Chee. A côté d'une source asséchée. Il y a beaucoup de plumes de prière. Certaines toutes neuves, par conséquent quelqu'un y vient et s'en occupe.

– Des *pahos*, le reprit West. Vous les appelez plumes de prière mais pour les Hopis ce sont des *pahos*.

– Le nom n'y change rien. Ça vous dit quelque chose ?

Par la porte ouverte leur parvint le bruit d'une voiture qui arrivait à bonne vitesse et qui s'engagea en cahotant sur l'espace libre devant le comptoir d'échanges. En dépit du bruit, West répondit qu'il ne savait rien de ce sanctuaire.

– Jamais entendu parler, dit-il.

Ils entendirent une portière claquer. L'odeur de la

poussière soulevée par la voiture arriva jusqu'à leurs narines.

– C'est Cowboy ?

– Je l'espère bien, dit West. J'espère bien qu'y en a pas d'autres qui se garent comme ça. Ils pourraient tout de même leur apprendre à se garer sans soulever un nuage de poussière, à ces enfants de salauds. Y devraient leur apprendre ça avant de les laisser monter dans une bagnole.

A la porte, un homme jeune et solidement bâti qui portait un uniforme kaki, s'arrêta pour échanger quelques mots avec un groupe de vieillards qui passaient l'après-midi installés à l'ombre. Ce qu'il leur dit les fit glousser de rire.

– Entrez, Cowboy, l'invita West. Y a Chee qui a besoin de renseignements.

– Comme d'habitude, répondit Cowboy en souriant à Chee. Alors, vous l'avez attrapé votre casseur de moulin ?

– Notre casseur de moulin, corrigea Chee. Vous avez résolu le grand mystère de l'avion ?

– Pas tout à fait. Mais on progresse.

D'un dossier qu'il tenait à la main Cowboy sortit une photographie format vingt et un vingt-sept et la leur montra.

– Voilà le gugusse que nous recherchons. Si vous le voyez, les gars, informez-en tout de suite le shérif adjoint Albert Dashee ou rappelez le sympathique bureau du shérif de votre comté de Coconino.

– C'est qui ? demanda West.

Visiblement, la photographie était un agrandissement réalisé à partir d'un cliché d'identification qui ressemblait à tous ceux que prend la police. Elle représentait un personnage d'environ quarante-cinq ans qui avait des cheveux gris, des yeux rapprochés et un front haut et étroit dominant un visage tout en longueur.

– Son nom c'est Richard Palanzer, également connu sous celui de Dick Palanzer. Le genre de type que les agents fédéraux appellent « un élément identifié comme

74

mêlé au trafic de drogue ». Tout ce qu'ils m'ont dit c'est qu'il y a deux ans il a été poursuivi pour association de malfaiteurs et trafic de drogue dans le Comté de Los Angeles. Ils veulent que nous nous mettions à sa recherche par ici.

– D'où est-ce qu'elle vient, cette photo ? demanda Chee.

Il la retourna et regarda le verso qui s'avéra être vierge.

– Du shérif. Ce sont les gars de la DEA qui la lui ont passée. D'après eux, c'est l'oiseau qui a filé en voiture en emmenant la drogue après l'accident de l'avion. (Cowboy reprit la photographie que Chee lui tendait.) Enfin si c'est pas Chee qui la conduisait, la voiture. J'ai cru comprendre que les fédéraux ne parviennent pas à décider si Chee jouait les chauffeurs ou les convoyeurs armés.

West eut l'air surpris. Il haussa les sourcils et ses yeux allèrent de Dashee à Chee avant de revenir à Dashee.

Celui-ci éclata de rire.

– C'est une blague, c'est tout, expliqua-t-il. Chee se trouvait sur place quand ça s'est passé alors la DEA l'a soupçonné. Ils soupçonnent tout le monde. Y compris moi, vous, et lui là-bas.

Dashee indiquait un Hopi cacochyme qui essayait de franchir le seuil grâce à un chariot de marche en aluminium et à la sollicitude d'une femme entre deux âges.

– Et qu'est-ce que c'est que Chee voulait savoir ? ajouta Dashee.

– Il y a un petit sanctuaire dans l'arroyo qui se trouve à côté du moulin, répondit Chee. A côté d'une source asséchée. Avec beaucoup de *pahos*. On dirait que quelqu'un s'en occupe régulièrement. Cela vous dit quelque chose ?

Lorsque fut prononcé le mot « sanctuaire », la bonne humeur fit place à l'indifférence sur le visage de Cowboy. Sur la liste des policiers appartenant au Bureau du Shérif du Comté de Coconino, Arizona, il figurait sous le nom de Albert Dashee Jr. Il avait assidûment suivi une soixantaine d'heures de cours à l'Université d'Arizona Nord avant de tout envoyer au diable. Mais il était Angushtiyo, ou « Garçon Corbeau » pour sa famille, il appartenait au Clan du Plant-de-Maïs et jouait un rôle important dans la Société Kachina de son village de Shipaulovi. Chee était en train de devenir un ami, mais Garçon Corbeau était Hopi alors que Chee était Navajo, et les sanctuaires, quels qu'ils soient, étaient liés à la religion hopi.

– Qu'est-ce que vous voulez savoir ? demanda Cowboy.

– Quand on y est on voit le moulin, expliqua Chee. Celui qui s'en occupe a peut-être vu quelque chose. (Il haussa les épaules.) Ça serait étonnant. Mais je n'ai rien d'autre.

– Les *pahos,* dit Cowboy. Il y en a des récents ? Comme si quelqu'un venait s'en occuper ?

– Je ne les ai pas regardés de très prés, répondit Chee. Je n'ai rien voulu toucher. (Il voulait que Cowboy le sache.) Mais je dirais que certains étaient anciens, que certains étaient récents et que quelqu'un vient s'en occuper.

– Ça ne peut pas être un des nôtres, dit Cowboy après avoir réfléchi. Je parle du village de Shipaulovi. Cela ne fait pas partie des terres appartenant au village. Je pense que ces terres-là appartiennent soit à Walpi soit à l'une des prêtrises des kivas. Il faudra que j'essaye de voir ce que je peux trouver là-dessus.

Dans l'esprit des Navajos, ces terres-là étaient des terres navajo, allouées à la famille de Patricia Gishi. Mais ce n'était pas le moment de faire revivre la querelle sur les Territoires Communs.

– Ça serait étonnant, répéta Chee. Mais qui sait ?

– Je demanderai, assura Cowboy. Vous saviez qu'ils viennent à nouveau le réparer aujourd'hui, ce moulin à vent ? (Il sourit.) Vous vous êtes préparé à ça ?

Chee ne s'était pas préparé à ça. La nouvelle le découragea. Le moulin allait à nouveau être vandalisé :

c'était aussi inévitable que la fatalité. Chee en était persuadé au plus profond de lui-même, et il ne pouvait absolument rien faire pour l'empêcher. Pas tant qu'il n'aurait pas compris ce qui se passait. Lorsque le nouvel acte de vandalisme se produirait ce serait tout autant la faute de Cowboy que la sienne, mais cela n'avait pas l'air de tourmenter Cowboy : lui n'aurait pas à venir faire son rapport dans le bureau du capitaine Largo, à entendre celui-ci lui communiquer les notes ulcérées du bureaucrate concerné rattaché au Bureau des Affaires Indiennes, ni à sentir sur lui les yeux calmes du capitaine dans lesquels il pourrait lire la question tacite de son incapacité à assurer la protection d'un moulin à vent.

– Etant donné que c'est le Bureau qui s'en occupe, je croyais qu'il faudrait attendre Noël pour que ce soit fait, dit Chee. Qu'est-ce qui a bien pu se passer ?

– Il y a forcément quelque chose d'anormal, renchérit West.

– Le Bureau a fait preuve d'efficacité, dit Cowboy. Cela arrive une fois tous les neuf ou dix ans. En tous cas, j'ai vu un camion qui y allait. Ils m'ont dit qu'ils avaient toutes les pièces nécessaires et qu'ils le réparaient aujourd'hui.

– A mon avis ce n'est pas la peine de vous affoler, persifla West. Ils ont dû prendre les mauvaises pièces.

– Vous allez retourner monter la garde ? demanda Cowboy à Chee.

– Je ne crois pas que cela m'avancerait à grand chose maintenant. C'est fichu avec cet accident d'avion. Celui qui fait ça a appris que j'étais là-bas. La prochaine fois, vous pouvez être sûr qu'il s'arrangera pour qu'il n'y ait personne pour le voir.

– Le vandale était là-bas le jour où l'avion s'est écrasé ? demanda West.

– Quelqu'un y était. J'ai entendu quelqu'un escalader la rive du wash. Et pendant que je m'occupais de l'avion, quelqu'un a encore bousillé le moulin.

– Cela je l'ignorais, dit West. Vous voulez dire que le

vandale se trouvait juste à côté de l'épave ? Après l'accident ?

– Exactement. Je suis surpris que tout le monde ne soit pas encore au courant. Ils font circuler mon rapport pour que tout le monde puisse le lire.

Chee raconta à West et à Cowboy l'épisode de l'avocat et de la sœur du pilote.

– Y sont entrés ici pour demander leur chemin hier matin, dit West qui poursuivit en fronçant les sourcils : ils voulaient voir l'avion, et ils voulaient vous voir. Vous essayez de me faire croire que ce type avait lu votre rapport officiel ?

– Ce n'est pas si exceptionnel que ça, intervint Cowboy. Pas s'il représente les intérêts de quelqu'un qui est partie prenante. Les avocats le font tout le temps quand ils veulent savoir quelque chose.

– Alors il a dit qu'il était l'avocat du pilote, reprit West. Comment y s'appelle ?

– Gaines, répondit Chee.

– Et qu'est-ce qu'y voulait savoir ? demanda West.

– Il voulait savoir ce qui s'était passé.

– Bon Dieu, fit West, c'est pourtant facile de voir ce qui s'est passé. Le pilote a fichu son avion contre un rocher.

Chee haussa les épaules.

– Il voulait d'autres renseignements ? insista West.

– Il voulait retrouver la voiture. Celle qui s'est éloignée après l'accident.

– C'est qu'il s'est dit qu'elle était toujours quelque part dans le coin alors ?

– On dirait, dit simplement Chee qui voulait changer de sujet. Est-ce que l'un de vous aurait entendu raconter qu'un sorcier a tué un homme quelque part sur Black Mesa ?

Cowboy éclata de rire.

– Bien sûr, dit-il. Vous vous rappelez de ce corps qu'a été retrouvé en juillet ? Çui qu'était dans un drôle d'état ?

Cowboy plissa le nez en se remémorant ce souvenir

78

désagréable.

– John Doe ? demanda Chee. C'est un sorcier qui l'a tué ? D'où tenez-vous ça ?

– Et c'était un de vos sorciers navajo, dit Dashee. Pas un de nos *powaga*.

10

Cowboy Dashee ne savait pas trop pourquoi les bruits qui couraient attribuaient la mort de John Doe à un sorcier. Mais aussitôt qu'il eut surmonté sa surprise de voir Chee sincèrement intéressé, de le voir attacher de l'importance à de telles rumeurs, il se montra tout à fait disposé à en découvrir l'origine. Ils montèrent dans la voiture de police de Dashee et grimpèrent sur Troisième Mesa pour se rendre au village de Bacobi. Arrivés là, Cowboy discuta avec l'homme qui lui avait transmis cette rumeur. Ce dernier les envoya sur Deuxième Mesa où ils devaient voir une femme dans le village de Mishongovi. Dashee passa un long quart d'heure dans sa maison et en ressortit le sourire aux lèvres.

– Banco, dit-il. Nous allons à Shipaulovi.

– Pour trouver d'où cette rumeur est partie ? demanda Chee.

– Mieux que ça. Nous avons déniché l'homme qui a trouvé le corps.

Albert Lomatewa alla chercher trois chaises dans la cuisine et les plaça en arc de cercle les unes à côté des autres juste devant la porte de sa maison. Il les invita tous deux à s'asseoir, et s'assit également. Il sortit un paquet de cigarettes, leur en offrit une à chacun, et en prit une également. Les enfants qui jouaient là (les arrière-petits-enfants de Lomatewa, supposa Chee), s'écartèrent à une distance respectueuse et poursuivirent leur jeu en criant moins fort. Lomatewa fumait en écoutant ce que le shérif adjoint Dashee lui disait. Dashee lui expliqua qui était Chee, lui indiqua que leur travail consistait à identifier l'homme que l'on avait retrouvé sur Black Mesa, à trouver qui lui avait tiré dessus et à apprendre le maximum de choses sur cette affaire.

– Il y a beaucoup de racontars qui circulent sur le compte de cet homme, dit Dashee qui s'exprimait en anglais, mais on nous a dit que si nous venions à Shipaulovi pour en parler avec vous, vous nous diriez exactement ce qu'il en est.

Lomatewa écoutait. Il fumait sa cigarette. Il en écrasa les cendres par terre à petits coups redoublés. Il dit :

– Il est exact qu'il n'y a plus que des racontars, aujourd'hui. Personne n'a plus de respect pour rien.

Lomatewa tendit la main derrière lui, tâtonna contre le mur, trouva la canne qui s'y trouvait appuyée et la posa en travers de ses genoux. La semaine précédente il était allé à Flagstaff avec le mari de sa petite-fille, leur dit-il, et il y avait rendu visite à une autre de ses petites-filles.

– Ils se sont comportés exactement comme des *bahanas,* déplora Lomatewa. A boire de la bière dans la maison. A faire la grasse matinée. Exactement comme les hommes blancs.

Les doigts de Lomatewa jouaient sur sa canne tandis qu'il parlait du modernise dont il avait été témoin dans sa famille à Flagstaff, mais il regardait Jim Chee, il regardait Cowboy Dashee. Il les regardait d'un œil sceptique. Cette façon de se comporter, cette attitude n'avaient rien d'inhabituel pour eux. Chee l'avait déjà observée, chez son propre grand-père paternel et chez d'autres. Cela n'était en rien lié au fait que Lomatewa était un Hopi sur le point d'aborder des questions délicates en présence d'un Navajo. C'était l'attitude d'un homme qui était sur le déclin de sa vie, déçu et un peu amer. Lomatewa savait visiblement qui était Cowboy. Chee connaissait suffisamment bien le policier pour douter qu'il fût un Hopi d'une

orthodoxie rigoureuse. Les griefs de Lomatewa s'exer-
çaient maintenant contre le Conseil Tribal Hopi.

– Jamais on ne nous a appris qu'il fallait faire comme
ça. Normalement, c'était aux villages de s'occuper de
leurs propres affaires. Aux *kikmongwi* *, aux confréries
et aux kivas. Le conseil tribal ça n'existait pas. C'est une
invention *bahana*..

Chee laissa respectueusement le silence durer quelques
instants. Cowboy se pencha en avant, leva une main et
ouvrit la bouche.

Chee le devança :

– C'est exactement ce que mon oncle * m'a appris. Il
dit qu'il faut toujours respecter les traditions. Que nous
ne devons pas vivre sans elles.

Lomatewa le regarda. Son sourire sceptique se dessina
sur ses lèvres.

– Vous êtes un policier travaillant pour les *bahanas,*
dit-il. Avez-vous écouté votre oncle ?

– Je suis un policier travaillant pour mon propre
peuple. Et j'étudie avec mon oncle pour devenir *yataalii*.

Il vit que ce mot navajo n'avait aucune signification
pour Lomatewa, l'expliqua :

– J'étudie pour devenir un chanteur, un homme-qui-
guérit. Je connais la Voie * de la Bénédiction et le Chant
de la Nuit, et un jour je connaîtrai d'autres chants
cérémoniels.

Lomatewa observa Chee, puis Cowboy Dashee, puis à
nouveau Chee. Il prit la canne dans sa main droite et avec
son extrémité fit une marque dans la poussière.

– Ici se trouve le sanctuaire de l'épicéa, dit-il en
tournant son regard vers Cowboy. Vous savez où c'est ?

– C'est la source Kisigi, grand-père, répondit Cowboy
qui passa cette épreuve avec succès.

Lomatewa acquiesça de la tête. Il dessina une ligne
sinueuse dans la poussière.

– Nous sommes descendus de la source lorsque l'aube
est venue, dit-il. Tout était normal. Mais vers le milieu de
la matinée nous avons vu cette botte dressée là sur la

piste. Ce garçon qui était avec nous a dit que quelqu'un avait perdu une botte, mais on voyait bien que ce n'était pas ça. Si la botte était simplement tombée là, elle serait tombée sur le côté.

Il regarda Chee afin de voir s'il était d'accord et celui-ci hocha la tête.

Lomatewa haussa les épaules.

– Juste après la botte se trouvait le corps du Navajo.

Il pinça les lèvres et haussa une nouvelle fois les épaules. Son récit était terminé.

– Quel jour était-ce, grand-père ? demanda Chee.

– C'était le quatrième jour avant le Niman Kachina.

– Ce Navajo, dit Chee. Quand nous avons trouvé le corps, il n'en restait pas grand chose. Mais les docteurs nous ont dit qu'il s'agissait d'un homme d'une trentaine d'années. Un homme qui devait peser environ quatre-vingt kilos. Est-ce que c'est à peu près ça ?

Lomatewa réfléchit un instant puis dit :

– Peut-être un petit peu plus vieux. Peut-être trente-deux, quelque chose comme ça.

– Est-ce que c'était quelqu'un que vous aviez déjà vu auparavant ? lui demanda Cowboy.

– Tous les Navajos..., commença Lomatewa qui s'arrêta alors et regarda Chee avant d'ajouter : je ne pense pas.

– Grand-père, dit Cowboy. Lorsque vous vous rendez au sanctuaire de l'épicéa, vous prenez la même piste à l'aller et au retour. C'est ce qu'on m'a appris. Est-ce que c'est possible que le corps se soit trouvé sous ces broussailles la veille, lorsque vous êtes montés jusqu'à la source ?

– Non. Il n'y était pas. Le sorcier l'y a mis pendant la nuit.

– Quel sorcier ? demanda Cowboy Dashee. Est-ce qu'il s'agit d'un *powaga* hopi ou d'un sorcier navajo ?

Lomatewa regarda Chee en fronçant les sourcils.

– Vous m'avez dit que c'était ce policier navajo et vous qui aviez emmené le corps. Il n'a pas vu ce qu'on lui avait fait ?

– Lorsque nous avons emmené le corps, grand-père, répondit Cowboy, les corbeaux s'en étaient occupés depuis bon nombre de jours, de même que les coyotes et les vautours. Tout ce qu'on pouvait dire c'était qu'il s'agissait d'un homme et que cela faisait longtemps que son corps était là en pleine chaleur.

– Ah, fit Lomatewa. Eh bien, la peau de ses mains avait été enlevée.

Lomatewa tendit ses mains vers eux, paumes vers le ciel, et leur montra :

– Les doigts, la paume, tout. Et sous les pieds aussi.

Il remarqua l'expression de profonde surprise sur le visage de Cowboy et désigna Chee de la tête.

– Si ce Navajo respecte les coutumes ancestrales de son peuple, ajouta-t-il, il comprendra.

Chee comprenait, il comprenait très bien.

– C'est ce que le sorcier utilise pour faire de la poussière de cadavre, expliqua-t-il à Cowboy. Ils appellent cela *anti'l*. On la fabrique à partir de la peau sur laquelle est inscrite l'âme spécifique de l'individu. (Chee désigna les circonvolutions de ses empreintes digitales et des coussinets de chair de sa paume.) Comme sur les paumes des mains, les doigts, la plante des pieds et le gland du pénis.

Tout en expliquant cela, Jim Chee s'aperçut qu'il pouvait finalement répondre à l'une des questions du capitaine Largo. Tout cela dépassait le niveau des bavardages habituels qui avaient cours sur Black Mesa car il y avait un sorcier à l'œuvre.

11

Lorsque Chee fut retourné à Tuba City, qu'il eut tapé son rapport et qu'il l'eut déposé sur le bureau du capitaine Largo, il était plus de neuf heures du soir. Lorsqu'il ouvrit la porte de la petite maison mobile dans laquelle il vivait et qu'il s'assit sur le bord de sa couchette, il se rendit compte qu'il était totalement vanné. Il baîlla, frotta son visage sur son avant-bras et demeura avachi là, les coudes sur les genoux, à reprendre le déroulement de la journée et à attendre de retrouver suffisamment d'énergie pour pouvoir se préparer à se mettre au lit. Il ne travaillait pas le lendemain, ni le jour suivant. Il allait se rendre à Two Gray Hills, au pays de sa famille dans les Monts Chuska, loin du monde de la police, de la drogue et du meurtre. Il ferait chauffer des pierres et prendrait un bain de vapeur avec son oncle, et il reprendrait l'apprentissage nécessaire pour posséder l'art de réaliser les peintures de sable du Chant de la Nuit. Chee baîlla à nouveau, se pencha pour défaire les lacets de ses bottes et ses pensées revinrent aux mains de John Doe telles que les avait décrites le vieil Hopi. Couvertes de sang. Ecorchées. Lui, dans sa mémoire, n'avait gardé que le souvenir d'os, de tendons et de restes d'extrémités de muscles qui avaient résisté à la décomposition et aux charognards. Il y avait quelque chose qui l'embêtait dans ce que lui avait dit le Hopi. Il réfléchit mais ne put découvrir où était cette incongruité, baîlla à nouveau et ôta ses bottes. John Doe était mort le quatrième jour précédant le Niman Kachina, et cette année la cérémonie avait eu lieu le quatorze juillet. Il se l'était fait confirmer par Dashee. Le corps de John Doe avait donc été abandonné sur la piste le dix juillet. Chee s'allongea sur la couchette, tendit le bras et s'empara de l'annuaire téléphonique navajo-hopi qui se trouvait sur la table. C'était un petit livre peu épais, très déformé à force d'avoir été porté dans sa poche-revolver, et il contenait tous les numéros environ sur Deuxième

Mesa. Il se redressa sur un coude et composa le numéro. Il entendit sonner deux fois.

– Allô.

– Est-ce que Jake West est là ?

– C'est lui-même.

– Jim Chee à l'appareil. Est-ce que votre mémoire est bonne ?

– Assez.

– Y a-t-il une chance que vous puissiez vous souvenir si Musket est venu travailler chez vous le onze juillet ? Cela fait quatre jours avant les Danses du Retour là-haut sur Deuxième Mesa.

– Le onze juillet, répéta West. Qu'est-ce qui se passe ?

– Probablement rien. Juste histoire de s'assurer qu'on n'a rien laissé de côté pour votre cambriolage.

– Une petite minute. Je ne m'en souviens pas, mais ça doit être écrit sur mes fiches de paye.

Chee attendit. Il bâilla encore. Cela ne servait qu'à lui faire perdre son temps. Il dégrafa sa ceinture et se débarrassa de son pantalon d'uniforme qu'il jeta au pied de son lit. Puis il déboutonna sa chemise. West revint en ligne.

– Le onze juillet. Voyons. Il n'est pas venu travailler le dix juillet, ni le onze. Il est venu le douze.

Chee avait tout-à-coup un peu moins sommeil.

– Bon, dit-il. Merci.

– Ça vous apprend quelque chose ?

– Propablement rien.

Cela lui apprenait, se dit-il après avoir enlevé sa chemise et tiré le drap sur lui, que Musket pouvait très bien être l'homme qui avait tué John Doe. Cela ne voulait pas dire que c'était lui : seulement que la possibilité existait. A demi endormi, Chee la considéra. Musket pouvait être un sorcier. Le meurtre de John Doe pouvait être la raison qui avait poussé Musket à quitter le Comptoir d'Echanges de Burnt Water. Mais Chee était trop épuisé pour mener trop loin une activité aussi exigeante. il se mit plutôt à penser à Franck Sam Nakai

85

qui était son oncle maternel et le chanteur le plus respecté sur la frontière entre l'Arizona et le Nouveau Mexique. Et en pensant à ce grand shaman, à cet homme bon et sage, Jim Chee s'assoupit.

Lorsqu'il se réveilla, Johnson était là, debout à côté de sa couchette, à le regarder.

– C'est l'heure de se lever, lui dit-il.

Chee s'assit dans son lit. Derrière Johnson il y avait un autre homme qui leur tournait le dos et qui était en train de fouiller dans les affaires que le policier navajo mettait dans l'un des espaces de rangement situés juste sous le plafond. La lumière du soleil levant entrait par la porte restée ouverte.

– Merde enfin, s'exclama Chee, qu'est-ce que vous venez foutre chez moi ?

– On avait des trucs à vérifier, répondit Johnson.

– Rien ici non plus, dit l'homme.

– Larry Collins, présenta Johnson sans quitter Chee du regard. Nous travaillons ensemble sur cette affaire.

Collins se tourna vers Chee et le regarda. Il sourit. Peut-être vingt-cinq ans. Grand. Cheveux blonds mal peignés qui dépassaient sous le rebord d'un chapeau de cowboy crasseux. Son visage était constellé de taches de rousseur, ses yeux toujours en mouvement.

– Salut, dit-il. Si vous avez de la came planquée là-dedans, j'ai pas réussi à mettre la main dessus. Pas encore.

Chee ne trouva rien à répondre. Son incrédulité se teinta de colère. Il n'avait jamais vu ça. Il tendit la main vers sa chemise qu'il enfila, se leva en caleçon.

– Foutez-moi le camp, dit-il à Johnson.

– Pas encore, répondit celui-ci. Nous avons un travail à faire.

– Votre travail, nous le ferons au bureau du capitaine Largo. Foutez le camp.

Collins se trouvait maintenant derrière lui et tout se passa si vite que Chee ne sut jamais vraiment comment il s'y était pris : il se retrouva allongé, le visage contre la

86

couchette, les poignets tordus très haut dans le dos. Il sentit la main de Johnson qui le clouait sur place tandis que Collins refermait les menottes sur ses poignets. Ce devait être un truc qu'ils pratiquaient souvent ensemble, pensa-t-il.

Ils le relâchèrent et il s'assit sur la couchette. Ses mains étaient immobilisées derrière son dos.

— Mettons-nous bien d'accord tout de suite sur un point, dit Johnson. C'est moi le flic et vous vous êtes le suspect. Votre insigne indien ne veut strictement rien dire pour moi.

Chee garda le silence.

— Continue à chercher, ordonna Johnson à Collins. C'est forcément gros et il n'y a pas trente-six endroits où ça pourrait être caché ici. Fais attention de pas en rater un.

— J'ai regardé partout, déclara Collins qui passa néanmoins dans le compartiment cuisine où il entreprit d'ouvrir les tiroirs.

— Vous avez eu une petite rencontre avec Gaines hier, reprit Johnson. Je veux tout savoir là-dessus.

— Allez vous faire foutre.

— Gaines et vous, vous avez conclu un petit accord, je suppose. Il vous a dit ce qu'ils étaient prêts à payer pour récupérer leur coke. Et ils vous ont dit ce qu'il vous arriverait si vous refusiez de la leur refiler. C'est à peu près ça ?

Chee ne répondit pas. Collins regardait dans le four, vérifiait sous l'évier. Il versa un peu de détergent dans la paume de sa main, l'examina de près puis se rinça en ouvrant le robinet.

— J'ai déjà regardé partout, dit-il.

— Peut-être que nous n'allons pas la trouver planquée ici, cette camelote, reprit Johnson. Peut-être que nous n'allons pas non plus y trouver l'argent. On dirait que vous avez pas été assez bête pour ça. Mais bordel vous allez me dire où y faut chercher.

Johnson frappa Chee au visage, un coup violent asséné

du dos de la main.

– Le mieux c'est de ne pas faire ça de manière officielle, reprit Johnson. Vous me le dites comme ça, là, maintenant, et moi j'oublie où je l'ai entendu, et vous pouvez continuer à travailler dans la police navajo. Ni séjour en tôle, ni rien du tout. Nous réglons beaucoup d'affaires de manière très inofficielle.

Il adressa un large sourire à Chee, exhibant de grandes dents carnassières, blanches et régulières, au milieu de son visage cuivré et bruni par le soleil.

– C'est plus efficace, conclut-il.

Le nez de Chee lui faisait mal. Il sentit du sang commencer à en couler et à atteindre ses lèvres. Le visage lui cuisait et il avait les yeux humides. Mais le véritable impact du coup était psychologique. Son cerveau lui semblait détaché de tout cela comme s'il travaillait sur plusieurs niveaux. D'une part, il essayait de se souvenir de la dernière fois où quelqu'un l'avait frappé. Cela s'était produit alors qu'il était adolescent, au cours d'une bagarre avec un cousin. D'autre part, son intelligence s'interrogeait sur ce qu'il devait faire, sur ce qu'il devait dire, sur la raison de tout cela. Et à un autre niveau encore, il ressentait la rage animale pure : instinct meurtrier.

Johnson et lui se regardaient fixement et aucun des deux ne cillait. Collins en termina avec la cuisine et disparut dans le minuscule cabinet de toilette. Ils entendirent le bruit qu'il fit en arrachant quelque chose.

– Où l'avez-vous mise ? insista Johnson. L'avion transportait la marchandise et les gens qui sont venus la récupérer ne l'ont pas récupérée. Cela nous le savons. Nous savons qui l'a prise, nous savons qu'il a eu besoin d'aide pour y parvenir, et nous savons que cette aide vous la lui avez fournie. Où l'avez-vous emmenée ?

Chee fit un geste pour vérifier si les menottes qui lui retenaient les mains derrière le dos tenaient bien, ne réussit qu'à se faire mal aux poignets. Les muscles de son épaule gauche étaient de plus en plus douloureux à l'endroit où Collins avait fait porter sa prise.

– Espèce de salopard, dit Chee. Vous êtes cinglés.

Johnson lui expédia une nouvelle gifle. Du dos de la même main. Au même endroit.

– Vous étiez là-bas, dit-il. Nous ignorons comment vous avez fait pour être au courant de la livraison, mais cela n'a pas d'importance. Tout ce que nous voulons c'est la marchandise.

Chee ne répondit absolument rien.

Johnson sortit son pistolet de son étui d'épaule. C'était un revolver à canon court. Il appuya brutalement le canon contre le front de Chee.

– Vous allez me le dire, assura-t-il en armant le revolver. Tout de suite.

Le canon métallique de l'arme s'enfonça dans la peau et vint buter contre l'os.

– Si je savais où est la marchandise, je vous le dirais, dit Chee.

Il en avait honte, mais c'était la vérité. Johnson sembla le lire sur son visage. Il grogna, éloigna son revolver dont il rabaissa le chien et remit l'arme dans son étui.

– Vous savez quelque chose, dit Johnson comme s'il se parlait à lui-même.

Il se tourna vers Collins qui avait interrompu sa quête pour les regarder, puis fixa à nouveau Chee tout en réfléchissant.

– Quand vous en saurez un peu plus, il y aura un moyen intelligent de vous en servir. Arrangez-vous simplement pour que je sois mis au courant. Un message anonyme suffira. Ou bien appelez-moi. Comme ça, si vous vous méfiez de la DEA en vous disant qu'elle serait capable de vous rentrer dedans, vous serez sûr que nous ne pourrons pas prouver que vous avez volé la marchandise. Et je ne pourrai pas vous faire coffrer pour le meurtre de Jerry Jansen.

Le cerveau de Chee s'était remis à fonctionner. Il se souvenait que Jansen était le nom du mort trouvé près de l'avion. Mais dans quelle mesure Johnson allait-il être disposé à lui répondre ?

– Qui est Jansen ? demanda-t-il.

– C'est un peu tard pour le demander, répondit Johnson dans un éclat de rire. Le frère du grand patron en personne, celui qui a monté toute cette opération. Et celui qui a été tué dans l'avion, ce n'était pas non plus un minable. Quelqu'un de la famille de ceux qui achetaient la cargaison.

– Pauling ?

– Pauling n'était rien. Il faisait le taxi. Inquiétez-vous plutôt de l'autre.

Un bruit de verre brisé leur parvint de la douche. Collins avait laissé tomber quelque chose.

– Alors vous voyez, conclut Johnson en souriant, je n'ai pas beaucoup de temps pour travailler avec vous. Vous avez deux équipes de types pas commodes qui sont sur les dents. Ils vont tout de suite faire le rapport avec vous et vous allez les voir rappliquer. Ils vont vous faire cracher leur came en vous serrant le quiqui, et si vous ne pouvez pas la leur remettre, ils continueront tout bêtement à serrer.

Chee ne voyait pas bien ce qu'il pouvait répondre à ça.

– La seule façon de s'y prendre c'est la plus simple, assura Johnson. Vous me dites où vous et Palanzer vous l'avez cachée. Je la trouve. Personne n'en sait davantage. Si on s'y prend autrement, vous êtes mort. Ou alors, si vous avez de la chance, vous vous retrouvez au pénitencier pour dix ou vingt ans. Et avec ces deux types qu'ont été tués, vous y ferez pas de vieux os.

– Je ne sais pas où elle est, dit Chee. Je ne suis même pas sûr de savoir de quoi il s'agit.

Johnson posa sur lui un regard dépourvu d'agressivité et ne fit aucun commentaire. Une odeur d'eau de Cologne parvint jusqu'aux narines de Chee. Collins avait cassé sa lotion après-rasage.

– Qu'est-ce qu'y voulait, Gaines ? demanda Johnson.

L'agent de la DEA sortit la carte de Gaines de la poche de sa chemise et la regarda. C'était celle que Chee avait rangée dans son portefeuille.

– Il voulait savoir ce que la voiture était devenue. Celle que j'ai entendue démarrer.

– Comment y savait ça ?

– Il a lu mon rapport. Au poste de police. Il leur a dit qu'il était le représentant légal du pilote.

– Pourquoi vous a-t-il laissé sa carte ?

– Il voulait que je lui retrouve la voiture. Je lui ai répondu que je le tiendrais au courant.

– Est-ce que vous pouvez la retrouver ?

– Je ne vois pas comment. Enfin quoi, elle est probablement à Chicago à l'heure qu'il est, à Denver ou Dieu sait où. Pour quelle raison serait-elle restée dans le coin ? D'après ce que j'ai entendu dire vous avez diffusé le portrait du type qui est censé la conduire. Le dénommé Palanzer. Pourquoi voulez-vous qu'il reste dans le coin ?

– C'est moi qui pose les questions, coupa Johnson.

– Mais vous ne croyez pas que Palanzer a filé en embarquant la marchandise ? Alors pourquoi la recherchez-vous ?

– Peut-être qu'il l'a, et peut-être qu'il l'a pas ; et peut-être qu'il a été drôlement aidé s'il l'a récupérée. Comme par exemple par un flic de la Police Tribale Navajo qui connaît la région et qui connaît un trou où ils peuvent planquer la marchandise en attendant que les choses se calment un peu.

– Mais...

– La ferme. Nous perdons notre temps. Je vais vous dire ce qu'on va faire. On va attendre un tout petit peu. On va vous laisser le temps de réfléchir. A mon avis vous avez un jour ou deux avant que ceux à qui la came appartient décident de venir vous trouver. Réfléchissez un peu à ce qu'ils vont vous faire ; après ça recontactez-moi et nous pourrons discuter.

– Y a une chose qu'est sûre, dit Collins juste dans le dos de Chee. C'est qu'elle est pas cachée ici.

– Mais ne traînez pas trop longtemps, avertit Johnson. Vous n'avez pas beaucoup de temps.

12

Quand le capitaine Largo était soucieux, son visage arrondi et débonnaire se décomposait en un réseau de petites rides, un peu comme un melon vert cueilli depuis trop longtemps. Et Largo était soucieux. Il était assis très droit derrière son bureau, une position inhabituelle pour le corps replet du capitaine, et il écoutait avec une extrême attention les paroles prononcées par Jim Chee. Et les paroles prononcées par Jim Chee exprimaient la colère et allaient droit au but ; et lorsqu'il eut fini, Largo se leva de son siège, s'approcha de la fenêtre et regarda la matinée ensoleillée au-dehors.

– Ils vous ont menacé avec un revolver ? demanda-t-il.

– Absolument.

– Ils vous ont frappé ? C'est cela ?

– Absolument.

– Quand ils vous ont enlevé les menottes, ils vous ont dit que si vous déposiez plainte ils diraient que vous les avez invités à entrer, que vous leur avez proposé de fouiller, qu'ils ne vous ont pas touché. C'est cela ?

– Tout à fait, répondit Chee.

Largo continua à regarder par la fenêtre. Chee attendit. De l'endroit où il se tenait, il pouvait voir au-dehors malgré le large dos du capitaine. Il pouvait voir l'étendue composée de graminées à touffes, de terre nue, de cailloux et de cactus dispersés qui séparait le poste de police de la rangée de vieilles maisons bâties sans plan d'ensemble et qui s'appelait Tuba City. Le ciel avait cet aspect poussiéreux qu'il prend lors des étés de sécheresse. Au loin, par-delà cette étendue, un nuage de fumée bleue s'élevait du garage fait de feuilles de métal qui appartenait au Service d'Entretien des Routes Navajo : un moteur diesel au banc d'essai. Largo semblait regarder la fumée.

– Deux jours, ils ont dit, avant que les gens qui sont propriétaires de la drogue concluent que c'est vous qui l'avez. C'est ça ?

– C'est ce que Johnson m'a dit, acquiesça Chee.

– Y donnait l'impression de faire une supposition ou de le savoir ?

Largo continuait de regarder par la fenêtre en tournant le dos à Chee.

– Bien sûr qu'il faisait une supposition. Comment pourrait-il le savoir ?

Largo revint s'asseoir. Il tripota les divers objets qu'il pouvait avoir dans le tiroir supérieur de son bureau.

– Voilà ce que je veux que vous fassiez, dit-il. Mettez-moi tout ça par écrit, signez-le, datez-le, et remettez-le moi. Une fois terminé, prenez quelques jours de repos. Vous avez demain et après-demain. Prenez toute la semaine. Fichez donc le camp d'ici pendant quelques temps.

– Vous voulez que je le mette par écrit ? A quoi ça servira ?

– Ça peut pas faire de mal. Au cas où.

– C'est de la connerie.

– Ces hommes blancs vous baiseront à tous les coups, reprit Largo. Regardez les choses en face. Vous déposez une plainte. Qu'est-ce qui se passe ? Deux policiers *belacani*. Un Navajo. Le juge est *belacani* lui aussi. Et le policier navajo est déjà soupçonné de s'être emparé de la marchandise. Qu'est-ce que ça va vous rapporter ? Retournez dans les Chuskas. Allez voir votre famille. Partez d'ici.

– Ouais, fit Chee.

Il repensait à la main de Johnson le frappant en plein visage. Il allait prendre quelques jours, mais il n'irait pas dans les Chuskas. Pas encore.

– Ces gars des narcotiques de sont de sacrés clients, dit Largo. Ils n'obéissent à aucune règle. Ils font ce qu'ils veulent. Je n'ai aucune idée de ce qu'ils vont faire maintenant. Vous non plus. Prenez quelques jours. Cette histoire ne vous regarde pas. Changez d'air. Ne dites à personne où vous allez. Ça serait une bonne idée de ne pas le dire.

– C'est bon, je ne dirai rien, répondit Chee en se dirigeant vers la porte. Encore une chose, capitaine. Joseph Musket n'est pas venu travailler à Burnt Water le jour où John Doe a été tué et son corps abandonné sur la mesa. Ni ce jour-là, ni le précédent. Je voudrais aller à Santa Fé, au pénitencier de l'état, pour voir ce que je peux trouver sur Musket. Vous pouvez arranger ça ?

– J'ai lu votre rapport ce matin. Ça n'y apparaît pas.

– J'ai appelé Jake West après. Je l'avais déjà rédigé.

– Vous croyez que Musket est un sorcier ?

Largo avait peut-être très légèrement souri en posant sa question. Chee n'en était pas certain.

– Je n'arrive pas à comprendre Musket, c'est tout, répondit-il en haussant les épaules.

– Je vais leur envoyer un mot aujourd'hui, assura Largo. En attendant, vous êtes en congé. Filez d'ici. Et rappelez-vous que cette affaire de drogue ne vous concerne pas. C'est un crime qui relève des services fédéraux. Quant au lieu où ça s'est produit, ça fait maintenant partie de la réserve hopi, ce n'est plus territoire commun. Cela ne concerne nullement la Police Tribale Navajo. Cela ne concerne nullement Jim Chee.

Largo marqua un temps d'arrêt et regarda Chee droit dans les yeux avant d'ajouter :

– Vous comprenez ?

– Je comprends, répondit Chee.

13

Etant donné les circonstances, il sembla à Chee que la manière la plus correcte et la plus sage de s'y prendre consistait à passer son coup de téléphone d'un endroit où il ne courait aucun risque que le capitaine Largo puisse en avoir connaissance. Il s'arrêta à la station service Chevron qui se trouve à l'intersection de la route de Tuba City avec l'Arizona 160. Il appela le Centre Culturel Hopi, sur Deuxième Mesa.

Oui, Ben Gaines était bien descendu au motel. Chee laissa le téléphone sonner huit ou neuf fois. puis il refit le numéro. Est-ce qu'une femme appelée Pauling était descendue chez eux ? Oui. Elle répondit à la deuxième sonnerie.

– Ici Jim Chee. Vous vous souvenez ? Je fais partie de la Police Tribale....

– Je me souviens de vous, répondit Mlle Pauling.

– J'essaye de joindre Ben Gaines.

– Je ne pense pas qu'il soit dans sa chambre. La voiture qu'il a louée n'a pas été là de la journée, et lui, je ne l'ai pas vu.

– Quand nous avons discuté ensemble il m'a demandé d'essayer de découvrir où se trouvait une voiture, expliqua Jim Chee. Est-ce que vous savez si c'est déjà fait ?

– Pas à ma connaissance. Non, je ne crois pas.

– Est-ce que vous voulez dire à Gaines que je m'en occupe ?

– Bien sûr, dit-elle. Entendu.

Chee hésita.

– Mlle Pauling ?

– Oui.

– Cela fait-il longtemps que vous connaissez Gaines ?

Il y eut un silence.

– Trois jours, dit-elle.

– Votre frère vous avait-il parlé de lui ?.

Un autre long silence.

– Ecoutez, dit Mlle Pauling. Je ne sais pas où vous voulez en venir. Mais la réponse est non. Ce n'était pas le genre de choses dont nous discutions. J'ignorais qu'il avait un avocat.

– Vous pensez que vous pouvez avoir confiance en

Gaines ?

Contre l'oreille de Chee, le téléphone émit un bruit qui aurait pu passer pour un rire.

– Vous êtes vraiment un policier, vous, dit Mlle Pauling. Comment font-ils pour vous apprendre à ne faire confiance à personne ?

– Eh bien, commença Chee. Je...

– Je sais qu'il connaissait mon frère. Et il m'a appelée pour m'offrir de m'aider en tout. Puis il est venu, il a fait le nécessaire afin que le corps soit ramené pour l'enterrement, il m'a dit comment il fallait faire pour obtenir une concession dans un cimetière national, et ainsi de suite. Pourquoi ne lui ferais-je pas confiance ?

– Vous avez peut-être raison.

Puis Chee rentra chez lui. Il enfila ses chaussures de randonnée, sortit du réfrigérateur un récipient en plastique pas encore ouvert qui contenait presque quatre litres d'eau glacée, et le mit dans son vieux sac à dos en toile, de même qu'une boîte de corned beef et un paquet de biscuits. Il glissa le sac à dos ainsi que sa couverture pour dormir derrière la banquette de son pick-up truck, prit le volant et retourna à la station Chevron. Mais au lieu de tourner vers l'est en direction du Nouveau Mexique, des Monts Chuska, de sa famille, il prit vers l'ouest puis suivit la Route Navajo 3 vers le sud. La Route 3 le fit passer devant le groupe de huttes en pierres hopi qui constitue le village de Moenkopi, le fit pénétrer dans la Réserve Hopi, puis le mena vers le Comptoir d'Echanges de Burnt Water, vers Wepo Wash et cet immense paysage fait de canyons désertiques où un avion s'était écrasé et où une voiture avait, peut-être, été cachée par un homme aux traits émaciés dont le nom était Richard Palanzer.

14

La première chose que Chee apprit sur le véhicule disparu fut que quelqu'un (et il pensa qu'il devait s'agir de la DEA) s'était déjà mis à sa recherche. Il avait travaillé méthodiquement en progressant depuis le lieu de l'accident et en vérifiant chaque endroit où un véhicule à moteur avait pu quitter le lit du wash. Etant donné que les rives du wash étaient constituées de murailles quasiment verticales qui avaient rarement moins de cinq à six mètres de haut, ces endroits où il était possible d'en sortir se limitaient aux arroyos qui alimentaient le wash. Chee les avait inspectés les uns après les autres à la recherche de traces de pneus. Il n'en avait découvert aucune, mais dans chaque arroyo il avait trouvé des signes lui indiquant qu'il n'était pas le premier à avoir cherché. Deux hommes l'avaient fait, deux ou trois jours auparavant. Ils avaient travaillé ensemble et non séparément : un fait qu'il apprit en remarquant que parfois l'homme qui portait des bottes presque neuves avait marché sur les traces de l'autre, et que parfois c'était le contraire. De la nature de cette chasse Chee conjectura que si le pick-up truck, ou la voiture, était caché quelque part dans les environs, c'était obligatoirement en un endroit où il ne pouvait être repéré d'avion. Ceux qui se donnaient tout ce mal pour chercher devaient certainement en utiliser un. Ce qui réduisait le nombre des possibilités.

Quand il commença à faire trop nuit pour travailler, Chee installa sa couverture et avala son dîner constitué de viande en conserve, de biscuits et d'eau froide. Il alla prendre dans le pick-up truck son livre de Cartes Géologiques de l'Arizona et l'ouvrit à la page trente-quatre, celle du quadrilatère de Burnt Water. Cette zone de deux mille six cents kilomètres carrés était réduite à un carré de soixante centimètres de côté, mais cela lui permettait de disposer d'une carte dont l'échelle était au moins vingt fois supérieure à celle d'une carte routière, et les géomètres experts fédéraux y avaient fait figurer tous les détails du terrain, les cotes et l'hydrographie.

Chee, assis sur le sable, s'appuyait contre le pare-choc et utilisait les phares pour s'éclairer. Il vérifia chaque arroyo très attentivement, comparant le paysage qu'il avait gardé en mémoire avec ce que la carte lui indiquait. Derrière lui, il entendit soudain un bruit léger : celui du moteur qui refroidissait. Au-delà de la nappe de lumière jaune provenant des phares, une chouette poussa son cri de chasse strident une fois, deux fois, trois fois, puis tout retomba dans le silence. Tout était silencieux. Alors, lointain et assourdi, quelque part vers le sud du côté des mesas hopi, lui parvint le ronronnement d'un moteur d'avion. Pour autant qu'il pouvait en juger, seuls trois des arroyos qui alimentaient Wepo Wash drainaient des surfaces suffisantes pour permettre d'y dissimuler facilement une voiture. Il avait déjà inspecté l'embouchure de l'un d'eux et n'y avait trouvé aucune trace. Les deux autres étaient en aval, tous deux se jetant dans le wash par le nord-ouest après avoir dévalé les pentes de la grosse bosse érodée qui portait le nom trompeur de Grande Montagne. Tous deux pouvaient se remonter suffisamment longtemps pour pouvoir atteindre la zone d'arbres et de buissons épais, puis les pentes plus raides où l'on pouvait s'attendre à trouver surplombs et saillies. En d'autres termes, où l'on pouvait dissimuler quelque chose d'aussi gros qu'une voiture. Demain, il suivrait le lit du wash pour les visiter tous les deux.

Et, se dit-il, il ne découvrirait rien du tout. Il découvrirait que les gens que la DEA avait utilisés pour passer les environs au peigne fin étaient passés par là avant lui et qu'eux non plus n'avaient rien découvert. Il n'y aurait rien à découvrir. Un avion était arrivé avec une livraison de drogue et une voiture était venue à sa rencontre. La drogue avait été sortie de l'avion et la voiture était repartie avec. Pourquoi la laisser ici dans le Désert Peint ? La seule réponse que Chee pouvait trouver à cette question le ramenait à Joseph Musket. Si c'était lui qui prenait les décisions, ce n'était pas idiot de la laisser ici. Mais Musket n'était qu'un personnage de troisième catégorie, un minable repris de justice impliqué dans une très grosse affaire. Richard Palanzer devait être celui qui prenait les décisions ou, tout au moins, celui qui donnait des ordres. Quelle raison Palanzer aurait-il pu avoir de ne pas charger la marchandise afin de l'embarquer tout simplement vers un cadre urbain qui lui était familier ?

Mais se pouvait-il que Chee sous-estime Joseph Musket ? Cet homme jeune qu'on appelait Doigts-de-Fer était-il plus important qu'il ne le paraissait ? Toute cette affaire avait-elle une dimension à laquelle Chee n'avait pas songé ? Il s'interrogea sur le meurtre de John Doe. Fallait-il voir dans la mort de ce Navajo un indice pouvant mener à la raison pour laquelle Joseph Musket s'était absenté une journée entière afin d'en terminer par un coup de feu ? Et si tel était le cas, pourquoi avoir laissé le cadavre à un endroit où il allait être découvert ? Et pourquoi avoir prélevé les parties du corps dont les sorciers se servaient pour fabriquer leur poussière de cadavre ?

De la zone plongée dans les ténèbres, hors de portée des phares, lui parvint le bruit de galets délogés dévalant la paroi du wash. Puis celui d'une fuite. Le désert était un lieu de la nuit : un endroit mort sous la lumière aveuglante du soleil, mais grouillant de vie dans les ténèbres. Les rongeurs quittaient leurs terriers pour se nourrir de graines, et les reptiles et autres prédateurs apparaissaient pour chasser les rongeurs et se chasser entre eux. Chee bâilla. Quelque part au loin sur Black Mesa un coyote aboya, et dans la direction opposée il entendit le ronronnement assourdi d'un moteur d'avion. Il examina à nouveau la carte, cherchant quelque chose qui aurait pu lui échapper. Son moulin à vent objet de vandalisme était trop récent pour y avoir été indiqué, mais l'arroyo du sanctuaire s'y trouvait bien. Ainsi que Chee l'avait deviné, il drainait la pente de Deuxième

Mesa.

L'avion était plus près maintenant, le bruit de son moteur beaucoup plus fort. Chee aperçut ses feux de navigation qui étaient bas dans le ciel et se dirigeaient apparemment droit sur lui. Pourquoi ? Peut-être par simple curiosité en voyant des phares de voiture allumés de ce côté. Chee se releva précipitamment, passa le bras par la vitre baissée de la portière et éteignit ses lumières. Un instant plus tard, l'avion le survola dans un grondement de moteur, à moins de cent mètres du sol. Chee demeura un moment sur place à le regarder. Puis il ré-enroula sa couverture, prit sa réserve d'eau et s'enfonça dans l'arroyo. A peut-être deux cents mètres de son véhicule il trouva un endroit où un cul-de-sac de sable doux était dissimulé à la vue par un épais fourré de chamiso. Il aménagea un creux pour ses hanches, fit une petite colline de sable pour sa tête et disposa sa couverture sur ce lit. Puis, allongé sur le dos, il contempla les étoiles. Son oncle lui aurait dit que quel que soit l'endroit où la voiture avait été conduite, il y avait une bonne raison à cela. Si elle avait été cachée dans les environs, cette action était le résultat d'une motivation. Chee ne parvenait pas à saisir ce que pouvait être cette motivation, mais elle devait exister. Si, comme on pouvait le penser, Palanzer était l'auteur de ce forfait, il n'aurait assurément pas agi comme ça, sans préméditation et sans préparation. Il aurait filé vers les villes, vers un territoire qui lui était familier, un endroit où il pouvait facilement se faire invisible, une cachette qu'il avait certainement prévue à l'avance. Il lui fallait un lieu sûr où garder la marchandise avant de pouvoir l'écouler. Le fait de cacher la voiture et la cargaison dans les environs n'avait de sens que si Musket était sérieusement impliqué dans l'affaire. Et il l'était forcément. Il était le lien logique entre cet endroit isolé en plein désert et le trafic de stupéfiants. Musket avait été déféré à la prison du Nouveau Mexique à la suite d'une condamnation liée à la drogue. Il était l'un des amis du fils de West, était probablement venu par ici, avait probablement vu Wepo Wash, et avait gardé en mémoire les possibilités qu'offrait l'endroit en tant que piste d'atterrissage tout à fait secrète et profondément isolée. C'était Musket qui en avait suggéré l'idée. Il avait fait jouer sa vieille amitié pour obtenir à Burnt Water un travail lui permettant de bénéficier d'une libération conditionnelle, de façon à pouvoir être sur place et à achever de tout organiser. Voilà où il était, lorsqu'il ne se rendait pas à son travail au comptoir d'échanges : dans le wash où il s'acquittait de ce qui devait être fait pour tout préparer. Mais qu'est-ce qu'il avait bien pu avoir à faire sur place ? Disposer les lanternes n'avait dû demander que quelques minutes. Chee en était à tourner et retourner cette question dans sa tête quand il s'assoupit.

Il ne savait pas ce qu'il l'avait réveillé. Il était encore allongé sur le dos. A un moment, au cours de la nuit, il avait partiellement ramené la couverture sur lui. L'air était devenu froid. Au-dessus de sa tête les étoiles avaient changé. Mars et Jupiter étaient descendues à l'ouest bas sur l'horizon et un petit croissant de lune qui s'était levé tardivement était visible à l'est. Les ténèbres juste avant l'aube. Il demeura allongé sans bouger, retenant sa respiration, s'efforçant d'entendre. Il n'entendit rien. Mais ce qui ressemblait à la mémoire d'un bruit (un reliquat de ce qui l'avait réveillé), restait présent en lui. Quelle qu'en ait pu être l'origine, cela avait fait naître la peur.

Il entendit le bruit que faisaient les insectes plus haut dans l'arroyo et en contrebas dans Wepo Wash. Absolument aucun bruit à proximité. Cela lui apprit quelque chose. Quelque chose avait fait taire les insectes. Il ne pouvait rien discerner d'autre que le feuillage gris-vert du fourré de chamiso rendu presque noir par l'obscurité. Puis il entendit un léger sifflement d'air expiré. Quelqu'un se tenait juste de l'autre côté du buisson, à moins de deux mètres cinquante de lui. Quelqu'un ? Ou quelque chose ? Un cheval, peut-être ? Il avait remarqué des traces de sabots dans le lit du wash. Et il avait déjà vu des chevaux à proximité du moulin.

Les chevaux ont tendance à avoir une respiration bruyante. Il s'efforça d'entendre mais n'entendit rien. Un homme, très vraisemblablement, qui restait immobile de l'autre côté du buisson. Pourquoi ? Quelqu'un qui se trouvait dans l'avion avait forcément vu son pick-up truck. Etaient-ils venus, ou avaient-ils envoyé quelqu'un pour voir ce qu'il faisait ?

Click. Juste de l'autre côté du buisson. Click. Click. Click. Click. Un petit bruit métallique. Chee ne parvenait pas à l'identifier. Métal contre métal ? Puis à nouveau un bruit de respiration et celui que font des pieds en se déplaçant sur le sable. Des pas qui suivaient l'arroyo vers l'aval et vers son intersection avec le wash. Vers le véhicule de Chee.

Il s'extirpa de sa couverture, prenant soin de ne pas faire de bruit. Son fusil était accroché en travers de la fenêtre arrière du pick-up truck. Son pistolet était dans son étui, enfermé dans le compartiment à gants. Il leva prudemment la tête au-dessus du buisson.

L'homme s'éloignait lentement de lui. Chee pouvait seulement supposer qu'il s'agissait d'un homme. Une silhouette imposante, un peu plus sombre que l'obscurité qui l'entourait, une impression de mouvement lent. Puis le mouvement s'arrêta. Une lampe s'alluma : un rayon de lumière jaune fouilla les rochers le long du mur de l'arroyo. Devant la lumière qui bougeait se découpèrent d'abord les jambes de celui qui tenait la torche, son bras droit et son épaule ensuite, ainsi que la forme d'un pistolet qu'il tenait, le canon dirigé vers le sol, dans sa main droite. Puis la lumière s'éteignit à nouveau. Dans l'obscurité rendue plus dense encore, Chee ne pouvait voir que la forme de la lumière jaune imprimée sur iris. La forme de l'homme ne lui était plus perceptible. Il se rebaissa derrière le buisson en attendant que sa vision redevienne normale.

Mais quand ce fut le cas, il n'y avait plus personne dans l'arroyo.

Chee attendit qu'apparaissent les premières lumières

diffuses avant de se diriger vers son pick-up truck. Son premier mouvement avait été de l'abandonner. De se perdre dans l'obscurité, de parcourir à pied le long chemin qui le ramènerait au Comptoir d'Echanges de Burnt Water, et d'éviter ainsi de courir le risque que l'homme qui avait essayé de le débusquer dans l'obscurité l'attende à son véhicule. Mais au fur et à mesure que les minutes s'écoulaient, l'urgence et la réalité du danger s'estompèrent. En une heure, ce que son instinct lui avait dit du danger avait disparu comme la poussée d'adrénaline dans ses veines. Ce qui s'était passé était assez facile à deviner. Quelqu'un que cela intéressait de récupérer la drogue avait loué un avion pour surveiller les alentours. Les phares de Chee avaient été repérés. On avait envoyé quelqu'un afin de le trouver et de savoir ce qu'il fabriquait là. Le pistolet dans la main de l'homme s'expliquait facilement : il chassait il ne savait quoi dans un paysage inconnu et isolé envahi de ténèbres. Il était sur ses gardes. Il avait dû voir le fusil de Chee accroché en travers de la vitre arrière, mais il n'avait aucun moyen de savoir que son pistolet était enfermé dans la boîte à gants.

Ce qui n'empêcha pas Chee de faire preuve de prudence. Il suivit la rive de l'arroyo jusqu'à un endroit d'où il dominait son pick-up truck. Il y demeura un quart d'heure, assis à l'abri des rochers, à guetter le moindre signe de mouvement. Tout ce qu'il vit fut une chouette qui rentrait de sa chasse nocturne pour regagner son trou dans la rive opposée juste en face de lui. La chouette alla inspecter le véhicule et ses alentours. Si elle détecta un danger quelconque cela ne fut pas apparent jusqu'au moment où elle vit Jim Chee. Elle effectua alors un crochet et s'enfuit à tire d'ailes. Cela suffit à Chee. Il se redressa et se dirigea vers son pick-up truck.

Après avoir remis son pistolet à sa ceinture, il inspecta l'embouchure de l'arroyo et ses environs afin d'obtenir confirmation de ce que la chouette lui avait appris. Nulle présence humaine ne surveillait les environs. Puis il se pencha sur les traces que son chasseur avait laissées derrière lui. L'homme portait des bottes à semelles quadrillées usées, celles-là même que Chee avait remarquées sur les lieux de l'accident : c'était quelqu'un qui portait les mêmes bottes qui avait disposé les lanternes fatales sur le sol. L'inconnu s'était approché du pick-up truck en remontant le lit du wash, avait laissé des traces tout autour du véhicule, puis avait continué à remonter l'arroyo pendant près de huit cents mètres avant de revenir sur ses pas. Finalement, il était reparti comme il était venu.

Chee passa le reste de la matinée à explorer les deux arroyos qui se jetaient plus bas dans le wash et dont sa carte suggérait qu'ils pourraient servir de cachette à une voiture. Rien qui pût laisser des traces de pneus n'avait remonté ni l'un, ni l'autre. Il s'assit à l'avant de son pick-up truck, finit son dernier biscuit en avalant sa dernière goutte d'eau, et réfléchit à nouveau à tout cela. Puis il retourna dans chacun des deux arroyos, les remonta pendant huit cents mètres à partir de l'embouchure et effectua sur place, en collant le nez au sol, une recherche intensive de tous les endroits possibles. Rien. Cela éliminait la possibilité que Palanzer, Musket, ou celui qui tenait le volant, eût pris la peine d'effacer méticuleusement et efficacement toute trace à l'endroit où la voiture aurait pu tourner. Cela réglé, il retourna à l'arroyo où il avait passé la nuit.

A un moment, ça lui avait paru être l'endroit le plus propice. Mais il l'avait éliminé tout comme il avait éliminé les deux arroyos à l'embouchure desquels il n'avait trouvé aucune trace. Cette fois-ci il voulait être absolument sûr de son fait, et quand il en aurait terminé, il serait également sûr qu'aucune voiture n'était dissimulée dans Wepo Wash. Il ne s'attarda pas sur les cent premiers mètres qu'il avait déjà scrutés sans résultat. Plus haut, l'arroyo avait creusé son cours dans une importante couche de caliches extrêmement durs. Ici, il n'y avait que des poches de sable occasionnelles et Chee se pencha sur celles que n'aurait pu éviter un véhicule. Il prit son temps. Il trouva des traces de lézard, l'empreinte d'un serpent à sonnette, les minuscules traces de pattes des rats-kangourous, et les marques laissées par les oiseaux et quantité de rongeurs différents. Aucune trace de pneus. A cent mètres en amont, il effectua une vérification identique sur une large surface de sable très tassé. Là, sur le sable, il trouva une éraflure en arc de cercle. Parallèle à celle-ci il découvrit d'autres lignes, presques invisibles. Il s'accroupit sans les quitter des yeux. Qu'est-ce qui avait pu faire ça ? Un porc-épic avait pu traverser le sable en traînant sa queue derrière lui. Mais ce n'était pas une région à porcs-épics. Un porc-épic n'y trouverait pas de quoi manger.

Chee tendit la main derrière lui, cassa une tige d'herbes-aux-lapins. Il en balaya le sol. Cela produisit une demi-douzaine de rayures et une série de minuscules sillons parallèles. Il les étudia de près. En laissant une semaine au vent et à la force de gravité pour en arrondir les bords, ces sillons ressembleraient beaucoup à ce qu'il avait trouvé. Le sable avait été balayé.

Il remonta rapidement l'arroyo sans presque en regarder le lit. Tôt ou tard, la personne qui avait effacé les traces avait forcément dû être à court de temps, ou de patience, et décider qu'elle en avait fait assez. A peu près un kilomètre plus loin, il trouva l'endroit où cela s'était produit.

Il découvrit d'abord le balai. Il avait séché et sa couleur avait perdu son gris-vert habituel pour devenir gris-blanc ce qui le rendait immédiatement visible au cœur des buissons vigoureux où on l'avait jeté. Chee le récupéra, l'examina, obtint confirmation qu'il avait servi de balai, puis le jeta.

A la nappe de sable suivante, il trouva des traces de pneus. Elles étaient peu visibles, mais on ne pouvait s'y tromper. Il se laissa tomber à genoux et en étudia le tracé. Il le compara en mémoire avec les marques qu'il avait trouvées sur les lieux de l'accident. Le dessin dans le sable

105

était le même.

Chee se redressa sur les talons, repoussa son chapeau en arrière et essuya la sueur sur son front. Il avait trouvé la voiture invisible. A moins de pouvoir s'envoler, elle était dans cet arroyo, quelque part en amont.

15

Après cela, il n'eut plus besoin de chercher d'autres traces. Il s'arrêta uniquement pour vérifier les endroits où de petites ravines se jetaient dans l'arroyo, endroits par lesquels on pouvait envisager qu'il fût possible d'en sortir. Il montait avec détermination dans la direction de Black Mesa. L'arroyo serpentait dans un décor de plus en plus accidenté ; son lit se rétrécit et devint de plus en plus envahi par les rochers et les broussailles. Par endroits maintenant le véhicule avait laissé une piste de branches cassées. Tard dans l'après-midi, Chee ré-entendit le ronronnement de l'avion, des kilomètres en arrière, au-dessus de l'endroit où il avait. garé son pick-up truck. Lorsque l'appareil se rapprocha en survolant l'arroyo, Chee se dissimula sous un surplomb de broussailles jusqu'à ce qu'il eut disparu.

Ce fut juste à la tombée du jour qu'il découvrit le véhicule, et il faillit le dépasser sans le voir. Il était fatigué. Il avait soif. Il se disait que d'ici une heure il ferait trop sombre pour voir quelque chose. Il ne vit pas le véhicule à proprement parler, mais la végétation torturée qu'il avait laissée dans son sillage. Le conducteur l'avait engagé dans une étroite ravine qui alimentait l'arroyo, s'était en force frayé un passage à travers un enchevêtrement d'acajous et d'arroches de montagne, et avait tant bien que mal refermé la trouée derrière lui.

C'était une GMC vert foncé apparemment neuve. Dans peu de temps, Chee saurait si elle était chargée de cocaïne ou, peut-être, de liasses de billets destinés à acheter la cocaïne. Mais il n'était pas pressé. Il s'octroya un moment pour réfléchir. Ensuite, il explora attentivement les alentours, cherchant des traces. S'il pouvait découvrir les marques des semelles quadrillées et des bottes de cowboy, cela confirmerait ce qu'il savait déjà, à savoir que ces hommes étaient partis dans la voiture qu'il avait entendue démarrer. Tout autour du véhicule, le sol était recouvert d'un tapis de feuilles et de brindilles, et le fond de la ravine était constitué de granite granulaire décomposé lorsqu'il ne s'agissait pas de roche solide. Impossible d'y suivre quelqu'un à la trace. Chee repéra des éraflures, mais rien qu'il pût identifier.

La voiture était fermée à clef ; les vitres étaient remontées jusqu'en haut et entièrement couvertes d'un brouillard d'humidité. Une telle buée était normale dans une voiture hermétiquement fermée, même au cœur de ce climat aride, mais ces vitres-là étaient opaques. Il devait y avoir une source d'humidité enfermée à l'intérieur. Chee s'assit sur un rocher et réfléchit à ce qu'il convenait de faire.

Non seulement cette enquête ne lui avait pas été confiée, mais ceux à qui elle avait été confiée lui avaient très clairement fait comprendre qu'il ne devait pas s'en mêler. Non seulement les agents fédéraux le lui avaient bien fait comprendre, mais le capitaine Largo lui avait clairement et personnellement ordonné de ne pas intervenir. S'il ouvrait la voiture par effraction, il allait modifier des éléments appartenant à l'enquête.

Chee prit une cigarette, l'alluma et rejeta un nuage de fumée. Le soleil avait maintenant disparu et sa lumière se réfléchissait vers le sud sur une formation nuageuse au-dessus du désert, parant le ciel d'une teinte rougeoyante. Vers le nord-ouest, un nuage d'orage qui depuis un moment s'amassait au-dessus de Coconino Rim avait atteint l'altitude extrême où ses courants internes très chauds ne parvenaient plus à vaincre le froid intense et la raréfaction de l'air. Son sommet s'était aplati et les vents stratosphériques l'avaient étalé en un immense éventail constitué de cristaux de glace. Le soleil couchant divisait le nuage en trois zones de couleur. Les trois cents mètres supérieurs étaient d'un blanc éblouissant, reflétant encore directement la lumière du soleil et formant un contraste aveuglant avec le ciel d'un bleu sombre. En dessous, la masse nuageuse était illuminée par une lumière indirecte : elle possédait une infinité de tons rouges pâles, rose et saumon. Et plus bas encore, là où la lumière indirecte elle-même ne parvenait pas, les couleurs allaient du gris sale au bleu noir. Là vacillaient des éclairs. Dans les villages hopi, les gens appelaient les nuages. Il pleuvait déjà sur Coconino Rim. Et l'orage se dirigeait vers l'est comme le font toujours les orages d'été. Avec un peu de chance, la pluie tomberait dans moins de deux heures. Une toute petite pluie, une petite averse, suffirait à effacer les traces laissées dans le sable. Mais Chee avait grandi dans le désert. Il ne croyait jamais vraiment que la pluie allait tomber.

Il tira une longue bouffée de sa cigarette, en savoura le goût, rejeta lentement par les narines un nuage de fumée bleue qu'il regarda se dissiper dans l'air. Il se vit comparaissant sous serment devant la cour fédérale alors que le représentant du ministère public le regardait droit dans les yeux en disant : « Officier de police Chee, je veux que vous gardiez en mémoire la peine encourue pour faux témoignage ; pour mensonge prononcé sous serment. Et maintenant je veux vous poser la question suivante : Avez-vous, oui ou non, retrouvé le véhicule GMC dans lequel... » Chee abandonna cette pensée pour une autre. Le souvenir de Johnson qui lui souriait, la main de Johnson qui le frappait au visage, la voix de Johnson, menaçante. La colère revint, et la honte. Il emplit à nouveau ses poumons de fumée, repoussant la colère. Il n'était pas question de se mettre en colère. Il était question de résoudre l'énigme. Là, devant ses yeux, il en avait un nouvel élément. Il écrasa sa cigarette et prit soin de mettre le mégot dans sa poche.

Forcer le déflecteur aurait été facile avec un tournevis. Avec son couteau, Chee mit plus longtemps. Même protégée du soleil comme l'était la voiture, la chaleur de la journée s'était amassée à l'intérieur, et lorsque la force exercée par la lame d'acier vint à bout du joint de caoutchouc, l'air sous pression s'échappa avec un sifflement. L'odeur le surprit. C'était une forte odeur chimique : une odeur étouffante et écœurante de désinfectant. Chee glissa la main par le déflecteur, fit jouer le système de verouillage et ouvrit la portière.

Richard Palanzer était assis sur le siège arrière. Chee le reconnut immédiatement d'après la photographie que Cowboy lui avait montrée. Il était de race blanche, plutôt petit, avec des cheveux gris acier en broussaille, des yeux très rapprochés et un visage osseux tout en longueur sur lequel la mort et la dessiccation avaient tiré la peau. Il était vêtu d'une veste en nylon de couleur grise, d'une chemise blanche, et portait des bottes de cowboy. Il était appuyé avec raideur dans le coin de la banquette arrière et fixait la vitre sans la voir.

Chee le regardait par la portière ouverte, assailli par la puanteur du désinfectant qui s'échappait de la voiture. L'odeur du Lysol, se dit-il. Du Lysol et de la mort. Il se sentit gagné par un haut-le-cœur qu'il parvint à repousser. L'œil gauche du mort avait quelque chose de bizarre, une sorte de distorsion étrange. Chee se laissa glisser sur le siège avant en faisant attention de ne rien toucher. De près, il s'aperçut que la lentille de contact gauche du mort était descendue sous la pupille. Apparemment il s'était trouvé assis à cet endroit quand il avait été abattu : à partir d'un point situé juste au-dessus de la taille sur le côté gauche de son corps, sa veste ainsi que son pantalon étaient noirs de sang séché, et la même croûte noire tachait le siège et le tapis de sol.

Chee fouilla la voiture en faisant attention de ne pas détruire d'empreintes digitales antérieures ni d'en laisser de nouvelles. La boîte à gants n'était pas fermée à clef. Elle contenait une notice d'utilisation et les papiers de location du bureau de l'agence Hertz de l'aéroport international de Phoenix. Le véhicule avait été loué à Jansen. Des mégots de cigarettes dans le cendrier. Rien d'autre. Pas de liasses de billets de cent dollars. Pas de grands sacs de toile remplis de drogue. Rien d'autre que le corps de Richard Palanzer.

Chee referma aussi hermétiquement qu'il le put l'orifice de ventilation, ré-enclencha le système de verouillage et claqua la portière. Il laissait la voiture exactement dans l'état où il l'avait trouvée. Un policier consciencieux remarquerait que le déflecteur avait été forcé, mais il n'y aurait peut-être pas de policier consciencieux pour le voir. Il n'y aurait peut-être pas de raison de soupçonner quelque chose. Ou peut-être que si. Dans un cas comme dans l'autre, il n'y pouvait absolument rien. Et si les choses continuaient comme elles avaient commencé, il pouvait compter sur les agents fédéraux pour tout saboter.

Il redescendit l'arroyo dans l'obscurité de plus en plus dense. Il était fatigué. Il se sentait au bord de la nausée. Ecœuré par la mort. Il aurait voulu savoir beaucoup plus de choses qu'il n'en savait sur Joseph Musket. Il n'y avait plus que lui, désormais. Doigts-de-Fer en vie, quatre hommes tués, et une fortune en stupéfiants introuvable.

– Doigts-de-Fer, où es-tu ? questionna Chee.

16

L'homme qui répondit au téléphone à Flagstaff dans le bureau du shérif du comté de Coconino demanda d'attendre une minute, le temps d'aller voir. La minute en dura bien trois ou quatre. Puis l'homme revint annoncer que le shérif adjoint Albert Dashee était censé être en route pour Moenkopi (ce qui était une excellente nouvelle pour Jim Chee car Moenkopi ne se trouvait qu'à deux ou trois kilomètres de la cabine téléphonique d'où il appelait, à la station service Chevron de Tuba City). Chee remonta dans son pick-up truck et suivit l'U.S. 160 jusqu'à son intersection avec la Route Navajo 3. Il se gara sur le bas-côté à un endroit d'où il pouvait voir les lopins de terre sur lesquels les Hopis cultivaient le maïs, en contrebas, dans le fond de Moenkopi Wash, les petis villages de pierres rouges au-dessus de lui, ainsi que toutes les routes possibles que Cowboy Dashee pouvait emprunter s'il avait l'intention de se diriger vers Moenkopi. Il coupa le contact et attendit. Et en attendant, il se répéta ce qu'il allait dire à Cowboy, ainsi que la façon dont il allait le dire.

La voiture de police blanche de Cowboy passa devant lui, s'arrêta, revint en marche arrière et s'arrêta à nouveau, cette fois-ci à côté du véhicule de Chee.

— Ben alors, dit Cowboy. Je croyais que vous étiez en vacances.

— Ça, c'était hier, répondit Chee. Aujourd'hui, je me demande où vous en êtes avec votre casseur de moulins à vent.

— C'est l'un des Gishi. Je le sais. Vous le savez. Tout le monde le sait. L'ennui c'est que tous les Navajos se ressemblent alors on sait pas lequel arrêter.

— Autrement dit, rien de neuf. Aucun progrès.

Cowboy coupa son moteur, alluma une cigarette et s'installa confortablement.

— Pour vous dire la vérité, reprit-il, j'ai comme qui

dirait pas trop forcé là-dessus. Je voulais voir comment vous pouviez vous en tirer sans beaucoup d'aide.

– Ou peut-être sans aucune aide ?

Cowboy éclata de rire et secoua la tête.

– Personne ne l'attrapera jamais, ce salopard-là. Comment vous allez faire pour l'attraper ? Vous pouvez toujours courir.

– Et votre grosse affaire de drogue, là ? demanda Chee. Ça avance ?

– Pas du tout. Pas à ma connaissance en tous cas. Mais c'est un sacré morceau. Le shérif et son bras droit y s'en occupent eux-mêmes. Un trop gros coup pour être confié à un simple adjoint.

– Il vous l'ont retirée ?

– Oh, non, répondit Cowboy. Le shérif y m'a fait appeler hier. Y voulait savoir où ils avaient caché la came. Y s'était dit que comme j'étais Hopi et que ça s'était passé sur le territoire hopi, je devais forcément être au courant.

– Si ça s'était passé en Alaska il irait demander à un Esquimau.

– Ouais. Je lui ai juste dit que vous vous étiez sûrement tiré avec. Je lui ai rappelé que vous étiez dans le coin quand ça s'est passé, que vous aviez votre bagnole et tout. Ils devraient y jeter un coup d'œil à l'arrière de votre bagnole.

La conversation allait à peu près dans la direction que Chee souhaitait lui voir prendre. Il lui donna un léger coup de pouce.

– Je crois que c'est déjà fait, dit-il. Je ne vous ai pas raconté ce que les gars de la DEA sont venus me dire. Ils ont eu à peu près la même idée.

Cowboy eut l'air surpris.

– C'est pas vrai ? dit-il. C'est pas sérieux ?

– Ça avait l'air de l'être. Suffisamment pour que Largo me rappelle que ce n'est pas du ressort de la Police Navajo de s'en occuper. Il m'a prévenu que je devais absolument rester en dehors de tout ça.

– Y veut pas que vous pensiez à autre chose qu'à votre moulin. Le crime du siècle.

– L'ennui c'est que je crois pouvoir deviner où ils l'ont planquée, cette bagnole que les fédéraux recherchent.

– Ah ouais ? fit Cowboy en le regardant.

– Elle est dans l'un de ces arroyos. Si elle est dans le coin, c'est là qu'elle est.

– Pas vrai. Le shérif il en parlait justement. La DEA et le FBI ils ont eu la même idée eux aussi. Ils sont tous allés les passer au peigne fin.

Chee éclata de rire.

– Je sais bien pourquoi vous riez, dit Cowboy. Mais je crois qu'ils ont fait du beau travail cette fois-ci. Ils ont fouillé au sol et ils ont tout survolé plusieurs fois.

– Si vous vouliez cacher une voiture, vous la cacheriez à un endroit où un avion ne pourrait pas la voir. Sous un surplomb rocheux. Sous un arbre. Vous la recouvririez de branchage.

– C'est vrai.

Le coude posé sur la glace baissée de la portière, le menton dans la paume de sa main, Cowboy regardait Chee pensivement.

– Qu'est-ce qui vous fait croire que vous pouvez la trouver ? demanda-t-il.

– Venez voir ici, dit Chee en faisant signe à Cowboy de s'approcher.

Il extirpa la carte d'état-major de dessous son siège.

Cowboy descendit de voiture et monta à côté de Chee.

– Y m'en faudrait un, de livre comme ça, dit-il. Mais le shérif il est trop radin pour me le payer.

– Vous avez une voiture à cacher, dit Chee. Bon. Dieu seul sait pourquoi, mais vous en avez une à cacher. Et vous savez que la police va se mettre à sa recherche. Ils ont des avions, des hélicoptères et tout le bataclan. Donc il faut que vous la mettiez à un endroit où ils ne pourront pas la voir d'en haut.

Cowboy acquiesça de la tête.

– Alors qu'est-ce que ça donne ? demanda Chee.

Il suivit du doigt la ligne bleue sinueuse qui indiquait Wepo Wash sur la carte.

– Il suit le wash vers l'aval, reprit-il. Aucune trace en amont. Personnellement, je parierais qu'il l'a suivi tout droit comme ça jusqu'à l'endroit où la route passe par-dessus, et qu'arrivé là il a filé sur Los Angeles. Mais les fédéraux y croient pas, et les fédéraux ont des moyens de savoir les choses qu'y veulent pas nous dire à nous aut'z'Indiens. Donc peut-être qu'il l'a vraiment cachée, sa voiture. Donc où est-ce qu'il l'a cachée ? Elle n'est pas dans le wash. Je l'aurais vue. Peut-être que vous l'auriez vue aussi. (Chee eut une mimique pour exprimer le doute.) Peut-être que même les fédéraux l'auraient vue. Alors elle n'est pas dans le wash. Et elle est quelque part entre l'endroit où l'avion s'est écrasé et la route. Ce qui vous laisse une quarantaine de kilomètres. Et ce qui vous laisse trois arroyos qui remontent dans des coins où vous avez assez de buissons, d'arbres et de rochers pour pouvoir cacher votre voiture.

Il désigna du doigt les trois arroyos et se tourna vers Cowboy.

Celui-ci était intéressé. Il était penché sur la carte qu'il étudiait de près.

– Vous êtes d'accord ?

– Ouais, fit lentement Cowboy. Les autres y vont nulle part.

– Ces deux-là remontent jusqu'à Big Mountain Mesa. Celui-ci remonte jusqu'à Black Mesa. En fait, il remonte vers la source Kisigi. Vers l'endroit où on a trouvé le corps de John Doe.

Cowboy étudiait la carte.

– Ouais, dit-il.

– Alors si Largo ne m'avait pas promis qu'il allait me casser le bras et me fiche à la porte si j'allais y coller mon nez, c'est là que j'irais regarder.

– L'ennui c'est qu'ils y ont déjà regardé, dit Cowboy d'une voix qui n'avait pourtant pas l'air très convaincue.

– Je vois ça d'ici. Il descendent le lit du Wash en

voiture et quand ils arrivent à un arroyo il y en a un qui met pied à terre et qui jette un coup d'œil pour voir s'il n'y a pas de traces de pneus. Ils n'en trouvent pas alors il remonte dans la voiture et repart jusqu'au suivant. C'est ça ?

– Ouais, fit Cowboy.

– Alors si vous voulez cacher la voiture, qu'est-ce que vous faites ? Vous vous dites que si vous laissez des traces ils vont bêtement les suivre et vous trouver. Alors vous vous engagez dans l'arroyo, vous descendez de votre voiture, vous prenez vos pans de chemise ou autre chose et vous effacez vos traces un p'tit bout de chemin.

Cowboy regardait Chee.

– Je sais pas si les fédéraux ont bien regardé, dit-il. Des fois on peut pas dire que ces salauds sont si malins que ça.

– Ecoutez, dit Chee. Si par hasard cette voiture se trouvait effectivement cachée dans l'un de ces arroyos, vous feriez drôlement mieux de pas parler de tout ça. Largo me foutrait à la porte à coups de pied dans le cul. Il était vraiment pas content. Il m'a prévenu que c'était le premier et le dernier avertissement que je recevrais.

– Mais merde, dit Cowboy. Y vous foutrait pas à la porte.

– C'est sérieux, insista Chee. Ne parlez pas de moi.

– Mais merde. Je pense comme vous. Cette voiture ça fait longtemps qu'elle a fichu le camp.

C'était le moment de changer de sujet.

– Vous n'avez pas d'idées à me donner pour le moulin ? demanda Chee.

– Rien de neuf, répondit Cowboy. Tout ce que vous avez à faire c'est de convaincre Largo qu'y a aucun moyen de protéger ce moulin à moins d'y mettre trois équipes pour le garder. (Il se mit à rire.) C'est ça, ou alors vous retrouver à Crownpoint.

Chee mit son moteur en marche.

– Bon, faut que j'y aille.

Cowboy ouvrit la portière, fit un geste pour descendre puis s'arrêta.

– Jim, demanda-t-il. Vous l'avez trouvée la voiture ?

Chee émit un petit rire.

– Vous avez entendu ce que j'ai dit. Largo m'a dit de ne pas me mêler de cette affaire.

Cowboy acheva de descendre et referma la portière derrière lui. Il s'appuya au rebord de la vitre et fixa les yeux sur Chee.

– Et vous feriez rien que le capitaine y vous aurait dit de pas faire ?

– Je suis sérieux, Cowboy. La DEA a drôlement volé dans les plumes à Largo. Ils sont persuadés que j'étais là-bas cette nuit-là pour attendre l'avion. Ils sont persuadés que je sais où elle se trouve cette cargaison de drogue. Je ne vous mens pas. Je n'en ai absolument rien à fiche. Je ne me mêle pas de cette histoire.

Cowboy remonta dans sa voiture et mit le contact. Il tourna la tête vers Chee.

– Du combien que vous chaussez ?

– Du quarante-quatre, répondit Chee en fronçant les sourcils.

– Je vais vous dire ce que je vais faire. Si je trouve des traces de semelles taille quarante-quatre, je les efface, et hop !

17

Black Mesa n'est ni une mesa, ni noire. Bien trop grande pour répondre à cette définition, il s'agit d'un vaste plateau au relief accidenté qui possède à peu près la forme et la taille du Connecticut. Pratiquement aucune route, presque pas d'eau, et pas d'habitants à l'exception d'un petit nombre de bergers dans des campements isolés. Elle se dresse à plus de deux mille mètres au-dessus du

Désert Peint. Une douzaine de washes principaux, tous asséchés, et un millier d'arroyos sans noms drainent l'eau de ruissellement durant les hivers rigoureux et après les « pluies mâles », brèves mais torrentielles, de la saison des orages, l'été. Son nom lui vient des couches de charbon affleurant sur ses très hautes falaises, mais ses couleurs sont les gris et les verts de la sauge, de l'herbe-aux-lapins, des genévriers, des cactus, de la bouteloue et des graminées à touffes, et le vert foncé des buissons de creosote et de mesquite, du pin pignon et, dans les rares endroits où coulent les sources, des pins et des épicéas. C'est un endroit très isolé même pendant la saison de pâturage, et il a toujours été un territoire de prédilection pour les Peuples Sacrés des Navajos, les kachinas et les esprits tutélaires des Hopis. Masaw, le gardien au visage couvert de sang du Quatrième Monde des Hopis, a clairement ordonné à divers clans du Peuple Paisible d'y revenir lorsqu'ils auraient mené à bien leurs migrations épiques et de vivre sur les trois mesas qui s'avancent comme de grands doigts noueux à la base des contreforts sud de Black Mesa. Ses falaises escarpées sont les aires où se sont nichés les clans de la Flûte, du Plant-de-Maïs, du Sable, du Serpent et de l'Eau. Elle est parsemée de sanctuaires et de lieux sacrés. Pour le peuple auquel appartenait Chee, elle faisait partie intégrante de Dinetah, l'endroit où Femme-qui-Change avait appris au Dinee * qu'ils devaient vivre dans la beauté de la Voie qu'elle et le Peuple Sacré leur enseignaient.

Chee ne connaissait bien qu'une petite partie de la zone située le plus à l'est de cette étendue montagneuse. Alors qu'il était enfant, il avait été emmené vers l'ouest par Hosteen Nakai ; partis de Many Farms, ils s'étaient enfoncés dans la région de Blue Gap pour recueillir dans les lieux sacrés les plantes et les minéraux indispensables à la cérémonie de la Voie de la Montagne. Une fois, ils étaient même allés jusqu'aux Monts Dzilidushzihinih, patrie de Dieu-qui-Parle lui-même, afin de rassembler les éléments nécessaires pour constituer le *jish* * de Hosteen

Nakai, l'ensemble des choses sacrées dont le shaman a besoin pour accomplir ses rites guérisseurs. Mais Dzilidushzhinih était loin vers l'est. Le campement de Fannie Musket, la mère de Joseph Musket, était près du rebord sud du plateau, quelque part au-delà de la fin de la piste qui partait de l'externat de Cottonwood et s'enfonçait vers le sud en direction de Balakai Point. C'était pour Chee une terre nouvelle ne comportant aucun repère susceptible de lui fournir une indication, et il s'était arrêté au Comptoir d'Echanges de Cottonwood pour s'assurer que les renseignements qu'on lui avait donnés précédemment étaient valables. La femme blanche décharnée qui tenait le magasin lui avait tracé un plan au crayon sur une feuille appartenant à un bloc de papier à lettres Big Chief.

– Si vous restez sur cette piste qui franchit l'arroyo Balakai, vous pouvez pas vous tromper, avait-elle dit. Et vous pouvez pas sortir de la piste sans éventrer vot' camion.

Elle avait ri avant d'ajouter :

– En fait, si vous faites pas attention, même si vous restez sur la piste vous allez l'éventrer.

En sortant du magasin, Chee avait remarqué le nom « Fannie Musket » inscrit à la craie sur la peinture rouge d'un bidon de pétrole neuf pouvant contenir deux cents litres, lequel était posé sur la véranda à côté de la porte d'entrée. Il était retourné dans le magasin.

– Ce tonneau appartient aux Musket ?

– Hé, s'était exclamée la femme, c'est une bonne idée. Vous voulez leur emmener ? Ils sont complètement à sec là-bas, alors ils transportent leur eau et ils m'ont demandé de leur trouver un nouveau bidon.

– Bien sûr, dit Chee.

Il avait chargé le bidon à l'arrière de son pick-up truck, amené celui-ci sous la citerne qui contenait la réserve d'eau du comptoir, rincé le récipient puis l'avait rempli.

– Dites à Fannie que je mets le bidon sur sa note, avait dit la femme. Je vais aussi y mettre l'eau.

– Je la paye, l'eau.

– Deux dollars, avait-elle précisé en secouant la tête. Si y pleut pas, on en aura plus à vendre.

Fannie Musket fut heureuse de voir arriver l'eau. Elle aida Chee à installer la poulie et le palan de façon à soulever le bidon pour le déposer sur une plate-forme de planches à côté de deux autres bidons. L'un était vide, et lorsque Chee frappa du poing contre l'autre, le bruit laissa penser qu'il ne restait pas plus de quarante litres.

– Ça devient dur de vivre ici, dit Mme Musket. On dirait qu'y pleut plus jamais.

Elle leva son regard vers le ciel d'un bleu sombre, dégagé à l'exception de ce petit nombre de nuages cotonneux qui se forment toujours de-ci de-là à la fin de l'été. D'ici la fin de l'après-midi ils allaient se développer pour donner l'espoir vain qu'un orage arrivait. Avant la nuit, l'espoir comme les nuages se seraient dissipés.

Chee et Mme Musket s'étaient présentés l'un à l'autre en mentionnant leur famille, leur parenté et leur clan. (Elle était membre du Rocher Debout, née pour le Clan de la Boue.) Il avait dit à Mme Musket qu'il espérait qu'elle allait lui parler de son fils.

– Vous le poursuivez ?

Le navajo est une langue qui concentre toute sa signification sur les verbes. Elle avait utilisé le mot qui signifie « traquer », comme pour un animal que l'on poursuit, et non la forme qui signifie « rechercher », comme pour quelqu'un qui est perdu. Le ton employé était aussi accusateur que le mot.

Chee changea le verbe.

– Je le recherche, dit-il. Mais je sais que je ne le trouverai pas ici. On m'a dit que c'était quelqu'un d'intelligent. Il ne serait pas venu ici alors que nous le recherchons, et même s'il l'avait fait, je ne demanderais pas à sa mère de dire où je peux le trouver. Je veux seulement apprendre quel genre d'homme c'est.

– C'est mon fils, dit Mme Musket.

– Est-ce qu'il est revenu chez vous après avoir été

libéré de prison ? Avant d'aller travailler à Burnt Water ?

– Il est revenu. Il voulait qu'on chante une Voie de l'Ennemi pour lui. Il est allé voir Tallman Begay et a engagé Hosteen Begay pour qu'il soit le chanteur. Ensuite, après le chant, il est parti pour Burnt Water.

– C'était ce qu'il était bon de faire, acquiesça Chee.

C'était exactement ce que lui-même aurait fait. Il se serait purifié de la prison, et de toutes les choses hostiles et étrangères que représentait la prison. Le personnage de Joseph Musket prit une nouvelle dimension.

– Pourquoi vous venez me poser des questions cette fois ? Avant, y a déjà un policier qu'est venu.

– C'est parce que le poste de police de Chinle est plus près, expliqua Chee. Un policier de là-bas est venu pour gagner du temps et de l'argent.

– Alors pourquoi vous venez maintenant ?

– Parce qu'il y a beaucoup de choses bizarres dans ce cambriolage. Beaucoup de questions auxquelles je ne parviens pas à répondre. Je suis curieux.

– Est-ce que vous le savez que mon fils n'a pas volé ces objets qui étaient déposés en gage ?

– Je ne sais pas qui les a volés.

– Je sais que ce n'est pas lui. Est-ce que vous savez pourquoi ? Parce qu'il avait de l'argent !

Mme Musket avait dit cela d'une voix triomphante. La preuve absolue.

– Il y a des gens, chez les *belacani*, qui volent même quand ils n'ont pas besoin de le faire, objecta Chee.

L'expression de Mme Musket était sceptique. Ce concept lui était totalement étranger.

– Il avait des billets de cent dollars, affirma-t-elle. Beaucoup de billets. (Elle leva six doigts). Et aussi de l'argent dans son portefeuille. Des billets de vingt dollars.

Elle posa sur Chee un regard ironique, attendant qu'il concède que quiconque possédait des billets de cent dollars ne pouvait être accusé de vol. Aucun Navajo, assurément, ne risquait d'agir ainsi.

– Il avait cet argent dès son arrivée ici ?

120

Mme Musket acquiesça de la tête.

– Il nous a écrit qu'il arrivait et mon mari a pris le pick-up truck le jour indiqué, et il est allé le chercher au car de Window Rock. Il avait déjà tout cet argent à ce moment-là.

Chee essayait de se souvenir de ce que l'on donnait aux prisonniers à leur sortie du pénitencier. Vingt dollars, lui semblait-il. Ça, plus ce qu'ils pouvaient avoir dans la caisse de cantine. Un maximum de cinquante dollars en plus, supposa-t-il.

– Il est peu probable qu'il serait allé voler ces bijoux s'il avait tout cet argent, dit Chee. Mais où est-il parti ? Pourquoi ne vient-il pas nous parler et nous dire qu'il ne les a pas volés ?

Mme Musket n'avait pas l'intention de répondre à cette question. Pas tout de suite en tous cas. Elle finit par dire :

– Ils l'ont déjà mis en prison une fois.

– Et pour quelle raison ?

– Il avait des mauvaises fréquentations.

Chee demanda un verre d'eau, l'obtint, le but, et changea de sujet. Ils parlèrent de la situation désespérée de l'élevage des moutons en période de sécheresse. Tous les beaux-fils de Mme Musket étaient partis avec leurs troupeaux, de même que son mari, et maintenant ils étaient obligés de les conduire si loin pour trouver de l'herbe et de l'eau qu'ils ne pouvaient pas revenir à leur hogan * pour la nuit. Les femmes leur emmenaient de la nourriture. Et ils avaient déjà perdu onze agneaux, et plusieurs brebis étaient même en train de mourir. Chee orienta la conversation de façon à ce qu'elle revienne petit à petit sur Joseph Musket : il avait toujours été bon berger. Adroit dans le maniement de la tondeuse, habile pour castrer les bêtes. Sérieux. Un garçon solide. Même lorsqu'il avait été jeté à bas de son cheval, qu'il avait eu les doigts brisés et qu'il avait dû porter des attelles de métal pendant si longtemps, il était quand même capable de tondre les moutons plus vite que la plupart des garçons de son âge. Et il avait dit à sa mère que quand il cesserait de travailler à Burnt Water (à la fin de l'été), il aurait plein d'argent pour s'acheter son propre troupeau. Un grand troupeau. Il avait l'intention d'acheter deux cents brebis. Mais d'abord il irait à toutes les danses de squaws et il se trouverait une jeune femme à épouser. Une dont la famille possèderait plein de droits de pacage.

– Il m'a dit qu'après qu'il aurait travaillé quelque temps pour le comptoir d'échanges il voulait plus rien avoir à faire avec les hommes blancs par la suite, ajouta Mme Musket. Il m'a dit qu'il n'y avait eu qu'un seul homme blanc qu'avait été son ami, et que tous les autres ils étaient bons qu'à vous faire avoir des ennuis.

– Est-ce qu'il vous a dit qui était cet ami ?

– C'était un garçon qu'il a connu quand il était à l'école de Cottonwood. Je ne me souviens pas comment il l'appelait.

– Etait-ce West ? demanda Chee.

– West, répéta Mme Musket. Je crois que c'est ça.

– A-t-il d'autres amis ? Des amis navajos ?

Mme Musket observa Chee d'un air pensif.

– Juste des jeunes de par ici, répondit-elle en restant dans le vague. Peut-être quelques amis qu'il s'était fait quand il était là-bas avec les hommes blancs. Je ne crois pas.

Chee ne voyait aucune autre question à lui poser. Pas s'il espérait obtenir une réponse. Il transmit à Mme Musket le message concernant l'ajout du prix du bidon à ce qu'elle avait déjà, et remonta dans son pick-up truck.

Debout devant l'entrée du hogan, Mme Musket le regardait. Ses mains étaient serrées sur sa taille et se tordaient sous l'effet de l'inquiétude.

– Si vous le trouvez, dit-elle, dites-lui de revenir chez nous.

18

Chee passa la journée suivante ainsi que Largo l'avait planifiée pour lui, très loin de Tuba City et de Wepo Wash. Il roula quatre-vingts kilomètres en direction du nord et de la frontière de l'Utah pour aller voir une femme appelée Mary Joe Natonabah, laquelle s'était plainte que ses terres de pacage situées dans Twenty-nine Mile Wash étaient illégalement utilisées par les moutons de quelqu'un d'autre. Elle nomma l'intrus comme étant un vieil homme appelé Grandes Moustaches Begay dont le campement se trouvait dans les Monts Yondots. Cela conduisit Chee au Comptoir d'Echanges de Cedar Ridge puis sur l'horrible route de terre qui mène aux gorges du Colorado, vers l'ouest. Il trouva le campement de Begay, mais pas Grandes Moustaches qui était parti au Cameron pour y faire une chose ou une autre. La seule personne présente au campement était un jeune homme hargneux au bras plâtré qui se dit être le beau-fils de Grandes Moustaches Begay. Chee parla à ce jeune homme de la plainte déposée par Natonabah, le mit en garde contre les conséquences découlant de la violation des droits de pacage d'autrui, et lui dit d'avertir Grandes Moustaches qu'il repasserait un de ces jours pour régler cette affaire. Il était alors midi. Sa tâche suivante le conduisit à Nipple Butte où un homme appelé Ashie McDonald avait paraît-il violemment corrigé son cousin. Chee trouva le campement mais pas Ashie McDonald. La belle-mère de celui-ci déclara qu'il s'était fait conduire jusqu'à la route nationale 40 où il voulait faire de l'auto-stop pour aller voir des membres de sa famille à Gallup. La belle-mère prétendit ne rien savoir d'une correction, d'une bagarre ou de quelque cousin que ce soit. Il était alors un peu plus de seize heures quarante. Chee était maintenant, à vol d'oiseau, à cent kilomètres de Tuba City et de sa maison mobile, il en était à cent cinquante kilomètres en passant par les petites routes non goudronnées, ou à deux cents en empruntant la grand-route. Il prit la route de terre la plus directe. Elle partait vers le nord-est à travers le Désert Peint, passait devant Newberry Mesa, Garces Mesa, Blue Point et Padilla Mesa. Le paysage était pétrifié sous la sécheresse ; il n'y avait aucun mouton en vue, aucune trace de verdure. Il n'était plus en service et conduisait lentement, se demandant ce qu'il allait faire. Cette route allait lui faire traverser les villages hopis d'Oraibi, Hotevilla et Bacobi, et passer à côté du Centre Culturel Hopi. Il s'arrêterait au café du Centre pour dîner. Il saurait si Ben Gaines se trouvait toujours au motel, lui ou mademoiselle Pauling. S'il y était, il verrait ce qu'il pourrait apprendre de lui. Peut-être dirait-il à Gaines où trouver la voiture. Il y avait de grandes chances que non. Cowboy avait deux jours pour aller là-bas la trouver, mais quelque chose avait pu survenir et l'en empêcher. Il y avait de grandes chances que Chee ne prenne pas le risque d'en parler aussi vite à Gaines. Il lui en dirait juste suffisamment pour décider s'il pouvait apprendre quelque chose de l'homme de loi.

Il y avait une douzaine de véhicules garés sur le parking du Cente Culturel Hopi : plus que d'habitude, se dit Chee, car les cérémonies à venir commençaient à attirer les touristes. Ou était-ce parce que la disparition d'un chargement de cocaïne commençait à attirer les chasseurs ? Avant de se garer, Chee fit le tour du motel pour voir si la voiture qu'il avait vu Gaines conduire y était. Il ne l'y trouva pas.

Dans le restaurant, il s'installa à une table située à côté des fenêtres donnant sur l'ouest, et commanda une part de ce que le menu appelait du ragoût hopi, ainsi qu'un café. La jeune fille hopi qui le servit devait avoir une vingtaine d'années ; elle était jolie et avait une frange sur le front ainsi que le font les Hopis attachés aux traditions. Avec son sourire, elle avait séduit le groupe de touristes installés à la table voisine. Avec Chee, elle ne prit pas cette peine. L'attitude hopi en présence d'un navajo. Chee but son café à petites gorgées, étudia les autres clients attablés dans la salle, et réfléchit à la nature de la sécheresse, à l'endroit où Doigts-de-Fer Musket pouvait bien se trouver, et à l'antagonisme existant entre différentes ethnies. Celui qui opposait les Hopis et les Navajos était partiellement dû à une abstraction, élaborée dans les légendes guerrières des Hopis : les ennemis tués par les Dieux Hopis, les Jumeaux de la Guerre, étaient des Navajos, tout comme les ennemis tués par le Peuple Sacré des Navajos étaient des Hutes, des Kiowas ou des Indiens de Taos. Mais le conflit né de l'utilisation des Territoires Communs conférait, dans l'esprit de quelques-uns, une certaine réalité à cette abstraction. Maintenant, enfin, la Cour Suprême avait tranché, les Hopis avaient gagné, et neuf mille Navajos perdaient la seule patrie dont leurs familles eussent gardé la mémoire. Et la colère demeurait, même chez les vainqueurs. La vitre, à côté de lui, se teintait de rouge. Le soleil avait disparu derrière les Monts San Francisco et paré la partie inférieure du nuage qui se trouvait juste au-dessus d'eux d'un rose saumon lumineux. La montagne elle aussi était territoire contesté. Pour les Hopis, elle n'était rien moins que le Mont Sinaï, la patrie des esprits kachina entre août et février, mois durant lesquels ils quittaient ce monde et retournaient sous terre à l'endroit où vivent les esprits. Elle était également sacrée pour le peuple auquel appartenait Chee. Elle était la Montagne de la Lumière du Soir, l'une des quatre montagnes que Premier Homme avait bâties pour marquer les quatre coins de Dinetah. C'était la Montagne de l'Ouest, la patrie du grand esprit *yei,* Fille Abalone, et l'endroit où l'Ours Sacré de la légende navajo avait été si grièvement blessé par le Peuple de l'Arc que les chants rituels le décrivaient comme couvert d'une « nuée de flèches », une imagerie transmise par voie orale qui avait fait que Chee, enfant, s'était représenté l'esprit sous la forme d'un gigantesque porc-épic. La montagne se découpait maintenant en bleu noir sur un horizon d'un rouge éclatant et la beauté du paysage arracha Chee à son humeur morose.

125

– Monsieur Chee !

Mademoiselle Pauling se tenait à côté de sa table.

Il se leva.

– Non. Restez assis. Je voulais vous parler.

– Pourquoi ne mangeriez-vous pas avec moi ? proposa Chee.

– Merci.

Elle avait l'air inquiète et fatiguée. Il vaudrait mieux, pensa Chee, qu'elle ait l'air effrayée. Elle ne devrait pas être là. Elle aurait dû repartir chez elle. Il fit un signe à la serveuse.

– Je vous recommande le ragoût, dit-il à mademoiselle Pauling.

– Avez-vous vu monsieur Gaines ? demanda celle-ci.

– Non, répondit Chee. Je ne suis pas allé jusqu'à sa chambre, mais je n'ai pas vu sa voiture.

– Il n'est pas là. Il est parti depuis hier matin.

– A-t-il dit où il allait ? Ou quand il rentrerait ?

– Rien.

La serveuse s'approcha. Mademoiselle Pauling commanda du ragoût. La lumière du soleil couchant peignait de rouge son visage, mais il paraissait vieux et marqué par les rides.

– Vous devriez retourner chez vous, lui dit Chee. Il n'y a rien que vous puissiez faire ici.

– Je veux savoir qui l'a tué.

– Vous le saurez. Tôt ou tard la DEA, ou le FBI, ils les attraperont.

– Vous le croyez vraiment ?

Le ton employé par mademoiselle Pauling suggérait qu'elle en doutait.

Il en allait de même pour Chee.

– Eh bien, peut-être bien que non, avoua-t-il.

– Je veux que vous m'aidiez à le savoir. Absolument tout ce que vous pouvez me dire. Par exemple les choses que la police sait mais qui ne sont pas dans les journaux. Est-ce qu'ils ont des suspects ? Ils doivent forcément en avoir. Qui est-ce qu'ils soupçonnent ?

– Un moment ils ont soupçonné un homme qui s'appelle Palanzer, lui dit Chee en haussant les épaules. Richard Palanzer. Je crois que c'était un de ceux à qui la livraison de drogue était destinée.

– Richard Palanzer, répéta-t-elle comme si elle inscrivait ce nom dans sa mémoire.

– Toutefois..., commença Chee.

Il s'arrêta. De toute la journée, il n'avait eu aucun contact avec le bureau. Cowboy avait-il trouvé la voiture ? Etait-ce chose connue que Palanzer n'était plus au nombre des suspects ? Presque à coup sûr.

– Il effectuait un transport de drogue illégal, alors, dit mademoiselle Pauling. C'est ça que la police pense ?

– On dirait.

– Et Palanzer était censé payer la marchandise, mais au lieu de cela il l'a tué. C'est comme ça que ça s'est passé ? Qui est ce Palanzer ? Où habite-t-il ? Je sais qu'il y a des fois où la police sait qui a fait quelque chose mais elle ne peut pas trouver les preuves de sa culpabilité. Je voudrais seulement savoir qui l'a tué.

– Pourquoi ? demanda Chee.

Lui aussi voulait le savoir, parce qu'il était curieux. Mais ce n'était pas là sa raison à elle.

– Parce que je l'aimais, répondit-elle. Voilà le problème. Je l'aimais vraiment.

Le ragoût arriva. Mademoiselle Pauling le remua en pensant à autre chose.

– Il n'y avait aucune raison de le tuer, dit-elle en regardant sa cuiller. Ils auraient tout aussi bien pu pointer un revolver sur lui, et il la leur aurait donnée sans aucun problème. Il aurait seulement trouvé ça drôle.

– Je suppose qu'ils ne le savaient pas.

– Il a toujours été quelqu'un de tellement gai. Tout l'amusait. J'ai cinq ans de plus que lui et quand notre mère nous a quittés... Vous savez ce que c'est... c'est un peu moi qui me suis occupée de lui jusqu'à ce que Papa se remarie.

Chee ne dit rien. Il se demandait pourquoi cela avait

tant d'importance pour elle de savoir qui était responsable. Il y avait là un mystère à éclaircir, mais ensuite, qu'est-ce que cela pouvait bien faire ?

– Il n'y avait aucune raison de le tuer, répéta-t-elle. Et celui qui l'a fait ne l'emportera pas en paradis.

Elle prononça ces mots sans y mettre d'emphase particulière, continuant mécaniquement à faire tourner sa cuiller dans le ragoût bien mélangé.

– Ils ne vont pas le tuer et s'en aller tranquillement comme ça, ajouta-t-elle.

– Mais c'est parfois ce qui se passe, dit Chee. C'est comme ça.

– Non, dit-elle d'une voix soudain devenue véhémente. Ils ne s'en tireront pas comme ça. Vous comprenez ?

– Pas vraiment, dit Chee.

– Vous comprenez, « œil pour œil, dent pour dent » ?

– J'ai déjà entendu cette phrase.

– Vous ne croyez pas à la justice ? Vous ne croyez pas qu'il faut rendre la pareille aux autres ?

– Pourquoi pas ? répondit Chee en haussant les épaules.

En fait, ce concept lui était aussi étranger que l'était, pour madame Musket, l'idée que quelqu'un qui possédait de l'argent puisse commettre un vol. Quelqu'un qui violait les règles normales du comportement et qui vous causait du tort était, selon la définition navajo, « égaré ». Le « vent sombre » s'était emparé de lui et avait corrompu son jugement. On évitait ce genre de personnes, on était inquiet pour elles, et on se réjouissait si elles étaient guéries de cette folie passagère et si elles étaient rendues à l'état de *hozro**. Mais dans l'esprit navajo de Chee, l'idée de les punir paraissait tout aussi insensée que l'acte qu'elles avaient commis. Il savait que c'était là une attitude communément répandue dans le monde des Blancs, mais il ne s'y était encore jamais trouvé confronté de manière aussi concrète.

– C'est de cela en fait que je veux vous parler, précisa

128

mademoiselle Pauling. Si c'est ce Palanzer qui l'a tué, je veux le savoir et je veux savoir où je peux le trouver. Si quelqu'un d'autre est responsable, je veux être au courant. (Elle marqua une pause). Je peux vous payer.

Chee avait l'air indécis.

– Je sais que vous dites que vous ne travaillez pas sur cette affaire. Mais vous êtes celui qui a découvert comment il a été tué. Et vous êtes le seul que je connaisse.

– Je vais vous dire ce que je vais faire, répondit Chee. Vous allez rentrer chez vous. Si j'arrive à découvrir si c'est Palanzer, je vous appelle et je vous le dis. Et si à ce moment-là je peux découvrir où vous pourriez le trouver, je vous le ferai savoir aussi.

– C'est tout ce que je vous demande.

– Alors vous allez rentrer chez vous ?

– C'est Gaines qui a les billets. Tout s'est déroulé si vite. Il m'a appelée à mon travail pour me parler de l'accident et m'a demandé de le recevoir. Et il m'a dit qu'il était le représentant légal de Robert et que nous devrions monter dans le premier avion pour venir voir sur place. Il m'a donc reconduite chez moi où j'ai pris mes affaires dans un sac, puis nous sommes allés droit à l'aéroport et j'ai en tout et pour tout ce qu'il y a dans mon porte-monnaie.

– Vous avez une carte de crédit ? demanda Chee.

Elle acquiesça.

– Servez-vous en. Je vais trouver quelqu'un pour vous emmener à Flagstaff.

Deux hommes qui étaient attablés près de la caisse les observaient depuis un moment. L'un avait une trentaine d'années : imposant, avec de longs cheveux blonds et des petits yeux cachés sous d'épais sourcils blonds. L'autre, beaucoup plus vieux, avait des cheveux blancs clairsemés et le visage bronzé. Son costume trois pièces à fines rayures paraissait incongru sur Deuxième Mesa.

– Savez-vous qui est Gaines ? demanda Chee à mademoiselle Pauling.

– Vous voulez dire, autrement que l'avocat de mon

frère ? Eh bien, d'après ce que j'ai entendu, je suppose qu'il ne doit pas être étranger à cette histoire de drogue. Je suppose que c'est la véritable raison pour laquelle il m'a demandé de venir avec lui. (Elle eut un petit rire dépourvu de gaieté). Pour avoir une raison légitime d'aller voir les gens. C'est ça ?

– Ça en a tout l'air.

Cowboy Dashee remonta l'allée, s'arrêta un instant à côté de la caisse puis repéra Chee et s'approcha.

– J'ai vu votre voiture sur le parking, dit-il.

– L'adjoint au shérif Albert Dashee, dit Chee. Mademoiselle Pauling est la sœur du pilote de l'avion.

Cowboy fit un petit signe de tête.

– Tout le monde m'appelle Cowboy, dit-il.

Il prit une chaise à une table voisine et s'assit.

– Prenez donc une chaise et venez vous asseoir avec nous, proposa Chee.

– Vous savez que ce gars-là est Navajo ? demanda Cowboy à mademoiselle Pauling. Des fois il essaie de se faire passer pour l'un de nous.

Elle réussit à sourire.

– Quoi de neuf ? demanda Chee.

– Vous avez appelé le bureau cet après-midi ?

– Non.

– Vous savez que la voiture a été retrouvée et qu'il y a un collier qu'a refait surface ?

– Quel collier ?

– Un du cambriolage de Burnt Water. Un gros truc style squash blossom. Une fille à Maxican Water qui l'a mis en gage.

– Où est-ce qu'elle l'a eu ?

– Devinez. Joseph Musket. Ce bon vieux Doigts-de-Fer qui joue les Roméo.

Cowboy se tourna vers mademoiselle Pauling.

– On parle boutique, lui expliqua-t-il. Monsieur Chee et moi-même avons beaucoup réfléchi à ce cambriolage et voilà que l'une des pièces du butin a fini par refaire surface.

– Quand ça ? demanda Chee. Comment ça s'est passé ?

– Elle l'a amené au prêteur sur gage hier, c'est tout, répondit Cowboy. Elle a dit qu'elle avait rencontré le type à une danse de squaws quelque part dans le coin et qu'il voulait... (Cowboy rougit légèrement et jeta un coup d'œil à mademoiselle Pauling). Enfin, il lui a fait la cour et lui a donné le collier.

– Et c'était Doigts-de-Fer.

– C'est comme ça qu'elle a dit qu'il s'appelait, répondit Cowboy qui adressa un grand sourire à Chee. Je remarque, non sans une grande surprise, que vous ne vous intéressez pas à la voiture.

– Vous dites que vous l'avez trouvée ?

– Parfaitement. J'ai eu qu'à vérifier une sorte de pressentiment que j'avais. J'ai remonté un arroyo par là-bas, et vous me croirez ou pas, elle y était : cachée sous des broussailles.

– C'est bien, ça.

– Je vais vous dire ce qui est bien, reprit Cowboy. Je l'ai ouverte en forçant le déflecteur de la fenêtre avant droite, d'un coup de levier.

– C'est la meilleure façon de s'y prendre.

– J'étais sûr que vous diriez ça.

Mademoiselle Pauling les regardait avec curiosité.

Chee se tourna vers elle.

– Vous vous souvenez que je vous ai dit que l'accident d'avion et cette affaire de drogue n'étaient pas de mon ressort ? Eh bien, ça relève du bureau du shérif auquel appartient monsieur Dashee. Le comté de Coconino. Et Cowboy vient de retrouver la voiture sur laquelle tout le monde s'interrogeait. Celle qui avait disparu après que l'avion se soit écrasé.

– Oh, dit-elle. Vous pouvez nous en dire plus ?

Cowboy sembla hésiter. Il se tourna à nouveau vers Chee.

– Eh bien, dit-il alors, je suppose que oui. Y a pas grand chose à dire, en fait. C'est une GMC verte.

Quelqu'un a remonté l'arroyo avec et l'a fourrée sous des broussailles pour qu'on la voie pas. Elle avait été louée à Phœnix par ce type, là, Jansen : celui qu'on a retrouvé sur le lieu de l'accident. Des taches de sang sur le siège arrière. Rien dedans. Je crois que le FBI y est en ce moment, pour les empreintes digitales et tout ça.

– Rien dedans ? répéta Chee.

Il espéra qu'il avait réussi à cacher sa surprise. Cowboy le regarda.

– Quelques mégots dans le cendrier. Les papiers de location dans la boîte à gants. La notice d'utilisation. Pas de gros paquet avec « cocaïne » écrit dessus. Rien de ce genre. Je suppose qu'il va falloir passer le coin au peigne fin demain.

Chee s'aperçut que mademoiselle Pauling le dévisageait.

– Ça va ? lui demanda-t-elle.

– Très bien, répondit-il.

– Un truc bizarre, dit Dashee. A l'intérieur y avait une drôle d'odeur. On aurait dit du désinfectant. Je me demande bien pourquoi.

– Je vois pas, dit Chee.

Sur la route de Tuba City, il réfléchit au problème : visiblement, le corps n'y était plus quand Cowboy avait découvert le véhicule. Visiblement, quelqu'un était venu le chercher. Pourquoi ? Peut-être parce que celui qui avait vu Chee se garer à l'embouchure de l'arroyo avait commencé à s'inquiéter et s'était dit que le corps risquait d'être découvert. Mais pour commencer, pourquoi l'avoir conservé comme ça ? Et qui l'avait emporté ailleurs ? Joseph Musket, apparemment. Mais ce soir, Chee était très déçu par Doigts-de-Fer. Il l'avait surestimé. Musket aurait dû être plus malin que le premier voleur venu. Dans son esprit, Chee s'était bâti l'image de quelqu'un de bien trop intelligent pour commettre l'erreur qui fait toujours prendre les voleurs de petite envergure. Et les faits tels qu'il les connaissait semblaient faire de lui quelqu'un de trop malin pour donner ce collier volé à une fille. Quelqu'un semblait avoir partagé cette opinion. Quelqu'un qui lui avait donné une somme proche de sept cents dollars. Probablement, pensa Chee, un millier de dollars tout rond), pour faire quelque chose à sa sortie de la prison de Santa Fé. Et ce quelque chose impliquait qu'il devait travailler à Burn Water jusqu'à la fin de l'été. Pour y faire quoi ? Préparer et surveiller le terrain d'atterrissage en prévision d'une livraison de drogue d'une valeur de plusieurs millions de dollars. Ce semblait bien être la réponse. Mais s'il avait sept cents dollars en poche, si l'attendait une part suffisamment importante pour acquérir un beau cheptel de moutons, pourquoi voler les bijoux déposés en gage ? Chee avait déjà longuement réfléchi à tout cela, et le seul mobile qu'il avait pu trouver était que cela lui fournissait ce qui paraissait être une raison logique de disparaître du comptoir d'échanges. Quelque chose qui pourrait égarer ses poursuivants s'il avait l'intention de voler la cargaison. Et cela voulait dire qu'il était fichtrement bien trop malin pour aller donner un bijou squash blossom immédiatement identifiable à la première fille venue.

– Doigts-de-Fer, où es-tu ? demanda Chee à la nuit.

Et curieusement, au moment précis où il le disait, tout haut, pour lui-même, un petit mystère trouva sa solution dans sa tête. Il sut soudain ce qui avait causé le bruit métallique qu'il avait entendu dans les ténèbres de l'autre côté des buissons de chamiso. Pour s'en assurer, il sortit son .38 de son étui. Avec le pouce il recula et ramena le chien : cran de sûreté ôté, armé à fond, retour au cran de sûreté, Click. ClicK. Click. Il posa son regard sur l'arme puis le reporta sur la route. C'était le genre de geste que la nervosité et l'inquiétude peuvent dicter à un homme qui est prêt à faire feu sur quelque chose. Ou sur quelqu'un.

L'image de Musket, pistolet armé, en train de le chercher dans la nuit, fit naître en Chee une colère surprenante. Cela rendait l'abstraction intensément personnelle. Bon, Largo voulait qu'il quitta Tuba City. Il allait cesser de remettre sa visite à cette prison qui se trouvait au Nouveau Mexique. Il allait faire un pas de plus sur la piste de Doigts-de-Fer.

19

Il y a environ six cent cinquante kilomètres à parcourir pour se rendre de Tuba City au Pénitencier d'Etat du Nouveau Mexique situé sur le plateau de Santa Fé. Chee, qui s'était levé encore plus tôt que d'habitude et qui avait un peu triché avec la limite de vitesse, arriva à destination au début de l'après-midi. Il déclina son identité en parlant dans le micro de la tour gardant l'entrée, et attendit pendant que de la tour on appelait quelqu'un dans le bâtiment de l'administration afin de vérifier. Puis la porte extérieure s'écarta lentement. Lorsqu'elle se fut refermée et bouclée toute seule derrière lui, un second moteur se fit entendre et la porte interieure roula sur ses rails. Jim Chee était dans l'enceinte et suivait la longue allée rectiligne en béton qui traversait le vaste espace plat et vide de la cour d'entrée. Rien de vivant n'était visible à part un vol de corneilles loin au nord, entre la prison et les montagnes. Mais les longues rangées formées par les fenêtres des cellules le regardaient. Chee les regarda à son tour, conscient d'être épié. Au-dessus des fenêtres du premier étage du deuxième bâtiment sur sa droite, le gris du béton était taché de noir. Ce devait être le bloc de détention numéro 3, se dit Chee, celui où plus de trente prisonniers avaient été massacrés et brûlés par leurs co-détenus durant l'épouvantable révolte de 1980. Joseph Musket y était-il à l'époque ? S'il s'était trouvé au nombre des révoltés, il avait suffisamment bien caché son rôle pour pouvoir bénéficier d'une libération conditionnelle.

Un nouveau système de verrouillage électronique permit à Chee de franchir la porte du bâtiment de l'administration et de se présenter devant le gardien qui occupait le bureau d'admission, un Chicano frêle entre deux âges.

– Police Tribale Navajo, dit-il en posant sur Chee un regard étonné.

Puis il jeta un coup d'œil sur la feuille posée devant lui et ajouta :

– M. Armijo va s'occuper de vous.

Un second gardien, gris lui aussi, Chicano lui aussi, conduisit Chee sans prononcer un mot jusqu'au bureau de M. Armijo.

M. Armijo n'était pas avare de mots. Il devait avoir quarante ans et était bien en chair, avec des cheveux noirs et drus coupés au rasoir et coiffés à la dernière mode. Ses dents étaient très, très blanches, et il les découvrit dans un sourire.

– M. Chee, vous n'allez pas croire ce que je vais vous dire, mais je connais ce Joseph Musket personnellement.

Le sourire d'Armijo s'agrandit d'un ou deux centimètres.

– Grâce à sa bonne conduite, poursuivit-il, il a travaillé ici-même au bureau des archives. Asseyez-vous. Je suppose que maintenant nous allons le recupérer. (Armijo désigna une chaise métallique grise recouverte d'un coussin de plastique gris.) Il a enfreint le règlement des libérations conditionnelles, c'est ça ?

– On le dirait bien. Je crois qu'on peut dire qu'il est soupçonné d'avoir commis un cambriolage. En tous cas nous avons besoin d'en savoir davantage sur lui.

– Le voilà, dit Armijo en tendant à Chee un classeur accordéon en carton marron. Tout sur Joseph Musket.

Chee posa le dossier sur ses genoux. Il avait déjà lu des dossiers de ce genre. Il savait ce qui était dedans et ce qui n'y était pas.

– Vous m'avez dit que vous le connaissiez, dit-il. Comment était-il ?

– Comment il était ?

La question avait surpris Armijo. Il avait l'air déconcerté.

– Eh bien, vous savez, dit-il en haussant les épaules. Il était silencieux. Il ne disait pas grand chose. Y faisait son travail. (Armijo fronça les sourcils.) Qu'est-ce que vous voulez dire, « Comment il était » ?

Bonne question, se dit Chee. Que voulait-il dire ? Que cherchait-il ?

– Est-ce qu'il aimait plaisanter ? demanda-t-il. Est-ce que c'était le genre de gars à s'adapter vite à un travail ou bien est-ce qu'il fallait tout lui dire ? Est-ce qu'il avait des amis ? Ce genre de choses.

– Je ne sais pas, répondit Armijo dont le visage exprimait le regret de s'être lancé dans cette conversation. Je lui disais ce qu'il avait à faire et il le faisait. Il ne disait jamais grand chose. Il était silencieux. C'était un Indien.

Armijo regarda Chee pour voir si c'était là une explication suffisante. Puis il continua à expliquer le travail de Musket : il venait tous les après-midi, archivait les dossiers reçus le matin même sur les nouveaux prisonniers, puis il triait le panier de documents et ajoutait aux dossiers des détenus tout ce qu'il pouvait y avoir de neuf.

– Pas un travail très difficile, conclut Armijo, mais il s'en acquittait fort bien. Il ne faisait pas d'erreurs. On était content de lui.

– Et les amis ?

– Oh, il en avait. Ici, si vous avez de l'argent, vous avez des amis.

– Musket avait de l'argent ? demanda Chee d'un ton surpris.

– Sur son compte au magasin. C'est tout ce qui est autorisé. Pas d'argent liquide, bien sûr. Juste un crédit pour des cigarettes, des chocolats, des trucs comme ça. Tous les petits suppléments.

– Vous voulez dire qu'il avait plus d'argent qu'il ne pouvait en gagner ici ? De l'argent qui venait de l'extérieur ?

— Il avait des contacts dehors, expliqua Armijo. Beaucoup de revendeurs de drogue en ont. Il y a un avocat qui vient déposer de l'argent sur leur compte.

Cela semblait être tout ce qu'Armijo savait. Il fit passer Chee dans une pièce voisine et l'y laissa en compagnie du dossier.

Dans le dossier il y avait d'abord les photographies.

Joseph Musket regardait Chee : un visage ovale, rasé de près, une ligne qui barrait le front en son milieu, des traits inexpressifs, c'était le visage que l'on acquiert lorsqu'on a fait le vide complet dans son esprit et qu'il ne reste que la volonté de tenir le coup. Il n'avait pas beaucoup changé, se dit Chee, à part le changement causé par la fine moustache, les quelques kilos de plus, et les quelques années de plus. Et pourtant il avait peut-être changé. C'était là tout ce qu'il avait vu de Joseph Musket : un coup d'œil jeté en passant à un inconnu qui le croisait. Le profil révéla à Chee un front haut et droit : la marque de l'intelligence. Rien d'autre.

Il laissa le visage et s'intéressa aux renseignements concrets. Musket avait un peu plus de trente ans, remarqua-t-il, ce qui était à peu près ce qu'il avait imaginé. Le reste correspondait à ce qu'il avait déjà appris du fonctionnaire responsable de Musket pendant sa période de libération conditionnelle : né à côté de Mexican Water, fils de Simon Musket et de Fannie Tsossie, scolarisé à l'internat de Teec Nos Pos puis à l'école secondaire de Cottonwood. Ainsi qu'il en avait gardé le souvenir d'après ce que le fonctionnaire lui avait montré à Flagstaff, Musket servait une condamnation pouvant aller de trois à cinq ans d'emprisonnement pour détention de stupéfiants avec intention d'en tirer commerce.

Chee lut de manière plus attentive. Le casier judiciaire de Musket n'avait rien d'exceptionnel. Il avait pour la première fois eu maille à partir avec la loi à Gallup à l'âge de dix-huit ans, pour ivresse et troubles sur la voie publique. Puis avaient suivi une arrestation à Albuquerque pour vol qualifié, qui s'était terminée par un non-lieu, et une autre arrestation à Albuquerque pour vol avec effraction, laquelle avait amené une condamnation à deux années de prison avec sursis et une cure de désintoxication de drogue. Une autre arrestation pour vol avec effraction, à El Paso celle-ci, avait entraîné une condamnation de une à trois années de prison de Huntsville ; puis s'était produit ce que Chee cherchait (au moins inconsciemment) depuis un moment : l'entrée de Joe Musket dans le monde plus fatal des criminels endurcis. Il s'était agi d'un vol à main armée perpétré contre un magasin de la chaîne Seven-Eleven à Las Cruces au Nouveau Mexique. En l'occurrence, il n'y avait pas eu d'inculpation et les poursuites avaient été abandonnées. Chee feuilleta les pages à la recherche du rapport de l'inspecteur chargé de l'enquête. Il était tout à fait typique. Deux hommes, l'un dehors dans une voiture, l'autre à l'intérieur qui regardait les magazines jusqu'à ce que le dernier client s'en aille, puis le pistolet mis sous le nez du caissier, l'argent du tiroir-caisse entassé dans un sac pour articles d'épicerie, le caissier enfermé dans le dépôt, et les deux suspects arrêtés après avoir abandonné la voiture dans laquelle ils s'étaient enfuis. Musket avait été découvert alors qu'il se dissimulait dans une ruelle derrière des poubelles, mais le caissier n'était pas prêt à jurer qu'il était bien l'homme qu'il avait vu attendre dans la voiture à l'extérieur. Au bas de la page, une photocopie des archives de la police de Las Cruces, il y avait une note manuscrite. Elle disait :

« Accusation fondée pour West - pas pour Musket. »

Le regard de Chee remonta rapidement vers le haut de la page, trouva la ligne où figurait l'identité des suspects. L'homme qui avait pénétré dans le magasin, armé d'un pistolet, tandis que Joseph Musket attendait dans la voiture, avait été identifié comme étant Thomas Rodney West, âgé de trente ans, domicilié à l'Ideal Motel, 2929 Railroad Avenue, El Paso.

Chee n'en fut pas autrement surpris. West lui avait dit

que Musket était un ami de son fils. C'était la raison pour laquelle il avait engagé Musket. Et West lui avait dit que son fils avait eu de mauvaises fréquentations, qu'il avait eu des ennuis et qu'il avait été tué. Mais comment avait-il été tué ? Chee était pressé maintenant. Il découvrit une nouvelle fois le nom de Thomas Rodney West dans le rapport de l'enquête concernant l'arrestation pour trafic de stupéfiants qui avait conduit Musket à la prison de Santa Fé. Il avait été pris en même temps que Musket dans le pick-up truck qui transportait quatre cents kilos de marijuana. La machandise avait été déchargée d'un petit avion dans le désert au sud d'Alamogordo, au Nouveau Mexique. L'avion avait échappé au piège tendu par la DEA, mais pas le véhicule. Chee reposa le dossier de Musket et fixa le béton gris du mur pendant un long moment. Puis il retourna dans le bureau d'Armijo. Armijo leva les yeux de ses paperasses en exhibant ses dents blanches.

— Est-ce que vous conservez le dossier des détenus après leur décès ?

— Bien sûr, répondit Armijo dont le sourire s'agrandit. Dans les archives des décès.

— Je ne suis pas certain qu'il ait été emprisonné ici. Un type qui s'appelait Thomas Rodney West.

Le sourire d'Armijo perdit de son éclat.

— Il était ici. Il a été tué.

— Ici ?

— Cette année. Dans la cour.

Il se leva et était penché en avant pour tirer à lui le tiroir du bas d'un meuble de rangement lorsqu'il ajouta :

— Ce sont des choses qui arrivent de temps en temps.

— Tué par quelqu'un ? On ne sait pas qui ?

— Non, concéda Armijo. Il y avait cinq cents hommes tout autour de lui et personne n'a rien vu. En règle générale, c'est comme ça que ça se passe.

Le classeur accordéon consacré à Thomas Rodney West était identique à celui de Joseph Musket (également connu sous le nom de Doigts-de-Fer), si ce n'est que la ficelle qui en maintenait le rabat fermé était maintenue par un nœud, qui lui conférait la finalité de la mort, au lieu d'une boucle, qui suggérait le statut transitoire de la libération conditionnelle. Chee l'emporta dans la salle d'attente, le posa à côté du dossier de Joseph Musket et s'efforça de défaire le nœud avec ses ongles.

Cette fois-ci, il n'y avait aucun problème pour reconnaître le visage au regard maussade sur les clichés anthropométriques des formulaires d'identificaton. Thomas Rodney West, le prisonnier, ressemblait trait pour trait à Tom West, l'écolier, et à Tom West, le marine, dont Chee avait étudié le visage sur les photos du Comptoir d'Echanges de Burnt Water. Il ressemblait aussi beaucoup à son père. Son expression reflétait cette souffrance, il y avait cette énergie massive et cette même force qui caractérisait le visage de son père. Chee nota que West était né le même mois que Musket, qu'il était plus jeune de neuf jours, puis il corrigea son calcul : les coups de couteaux reçus dans la cour avaient modifié tout cela, épargnant au jeune West le processus du vieillissement. Maintenant, Musket avait à peu près un mois de plus que lui.

Chee avança page après page, se demandant ce qu'il cherchait. Il remarqua que West s'était tiré de l'épisode du vol à main armée en négociant avec le ministère public : il avait plaidé coupale et avait été condamné à quatre années de réclusion puis avait obtenu une libération conditionnelle. Il se trouvait encore sous ce régime lorsqu'il avait été arrêté pour trafic de stupéfiants. Et il était en possession d'une arme à feu au moment de son arrestation. (Pas Musket, se souvint Chee : avait-il été suffisamment intelligent pour s'en débarrasser quand il avait compris ce qui se passait ?). Ces deux facteurs avaient valu à West une condamnation plus sévère allant de cinq à sept ans de prison.

Il faisait chaud dans la pièce et il n'y avait pas d'air. Chee arriva à la dernière page et lut ce qui concernait la mort de Thomas Rodney West. Cela correspondait à ce qu'Armijo lui avait dit. A onze heures dix-sept, le six juillet, le garde du mirador sept avait remarqué un corps étendu dans la poussière de la cour. Aucun détenu n'était à proximité. Il avait appelé les gardes qui se trouvaient dans la cour. On avait découvert West inconscient, en train de mourir de trois profondes blessures portées à l'arme blanche. Les interrogatoires qui s'en étaient suivis parmi les détenus n'avaient permis d'en trouver aucun qui eût vu ce qui s'était passé. La fouille de la cour qui s'en était suivie avait abouti à la découverte d'un tournevis dont la lame avait été affûtée ainsi que d'une râpe à bois, tous deux transformés en poignards de fortune. Ils portaient des taches de sang qui correspondaient au groupe sanguin de West. Son plus proche parent, Jacob West, de Burnt Water, dans l'Arizona, avait été prévenu et avait réclamé le corps le huit juillet. Une copie papier carbone de l'autopsie était le dernier feuillet du dossier. L'autopsie démontrait que Thomas Rodney West, son prénom ayant été mutilé par une erreur typographique, était décédé des suites du sectionnement de l'artère aorte et de deux blessures situées dans la cavité abdominale.

Chee retourna d'une page en arrière et regarda la date. Il s'en était passé, des choses, en juillet. West avait été poignardé le six. John Doe avait été tué le dix, on en était pratiquement sûr, puisque son corps avait été découvert le onze en début de matinée. Le vingt-huit, Joseph Musket avait disparu après avoir cambriolé le magasin de Burnt Water. Y avait-il un rapport ? Chee ne parvenait pas à en trouver un. Mais cela pourrait changer s'il parvenait à identifier Doe. Il bâilla. Il s'était levé très tôt et avait peu dormi la nuit précédente. Il alluma une cigarette. Il allait relire rapidement tout ce qui était contenu dans le dossier de West puis reprendre celui de Musket, le terminer et s'en aller. Cet endroit l'oppressait, le rendait mal à l'aise, l'imprégnait d'un étrange et inhabituel sentiment de tristesse.

Il n'y avait rien d'inhabituel dans le crédit dont West

disposait au magasin de la prison, dans ses examens médicaux ou dans le registre concernant sa correspondance, dans lequel ne figuraient que son père, une femme habitant El Paso et un avocat d'El Paso. Puis Chee en arriva au registre des visites.

Le deux juillet, quatre jours avant d'être tué à coups de poignard, Thomas Rodney West avait reçu la visite de T.L. Johnson, agent fédéral, Service de Répression du Trafic des Stupéfiants. But de la visite : raison officielle. Chee regarda attentivement l'inscription, puis celles qui la précédaient. West avait reçu cinq visites depuis son arrivée dans la prison. Une de son père, une de la femme qui habitait El Paso et deux de quelqu'un qui s'était présenté comme étant Jerald R. Jansen, avocat, Petroleum Trowers Building, Houston, Texas.

– Ah.

Chee avait parlé à voix haute. Il s'appuya contre le dossier du fauteuil et fixa le plafond. Jansen. Avocat. Houston. Il avait rencontré Jansen. Jansen mort. Assis, froid et silencieux, à côté du rocher de basalte, le message concernant le Centre Culturel Hopi entre le pouce et l'index. Chee expédia un nuage de fumée vers le plafond, avança son fauteuil et vérifia les dates. Jansen était venu voir West le dix-sept février, et était revenu le deux mai. Bien avant la libération conditionnelle de Joseph Musket, puis après. Ensuite, West avait reçu la visite de l'agent de la DEA aux taches de rousseur et aux cheveux roux, T.L. Johnson, quatre jours avant d'être poignardé. Chee réfléchit un moment, essayant de trouver une explication. Il ne trouva rien de plus qu'une série de possibilités contradictoires pouvant aussi bien convenir les unes aux autres.

Il compulsa alors le registre des visites concernant Joseph Musket. Il n'en avait reçu aucune. Pas un seul visiteur en plus de deux années de prison. Il compulsa le registre de sa correspondance. Rien. Aucune lettre reçue. Aucune lettre envoyée. Le vrai solitaire. Chee referma le dossier de Joseph Musket et le posa sur celui de West.

Armijo n'était plus seul. Deux détenus travaillaient maintenant dans son bureau : un garçon blond aux cheveux taillés en brosse qui leva les yeux de sa machine à écrire lorsque Chee rapporta les dossiers, puis retourna aussitôt à son travail, et un Noir d'une quarantaine d'années qui portait un pansement de gaze sur la nuque. Ce dernier semblait être le remplaçant de Musket pour s'occuper des archives. Il glissait des feuilles dans des dossiers tout en regardant Chee d'un œil curieux.

– Si West avait ici de vrais amis, dit Chee à Armijo, j'aimerais vraiment beaucoup pouvoir parler avec l'un d'eux. Qu'en pensez-vous ?

– Je ne sais pas. Je ne sais pas du tout s'il avait des amis.

Comment aurait-il pu le savoir ? se dit Chee. Des choses comme l'amitié n'étaient pas ce dont on remplissait les classeurs accordéon.

– Y a-t-il un moyen d'en savoir plus ? demanda Chee. Par le bouche-à-oreille ou, je ne sais pas, moi, comme vous faites d'habitude.

Armijo n'avait pas l'air très convaincu.

– Qui est responsable de la sécurité intérieure ?

– C'est le sous-directeur, répondit Armijo. Je vais vous l'appeler.

Tandis qu'il composait le numéro, le crépitement de la machine à écrire du détenu aux cheveux taillés en brosse recommença à se faire entendre. Chee se dit que cela devait le gêner pour écouter, de taper à la machine.

Le sous-directeur chargé de la sécurité voulut avoir Chee au téléphone, puis il voulut savoir ce que Chee faisait dans la prison et pourquoi, en particulier, il voulait parler avec un ami de West.

– Cela n'a rien à voir avec quoi que ce soit ici, lui assura Chee. Nous avons à éclaircir une affaire de vol dans la réserve, et nous sommes à la recherche d'un dénommé Musket, un prisonnier libéré sous condition qui n'a pas tenu ses engagements. Musket avait été envoyé ici en même temps que West. Ils étaient amis depuis très longtemps. Ils avaient participé ensemble à un ou deux vols à main armée avant d'en arriver à la drogue. Je veux juste savoir si West et Musket sont restés amis en prison. Des précisions de ce genre.

Le sous-directeur garda le silence pendant plusieurs secondes. Puis il dit à Chee d'attendre, qu'il allait le rappeler.

Chee attendit presque une heure. Tête de balai brosse tapait à la machine en lui jetant un coup d'œil de temps en temps. Le Noir au pansement dans le cou acheva de vider dans les classeurs accordéon adéquats le panier marqué Sorties, puis il partit. Armijo avait expliqué à Chee qu'il était en train de travailler à son rapport annuel et qu'il avait du retard.

Il se servait d'une calculatrice de poche, comparait des chiffres et établissait quelque chose qui ressemblait à une liste. Chee resta assis sur sa chaise métallique grise, réfléchissant parfois et parfois prêtant l'oreille aux bruits qui lui parvenaient à travers la porte la plus proche de son oreille droite. Des pas qui s'approchaient et repartaient, un bruit métallique étouffé de temps en temps, à un moment un écho violent, et à un moment un coup de sifflet bref et strident. Jamais une voix, jamais un mot articulé. Pourquoi Johnson était-il venu voir Thomas Rodney West ? West avait-il entendu parler d'une livraison de drogue imminente non loin de Burnt Water et avait-il fait appeler l'agent de la DEA pour monnayer ses informations contre une recommandation afin de pouvoir bénéficier d'une libération conditionnelle ? West avait dû se trouver en relation avec le groupe qui s'occupait du transfert. Sinon, pourquoi Jansen lui aurait-il rendu visite à deux reprises ? Johnson le savait peut-être. Il le savait probablement. C'était presque certain. C'était évident. Etait-il venu en espérant arracher à West des renseignements sur cette livraison imminente ? Cela semblait être l'hypothèse la plus vraisemblable.

Le bruit qui retentit alors était l'appel strident du

téléphone. Armijo répondit et écouta. Il tendit l'appareil à Chee.

– Il y a un gars qui accepte de discuter avec vous, expliqua le sous-directeur. Archer. Un ami de West. Un très bon ami. (Il rit.) Si vous voyez ce que je veux dire.

– Il tenait le rôle de la femme ? demanda Chee.

– Je crois plutôt qu'il tenait celui de l'homme.

Le même Chicano entre deux âges réapparut pour conduire Chee qu'il précéda dans un long couloir aux murs nus. Les deux détenus qu'ils rencontrèrent au cours du trajet s'écartèrent pour leur laisser le passage. La salle des visites n'avait pas de fenêtres et les tubes de lumière fluorescente qui l'éclairaient conféraient à la peinture d'un blanc sale une teinte grisâtre. L'homme qui répondait au nom d'Archer était d'allure imposante ; il avait la quarantaine environ et possédait la musculature d'un homme qui a fait de l'haltérophilie. Son nez avait été cassé il y avait très longtemps, puis recassé plus récemment, et les cicatrices de l'une de ces fractures ressortaient en blanc sur la pâleur de sa peau. Archer était installé de l'autre côté du comptoir qui divisait la petite pièce, et il regardait Chee avec curiosité à travers un panneau vitré. Un garde était appuyé contre le mur, derrière lui, et fumait une cigarette.

– Je m'appelle Jim Chee, se présenta le policier navajo. Je connais le père de Tom West. J'ai besoin de quelques renseignements. Juste un ou deux.

– Ça va pas durer longtemps, répondit Archer. J'étais pas dans la cour quand ça s'est passé. Je sais rien du tout.

– Ce n'est pas ça qui m'intéresse, dit Chee. Je veux savoir pourquoi il voulait parler à T.L. Johnson.

Archer avait l'air de ne pas comprendre.

– Pourquoi il voulait parler à Johnson, l'agent de la DEA, précisa Chee.

Le visage d'Archer s'empourpra.

– T.L. Johnson, dit-il lentement en fixant ce nom dans sa mémoire. C'est comme ça qu'il s'appelait ? Tom y voulait pas lui parler à ce salopard. Il avait rien à lui dire.

Ça lui fichait la trouille. (Archer émit un grognement furieux.) Et il avait drôlement raison. Ce salopard il l'a fait descendre.

– Tout cela ne venait pas de West, alors ?

– Bon Dieu, sûrement pas. Y a personne ici qui demanderait à parler à quelqu'un de la DEA. Pas ici, ça risque pas. Ce salaud il l'a fait descendre. Vous savez ce qu'il a fait ? Y s'est arrangé pour le faire sortir d'ici. Il lui a fait suivre l'allée d'accès, il l'a fait sortir par la grande porte, puis il l'a fait monter dans sa voiture et ils sont partis. Ils ont juste pris la direction de Cerrillos jusqu'à ce qu'on puisse plus les voir de la prison et ils sont restés là un moment à rien faire. West il avait pas la plus petite chance de prouver qu'il avait pas mouchardé.

Archer posa sur Chee un regard furieux ; son teint blafard était toujours empourpré par la colère.

– Putain de salopard, ajouta-t-il.

– Comment savez-vous tout cela ? demanda Chee.

– Quand ils l'ont ramené, Tom me l'a dit, répondit Archer en secouant la tête. Il était fou furieux et il avait peur. Il m'a dit que le type voulait savoir quand la livraison allait avoir lieu, à quel endroit, et tout le bataclan, et quand Tom lui a répondu qu'y savait rien du tout, Johnson lui a ri au nez, il a arrêté sa voiture et il lui a dit qu'ils allaient rester là jusqu'à ce que tous les taulards croient qu'il avait eu le temps de vider son sac.

– Il avait peur ? C'est vrai ? Il n'a pas demandé à être isolé des autres, ce qui lui aurait permis d'être hors de danger. Ou s'il l'a demandé, ça ne figure pas dans les archives.

– Il en a parlé, dit Archer. Mais une fois qu'on y est, on est obligé d'y rester. C'est le repère des indics. Tous ceux qui y sont sont des mouchards. Celui qui y va, y peut plus en ressortir.

– Alors il a décidé de courir le risque ?

– Ouais. Il était respecté, ici. Comme moi.

Il regarda Chee : la tension était peinte sur ses traits.

– On s'est dit qu'on pouvait tenter le coup, ajouta-t-il.

On s'est dit qu'on pouvait prendre le risque.

Archer avait insisté pour qu'ils le prennent, se dit Chee. Et maintenant il voulait que Chee le comprenne.

– Est-ce que vous pouvez me dire quelque chose sur celui qui l'a tué, pourquoi, ou quoi que ce soit d'autre ?

Le visage d'Archer prit cette expression que Chee avait toujours remarquée sur les photographies faites par la police.

– J'ai pas d'idée là-dessus, répondit-il. Ecoutez, faut que je m'en aille. J'ai du travail à faire.

– Encore une chose, insista Chee. Il a été envoyé ici en même temps qu'un garçon appelé Joseph Musket. Un très vieil ami. Est-ce qu'ils sont restés amis ?

– Musket est sorti, répondit Archer. Libéré sous condition.

– Mais est-ce qu'ils sont restés amis, jusqu'à sa sortie ?

Archer eut l'air de réfléchir. Chee se dit qu'il devait chercher un piège. Apparemment il n'en trouva pas.

– Ils étaient amis, répondit-il en secouant la tête tandis que son visage se détendait. Vrai, Tom était un type super. Tout le monde le respectait, ici. Les types y z'allaient pas l'emmerder. Les plus mauvais, vous savez, ils l'évitaient. Il s'est pas mal occupé de Musket, je crois bien. (L'expression de son visage changea.) J'ai peut-être pas dit les choses comme elles étaient. Tom c'était l'ami de Musket, mais je sais pas si ça marchait vraiment dans les deux sens. Musket y m'a jamais inspiré confiance. C'était un de ces types, vous savez qu'on peut jamais savoir quoi en penser. (Archer se leva.) Bien trop finaud à mon goût. Bien trop malin. Vous voyez ce que je veux dire ?

Sur le chemin de la sortie, Chee s'arrêta une dernière fois dans le bureau d'Armijo pour se servir du téléphone. Il composa le numéro du sous-directeur.

– Je me demandais si je pourrais vous charger de vérifier si un agent de la DEA nommé T.L. Johnson a demandé l'autorisation d'emmener Thomas West à l'extérieur de la prison. Cela a-t-il eu·lieu ?

147

Le sous-directeur n'eut pas besoin d'aller vérifier.

— Ouais, répondit-il. C'est bien ce qu'il a fait. Des fois nous acceptons ce genre de choses quand il y a de bonnes raisons pour que personne n'entende.

20

Chee ne rentra pas par le chemin le plus court : il fit le tour par Santa Fé et Chama au nord au lieu de suivre la vallée du Rio Grande vers le sud et de passer par Albuquerque. Il prit la route du nord parce qu'elle traversait des paysages magnifiques. Il avait l'intention d'écouter les cassettes sur lesquelles il avait enregistré Frank Sam Nakai qui chantait le Chant de la Nuit, et de mémoriser ainsi une partie supplémentaire de cette cérémonie complexe qui s'étalait sur huit jours. La Beauté l'aidait à trouver l'humeur qu'il fallait pour obtenir le type de concentration indispensable. Mais cela ne marcha pas. Son esprit était distrait par les questions restées sans réponses auxquelles il revenait sans cesse. Doigts-de-Fer ? « Bien trop finaud », avait dit de lui Archer, mais pas assez finaud pour ne pas donner un bijou volé à une jeune fille. Johnson s'était-il sciemment arrangé, comme cela semblait bien être le cas, pour faire tuer Thomas Rodney West dans la cour de la prison ? Et si oui, pourquoi ? Qui avait sorti le corps de Palanzer de la voiture ? Et pourquoi, pour commencer, le corps y avait-il était laissé dans son brouillard de Lysol qui ressemblait à un cocon ? La lune se leva au-dessus de la cime découpée de la chaîne Sangre de Cristo tandis qu'il empruntait la vallée de Chama. Dans le ciel sombre et sans nuages, la lune ressemblait à un gros rocher lumineux qui déversait sa lumière sur le paysage. Quand il atteignit le village d'Abiquiu, il s'arrêta à la station service Standard, prit de l'essence et se servit de la cabine téléphonique. Il composa le numéro personnel de Cowboy Dashee. La sonnerie retentit à six reprises avant que Cowboy ne réponde. Il l'avait réveillé.

– Je ne savais pas que les célibataires se couchaient si tôt, remarqua Chee. Je suis désolé. Mais j'ai besoin d'un renseignement. Est-ce qu'ils ont trouvé la drogue ?

– Merde, fit Dashee. On a rien trouvé du tout. C'est bien pour ça que j'essaye de dormir un peu. Le shérif y voulait qu'on soit tous là-bas à l'aube. Ils étaient tous persuadés qu'ils avaient embarqué la came dans la bagnole jusqu'au fond de l'arroyo et qu'ils l'avaient cachée quelque part dans le coin. Si c'est ça qu'ils ont fait, ce qui est sûr c'est qu'on l'a pas trouvée.

– Est-ce qu'il y a quelqu'un qui sache vraiment ce que vous essayez de trouver ? Vous avez une idée de la taille ou du poids que ça a, ou de la taille du trou qu'il faudrait faire pour l'enterrer ?

– Ça a l'air. Ils ont parlé d'une cinquantaine de kilos environ et ça pourrait être gros comme trois sacs de farine de vingt kilos. Ou peut-être qu'il y a un tas de paquets plus petits.

– Donc ils savent très bien ce qu'ils cherchent, conclut Chee. Est-ce que la DEA était là ?

– Johnson y était. Et y avait deux agents du FBI venus de Flagstaff.

– Et vous n'avez rien trouvé d'intéressant ? Ni drogue, ni mitraillettes, ni cassette enregistrée indiquant comment verser la rançon pour récupérer la cargaison, ni cadavres, ni plan ? Absolument rien ?

– On a trouvé quelques traces, répondit Cowboy. Rien d'utilisable. Il n'y avait pas de grosse cache de drogue dans le coin, point final. Si ils ont commencé par la faire grimper jusque là-haut dans leur bagnole, c'est qu'après ils l'ont rembarquée, et on en a pas trouvé la moindre trace. De toute façon, ça n'aurait aucun sens. Suffit d'y réfléchir. Absolument aucun sens.

De fait, Chee y réfléchit. Il y réfléchit par intermittence pendant tout le trajet qui le conduisit au nord jusqu'à Chama, puis pendant la longue traversée d'est en ouest de la très vaste réserve Apache Jicarilla. Tout comme Cowboy l'avait dit, cela n'avait absolument aucun sens. Une énigme de plus, apparemment irrationnelle, à débrouiller. Chee n'entrevoyait qu'une seule possibilité pour trouver un bout de l'écheveau. L'inconnu qui vandalisait le Moulin à Vent Numéro Six avait été le témoin invisible de l'accident. Il avait dû voir quelque chose. Il ne restait qu'à lui mettre la main dessus.

C'était l'après-midi lorsque Chee arriva au moulin. Il resta là à le regarder, comprenant que tout être humain sensible et sensé pouvait en arriver à le détester. Il était d'une forme disgracieuse et inadaptée. Il jurait avec la pente douce sur laquelle il était érigé. Les rayons du soleil faisaient mal aux yeux en se réfléchissant sur l'armature de zinc qui le protégeait contre l'attaque de la rouille. Le vent lui arrachait des craquements et des grincements horribles. La dernière fois que Chee était venu, il avait été d'humeur aussi joyeuse que le matin-même et le moulin alors lui avait simplement paru tout à fait neutre, un objet anodin. Mais cette fois-ci, des vagues de chaleur montaient du paysage écrasé par la sécheresse, le vent aride soulevait la poussière, et il était d'une humeur aussi négative que le temps. Cet objet hideux représentait l'injustice aux yeux de milliers de Navajos. N'importe lequel d'entre eux pouvait être l'auteur de ces actes de vandalisme, n'importe lequel ou tous, ou n'importe quel membre de leurs innombrables familles. Ou peut-être venaient-ils le vandaliser chacun leur tour. Quoi qu'il en soit, il ne les condamnait pas et ne parviendrait jamais à résoudre le mystère. D'ailleurs ce n'était peut-être pas un Navajo. C'était peut-être un Hopi au tempérament artiste dont le sens de l'esthétique était outragé.

Chee s'approcha du réservoir d'acier et en scruta le fond. Archi-sec. Une cuve à poussière. Appuyé contre le métal chaud, il dressa l'inventaire de ce qu'il savait. Il n'y avait rien que de négatif. Le vandale utilisait toujours des moyens simples : ni dynamite, ni chalumeau, ni appareillage compliqué. En d'autres termes, rien dont on pût retrouver la trace. Il venait apparemment à cheval ou à pied puisque Chee n'avait jamais trouvé de traces de pneus dont il ne pût expliqur la présence. Et Jake West avait suggéré qu'il ne s'agissait pas de l'un des Navajos vivant à proximité, opinion qui valait ce qu'elle valait. West pouvait fort bien l'induire volontairement en erreur pour protéger l'un de ses amis, ou il pouvait aussi bien se tromper. En tous cas, il ne s'était pas trompé sur l'efficacité du BIA [1]. Les hommes envoyés par le BIA avaient apparemment apporté les mauvaises pièces, ou alors ils avaient fait une erreur quelque part. Le système d'entraînement ne fonctionnait toujours pas et les craquements et grincements du moulin demeuraient tout aussi impuissants qu'ils l'avaient été pendant la majeure partie de l'été.

Chee renouvela son examen méthodique du sol, travaillant en cercles de plus en plus larges. Il ne découvrit ni cigarettes de marques rarissimes tachées de rouge-à-lèvres aux couleurs singulières, ni tournevis oubliés dont les manches pourraient avoir conservé des empreintes, ni portefeuille égaré contenant le permis de conduire du conducteur avec la photographie en couleurs du vandale du moulin à vent, ni traces de pas, ni marques de pneus, rien. Il ne s'était attendu à rien de tel. Il s'assit sur la pente, plaça ses deux mains en écran pour se protéger du vent chargé de poussière et parvint à allumer sa cigarette. Il contempla le moulin, en-dessous de lui, en fronçant les sourcils. Il n'avait rien découvert de spécifique mais il y avait quelque chose dans son subconscient qui le taquinait. Avait-il découvert quelque chose sans s'en rendre compte ? Qu'avait-il découvert exactement ? Pratiquement rien. Même les crottes de lapins et les traces des rats kangourous étaient anciennes.

_____

(1) Bureau of Indian Affairs.

Les petits rongeurs du désert qui se rassemblent partout où il y a de l'eau étaient partis ailleurs. L'année précédente, la fuite d'eau inévitable qui s'était produite autour du moulin avait répondu à leur besoin. Mais maintenant les tournesols, amarantes et asters du désert qui avaient envahi les abords du réservoir n'étaient plus que tiges mortes. Les plantes étaient mortes et les rongeurs partis parce que le vandale avait fait tarir leur possibilité de vivre en cet endroit. L'écologie du désert avait rétabli son équilibre sur le flanc de la colline. Chee se dit que les rongeurs avaient dû regagner l'arroyo avec sa source où l'eau suintait, ses *pahos* et son esprit tutélaire, mais la source, elle aussi, était quasiment tarie. Victime de la sécheresse. Mais était-ce vraiment le cas ?

Chee se releva d'un bond, écrasa sa cigarette et descendit précipitamment la pente en direction de l'arroyo. Il courut à petites foulées dans le lit sablonneux en suivant le chemin qu'avaient tracé les mocassins du gardien du sanctuaire. Le sanctuaire semblait exactement tel qu'il l'avait laissé. Il s'accroupit sous le surplomb de schiste en prenant soin de ne pas renverser les *pahos*. Quand il était venu, il avait remarqué une fine pellicule d'eau sur le granite en-dessous du schiste, si fine que ce n'était guère plus qu'un soupçon d'humidité. Chee étudia la surface rocheuse. L'humidité s'était accrue. Pas beaucoup, mais elle s'était accrue. La source avait été à peine vivante lorsqu'il l'avait vue la dernière fois. Elle était toujours à peine vivante. Mais elle n'était plus mourante.

Il reprit le chemin de son véhicule, grimpa derrière le volant et démarra sans un regard en arrière. Il en avait terminé avec le moulin : il ne présentait plus aucun mystère. Il allait s'arrêter au magasin de Burnt Water pour appeler Cowboy Dashee. Il allait lui dire qu'il fallait qu'il parle au gardien du sanctuaire. Cela n'allait pas plaire à Cowboy. Mais il trouverait le gardien en question.

152

21

Cowboy s'était arrangé pour retrouver Chee à l'intersection de l'Arizona Highway 87 et de la Route Navajo 3.

– Il va falloir que nous allions à Piutki, lui avait-il dit. C'est là qu'il habite. Mais je ne veux pas que vous alliez traîner tout seul là-bas, vous allez vous perdre. Alors on se retrouve et je vous emmène.

– Vers quelle heure ?

– Vers dix-neuf heures, avait répondu Cowboy.

Chee était donc arrivé aux alentours de dix-neuf heures. Cinq minutes avant l'heure pour être précis. Debout à côté de son pick-up truck, il s'était étiré en faisant jouer ses muscles. Le soleil du début de soirée éclairait les pentes de Deuxième Mesa juste derrière lui, faisant naître un reflet scintillant à la surface asphaltée de la Route Navajo 3 qui grimpait en zigzaguant. Juste au nord, la paroi de Première Mesa était tachetée d'ombre. Chee lui-même se tenait à un endroit qui était à l'ombre. Un nuage qui s'était lentement amassé tout l'après-midi sur les Monts San Francisco s'était libéré des courants d'air ascentionnels engendrés par la montagne et dérivait lentement vers l'est. Il se trouvait encore à une bonne trentaine de kilomètres à l'ouest, mais son sommet était suffisamment haut maintenant pour faire obstacle aux rayons obliques du soleil. La chaleur de la journée avait produit d'autres nuages orageux tels que celui-ci. Il y en avait trois qui, alignés de manière irrégulière, voguaient au-dessus du Désert Peint entre Chee et la ville de Winslow. Chee remarqua avec satisfaction que l'un d'eux traînait effectivement derrière lui une petite queue orageuse au-dessus de Tovar Mesa. Mais aucun des nuages de taille moins importante n'était vraiment porteur de promesse. Avec le coucher du soleil ils allaient s'évaporer rapidement dans le ciel aride. Celui qui prenait naissance sur les Monts San Francisco était différent. C'était un immense nuage dont le sommet était repoussé vers le froid stratosphérique par ses vents intérieurs, et dont les masses inférieures d'un bleu noir apportaient la promesse de la pluie. Tandis que Chee l'évaluait, il entendit le grondement du tonnerre. Les nuages devaient être visibles sur plus de cent-cinquante kilomètres à la ronde, depuis le Mont Navajo de l'autre côté de la frontière avec l'Utah, jusqu'à la chaîne des Monts Chuska vers l'est, au Nouveau Mexique. Un seul nuage ne pouvait suffire à mettre un terme à la sécheresse, mais il en faut un pour commencer. Pour un millier de bergers navajos disséminés sur cet immense plateau asséché, ce nuage signifiait l'espoir que la pluie, que les arroyos remplis d'eau, et que l'herbe nouvelle seraient à nouveau des éléments de l'*hozro* de leur vie. Pour les Hopis, la pluie signifierait plus encore. Elle signifierait l'adhésion du surnaturel. Les Hopis avaient appelé les nuages, et les nuages étaient venus. Cela signifierait qu'après une année marquée par le fléau de la poussière, les choses étaient redevenues normales entre le Peuple Paisible des Mesas Hopi et les esprits kachinas.

Chee, appuyé contre son véhicule, profitait de la fraîcheur humide de la brise qu'engendrait maintenant le nuage, profitait du contraste entre les bruns-ocres qui mouchetaient les parois de Première Mesa et le ciel bleunoir juste au-dessus. Le sommet de la paroi, au-dessus de lui, n'était nullement constitué par la paroi elle-même, mais par les murs de pierres des maisons de Walpi. De là où il se tenait, c'était difficile à croire. Les fenêtres minuscules semblaient être des trous dans le roc vivant de la mesa.

Il jeta un coup d'œil à sa montre. Cowboy était en retard. Il récupéra le carnet qu'il avait laissé sur le siège avant de l'ouvrir à une page vierge. En haut de la page il marqua : « Questions et réponses. » Puis il écrivit : 1. Où est J. Musket ? Est-ce que J. Musket a tué John Doe ? Sorcier ? Fou ? Impliqué dans le vol de drogue ? » Il divisa la page en deux parties égales dans le sens de la hauteur afin de délimiter la section consacrée aux réponses. Il y écrivit : « 1. Preuve pas au travail le jour où Doe a été tué. Musket lié trafic de drogue. Probablement venu à Burnt Water préparer livraison. Sinon pourquoi ? Connaissait suffisamment bien le coin pour pouvoir cacher GMC. » Tout en tapotant l'une de ses incisives avec l'extrémité de son stylo à bille il réfléchit à ce qu'il avait marqué. Sous « Questions », il écrivit : « Pourquoi le cambriolage ? Pour se donner une raison logique de disparaître du comptoir d'échanges ? » Il fronça les sourcils en regardant ce qu'il venait de marquer puis rajouta : « Où sont passés les bijoux volés ? » En-dessous il traça une ligne sur toute la largeur de la page. Puis il inscrit :

« Qui était John Doe ? Un des trafiquants de drogue ? Est-ce qu'il travaillait pour Musket ? Est-ce que Musket l'a tué parce que Doe avait flairé l'embrouille ? Est-ce que Musket a maquillé le crime pour faire croire que c'était l'œuvre d'un sorcier afin de brouiller les pistes ? » Pas de réponses dans cette section. Rien que des questions. Il traça une nouvelle ligne horizontale et inscrivit en-dessous :

« Où est le corps de Palanzer ? Pourquoi l'avoir caché dans la GMC ? Pour égarer ceux qui cherchent la drogue ? Pourquoi l'avoir sorti de la GMC ? Parce que quelqu'un savait que je l'avais trouvé ? Qui alors ? L'homme qui a remonté l'arroyo dans le noir ? Musket ? Dashee ? » Il contempla ce dernier nom en se faisant l'impression d'être déloyal. Mais Dashee savait : il lui avait dit où trouver le véhicule. Et Dashee pouvait fort bien s'être trouvé sur le site du moulin au moment de l'accident. Il se demanda s'il pourrait apprendre où Dashee se trouvait la nuit où le corps de John Doe avait été caché. Puis il secoua la tête et traça un trait en travers de « Dashee », puis une nouvelle ligne. Sous celle-ci il écrivit un seul mot : « Sorcier ».

En-dessous il écrivit : « Une raison qui établit un lien entre le crime du sorcier et la drogue ? » Il étudia la question en pinçant sa lèvre inférieure entre ses dents.

Puis il nota : « Coïncidence de temps et de lieu. » Il marqua un temps d'arrêt avant d'inscrire à côté : « Doe mort le 10 juillet, West mort le 6 juillet. » Il y réfléchissait encore quand la voiture de Dashee arriva.

– Pile au rendez-vous, annonça Cowboy.

– Vous êtes en retard, rétorqua Chee.

– Je fonctionne suivant le système navajo. Dix-neuf heures, ça signifie à un moment quelconque de la soirée. On prend ma voiture.

Chee s'installa.

– Vous êtes déjà allé à Piutki ?

– Je ne crois pas, répondit Chee. Où est-ce ?

– En haut, sur Première Mesa. Derrière Hano, sur la crête.

Cowboy conduisait plus doucement qu'à l'accoutumée. La voiture de police suivit la Route Navajo 3 puis bifurqua sur la gauche pour s'engager sur la route asphaltée plus étroite qui grimpait la pente raide et sinueuse à flanc de mesa. Son visage était calme, pensif.

Inquiet, se dit Chee. Nous touchons au domaine du sacré.

– Il ne reste pas grand chose de Piutki, expliqua Cowboy. C'est quasiment abandonné. Avant c'était le village du Clan du Brouillard avec quelques membres du Clan de l'Arc, et le Clan du Brouillard est pratiquement éteint. Y a plus grand monde de l'Arc non plus.

Le Clan du Brouillard, cela disait quelque chose à Chee. Il essaya de rappeler les souvenirs de ce qu'il avait appris sur l'ethnologie hopi pendant ses cours d'anthropologie à l'Université du Nouveau Mexique, ses souvenirs de ce qu'il avait lu depuis, et de ce qu'il avait appris au hasard de discussions. Le Clan du Brouillard avait apporté aux Hopis le don de sorcellerie. Cela avait été sa contribution aux rites de la société hopi. Et, bien sûr, les sorciers étaient les *powaga,* les « cœurs-doubles », la version spécifique à la culture hopi de ce qu'étaient les sorciers. Il y avait également quelque chose concernant le Clan de l'Arc. Mais quoi ? Sa mémoire fiable lui fournit la réponse. Il avait lu cela dans un traité consacré à l'histoire du système clanique hopi. Quand le Clan de l'Arc avait achevé sa grande migration et atteint les mesas hopi, il s'était fait une telle réputation de semeur de discordes que les anciens du Clan de l'Ours avaient refusé à maintes reprises sa demande de se voir attribuer des terres et un village qui lui fût propre. Et après qu'ils eurent finalement été autorisés à se joindre aux autres clans, les Arcs avaient joué un rôle dans le seul incident sanglant de l'histoire du Peuple Paisible. Lorsque le Clan de la Flèche qui vivait à Awatovi avait autorisé les prêtres espagnols à s'installer dans le village, les Arcs avaient suggéré une attaque punitive. Les hommes de la Flèche avaient été massacrés dans leurs kivas, les femmes et les enfants répartis entre les autres villages. Le clan de la Flèche n'avait pas survécu.

— Cet homme que nous allons voir, demanda Chee, à quel clan appartient-il ?

Cowboy lui jeta un coup d'œil.

— Pourquoi vous me demandez ça ?

— Vous m'avez dit que c'était le village du Clan du Brouillard. J'ai entendu quelque part que le Clan du Brouillard avait disparu.

— Plus ou moins. Mais les Hopis utilisent une sorte de système clanique élargi, et le Clan du Brouillard est apparenté au Clan du Nuage, au Clan de l'Eau et...

Cowboy laissa sa phrase en suspens. Il engagea la seconde pour attaquer la montée abrupte à flanc de mesa.

La route atteignit l'étroite ligne de crête. Elle continuait pour arriver tout de suite à Walopi. Cowboy fit soudain effectuer un virage serré à la voiture afin de l'orienter dans l'autre sens vers Sichomovi et Hano. Les roues arrière dérapèrent. Cowboy grommela quelque chose entre ses dents.

Chee l'observait depuis un moment.

— La journée s'est mal passée ?

Cowboy ne répondit pas. Visiblement, la journée s'était mal passée.

– Qu'est-ce qu'il y a qui ne va pas ? insista Chee.

Cowboy se mit à rire. Mais le cœur ne semblait pas y être.

– Rien, dit-il.

– Vous préféreriez qu'on n'y aille pas ?

Cowboy haussa les épaules.

La voiture de police longea les anciens murs de pierre de Sichomovi... ou était-ce de Hano ? Chee ne savait toujours pas très bien où se terminait l'un des villages et où commençait l'autre. Il lui paraissait inconvenable que les Hopis aient choisi de vivre ainsi : de s'entasser les uns sur les autres dans ces petites villes étriquées, sans aucune intimité ni espace pour respirer. Son peuple à lui avait fait exactement l'inverse. Les lois de la nature, se dit-il. Les Hopis s'entassent, les Navajos se dispersent. Mais qu'est-ce qui tracassait Cowboy ? Il réfléchit à la question.

– Qui c'est le gars que nous allons voir ?

– Il s'appelle Taylor Sawkatewa, répondit Cowboy. Et je crois que nous perdons notre temps.

– Vous croyez qu'il ne va rien nous dire ?

– Pourquoi il le ferait ?

Cowboy avait répondu sur un ton cassant et il sembla s'en apercevoir. Lorsqu'il poursuivit, il le fit avec un soupçon d'excuse dans la voix.

– Il doit avoir près de dix mille ans. Plus traditionnaliste que le pire des traditionnalistes. Pour couronner le tout, je crois qu'il est plus ou moins cinglé.

Et, pensa Chee, on vous a dit que c'est un *powaga*. Et c'est ça qui vous rend un peu nerveux. Chee repensa à ce qu'il avait entendu dire sur les *powaga*. Ça le rendit un peu nerveux lui aussi. Il dit :

– Ça ne servirait pas à grand chose de faire appel à sa conscience de citoyen respectueux des lois, je suppose.

– Je suis bien d'accord, répondit Cowboy en riant. Ça serait comme d'essayer d'expliquer à un taureau Brahma qu'il faut qu'il se tienne tranquille pendant qu'on lui met une sangle autour du ventre.

Ils avaient maintenant dépassé Hano et tressautaient sur une piste rocailleuse qui longeait le bord de la mesa. Le nuage envahissait le ciel vers le sud-ouest. Bas sur l'horizon, le soleil illuminait de blancheur le dessous de son sommet en enclume, mais, plus bas, sa couleur variait. Mille nuances de gris allant du blanc presque absolu au noir presque parfait, et le soleil se couchant, des teintes allant du rose pâle au rose foncé puis au rouge. Pour le peuple auquel appartenait Cowboy Dashee un tel nuage devait être paré d'un symbolisme sacré. Pour le peuple auquel appartenait Chee, il était simplement beau, et donc précieux de par sa seule existence.

– Autre chose, reprit Cowboy. Le vieux Sawkatewa ne parle pas anglais. Du moins à ce qu'on m'a dit. Je serai donc obligé de faire l'interprète.

– Y a-t-il autre chose qu'il faudrait que je sache sur lui ?

Cowboy haussa les épaules.

– Vous ne m'avez pas dit à quel clan il appartient.

Cowboy freina, contourna prudemment un pan de rocher aux arêtes vives et franchit une ornière.

– Brouillard, dit-il.

– Le Clan du Brouillard n'est donc pas éteint ?

– En fait, si. Il reste pratiquement plus personne. Tous leurs devoirs cérémoniels (ce qu'il en reste), appartiennent aujourd'hui au Clan de l'Eau, ou au Clan du Nuage. C'était déjà comme ça même quand j'étais qu'un gamin. Bien avant aussi, je suppose. Mon père m'a raconté que la dernière fois que la Prêtrise Ya Ya a fait quelque chose c'était quand il était tout petit... et je crois pas qu'il s'agissait d'une cérémonie complète. Ça fait très longtemps que le village de Walpi les a chassés.

– Qu'ils ont chassé qui ?

– La Prêtrise Ya Ya.

Cowboy ne sembla pas désireux d'entrer dans les détails. D'après ce que Chee se souvenait avoir entendu dire de cette prêtrise, elle contrôlait l'initiation aux divers niveaux de sorcellerie. En d'autres termes, c'était là un sujet sensible, et Cowboy n'avait pas l'intention d'en discuter avec un non Hopi.

– Pourquoi les ont-ils chassés ? demanda Chee.

– Y avait toujours des histoires.

– Ce n'était pas cette prêtrise qui initiait les gens qui voulaient devenir cœurs-doubles ?

– Si, confirma Cowboy.

– Je me souviens que quelqu'un m'en a parlé. Il m'a dit qu'ils se retrouvent à l'endroit où ils ont vu le tronc d'un pin sur le sol et le sorcier l'a fait monter en l'air et redescendre.

Cowboy ne dit mot.

– C'est vrai ? demanda Chee. Il y a beaucoup de magie dans la cérémonies Ya Ya.

– Mais ceux qui possèdent un pouvoir et qui l'utilisent à mauvais escient, ils le perdent, dit Cowboy. C'est ce qu'on nous apprend.

– Cet homme que nous allons voir, reprit Chee. Il a fait partie de la Prêtrise Ya Ya. Je me trompe ?

Cowboy fit franchir un nouveau passage difficile à la voiture. Le soleil avait disparu maintenant et des lueurs de feu striaient l'horizon. Le nuage s'était rapproché et commençait à déverser un rideau de pluie. Celle-ci s'évaporait à au moins trois cents mètres au-dessus du sol mais fournissait un écran translucide qui filtrait la lumière rougeoyante.

– On m'a dit qu'il était membre de la Prêtrise Ya Ya, concéda Cowboy. On entend dire à peu près n'importe quoi.

Le village de Piutki n'avait jamais eu la taille ou l'importance d'endroits comme Oraibi, Walpi, ou même Shongopovi. A son apogée, il n'avait abrité qu'une partie du Clan de l'Arc, et le Clan du Brouillard qui était encore moins nombreux. Cette apogée avait eu lieu il y avait très longtemps, probablement au dix-huitième ou au dix-neuvième siècle. Aujourd'hui, la majeure partie de ses habitations étaient abondonnées. Leurs toits s'étaient effondrés et les murs avaient fourni les pierres nécessaires à entretenir les maisons encore occupées. L'énorme nuage envahissait maintenant le ciel et illuminait le vieux village sous un crépuscule rougeoyant. La brise soulevait une escorte de poussière derrière la voiture de police. Cowboy alluma ses phares.

– Le village a l'air vide, dit Chee.

– Il l'est presque, acquiesça Cowboy.

La plaza* était petite, encadrée sur deux côtés par des maisons en ruines. Chee remarqua que la kiva elle aussi était à l'abandon. Les marches qui menaient à son toit étaient pourries et cassées, et l'échelle qui aurait dû dépasser par l'entrée pratiquée dans le toit avait disparu. C'était une petite kiva, basse qui plus est, dont les murs ne s'élevaient approximativement que d'un mètre cinquante au-dessus de la terre poussiéreuse de la plaza. Elle semblait aussi morte que les hommes qui l'avaient construite il y avait si longtemps.

– Eh bien, dit Cowboy, nous y voilà.

Il gara la voiture devant la kiva. Derrière elle, l'une des maisons qui dressait toujours ses murs sur deux des côtés de la plaza était habitée. Le vent poussait vers eux la fumée qui sortait de la cheminée et il y avait un petit tas de charbon à côté du seuil. La porte s'ouvrit. Un garçon (il pouvait avoir dix ou douze ans) apparut et les regarda. Il était albinos.

Cowboy s'éloigna de la voiture en la laissant ouverte et, sans attendre Chee, s'avança vers le garçon à travers les tourbillons de poussière. Il lui parla en hopi à la porte de la maison, écouta sa réponse, réfléchit un instant puis parla à nouveau. Le garçon disparut à l'intérieur.

– Il m'a dit que Sawkatewa est en train de travailler. Qu'il allait lui dire qu'il avait des visiteurs, expliqua Cowboy. Chee acquiesça de la tête. Il entendit un coup de tonnerre assourdi et leva les yeux vers le nuage. Seules ses couches supérieures étaient encore teintées de rouge par le soleil couchant. En dessous, sa couleur s'assombrissait du bleu au noir presque total. Tandis qu'il le regardait, une lueur jaune éclaira le noir, l'éclaira à

161

nouveau. Des éclairs illuminaient l'intérieur du nuage. Cowboy et Chee attendirent. La poussière tourbillonnait sur la plaza. L'air s'était beaucoup rafraîchi. Il sentait la pluie. Le bruit du tonnerre leur parvint. Cette fois-ci il déferla, déferla à nouveau.

Le garçon revint. Il regarda Chee à travers ses lunettes à verres épais, puis regarda Cowboy et parla en hopi.

– On entre, dit Cowboy.

Taylor Sawkatewa était assis sur une petite chaise en métal et il enroulait du fil sur un fuseau. Il les regardait de ses yeux noirs et brillants qui exprimaient la curiosité. Mais à aucun moment ses mains n'arrêtèrent leur travail vif et agile. Il parla à Cowboy, indiqua un canapé en plastique vert contre le mur d'entrée, puis il examina Chee. Il sourit et hocha la tête.

– Il nous dit de nous asseoir, dit Cowboy.

Ils s'assirent sur le plastique vert. La pièce était petite, pas vraiment carrée, et la chaux s'écaillait sur les murs. Une lampe à pétrole dont le verre était noir de suie éclairait la pièce d'une lumière jaune tremblotante.

Sawkatawa parla en s'adressant à tous les deux, souriant de nouveau à Chee. Chee lui rendit son sourire.

Ensuite, Cowboy parla un bon moment. Le vieil homme écoutait. Ses mains travaillaient sans relâche, faisant passer la laine d'un blanc grisâtre de l'écheveau posé dans un carton de bière à côté de sa chaise sur le long fuseau en bois. Ses yeux quittèrent le visage de Cowboy pour venir se poser sur celui de Chee. C'était un très vieil homme qui avait depuis longtemps dépassé le stade où la curiosité peut être interprétée comme de l'impolitesse. Les Navajos, eux aussi, vivent parfois jusqu'à un âge extrêmement avancé, et le Peuple à la Parole Lente auquel appartenait Chee avait sa part de vieillards.

Cowboy acheva son exposé, s'arrêta un instant, ajouta une brève information supplémentaire puis se tourna vers Chee.

– Je viens de lui dire que j'allais maintenant vous dire

ce que je lui ai dit, traduisit-il. Et ce que je lui ai dit c'est qui vous êtes et que nous sommes ici parce que nous essayons d'en savoir plus sur l'accident d'avion de Wepo Wash.

– Je crois que vous devriez lui dire en détail ce qui s'est passé, répondit Chee. Dites-lui que deux hommes ont été tués dans l'avion et que deux autres hommes ont été tués à cause de ce que l'avion transportait. Et dites-lui que cela nous aiderait beaucoup si quelqu'un s'était trouvé sur place et avait vu ce qui s'est passé, et s'il pouvait nous dire ce qu'il a vu.

Chee avait gardé les yeux fixés sur Sawkatewa pendant qu'il parlait. Le vieil homme avait écouté attentivement avec un léger sourire. Il comprend un peu l'anglais, conclut Chee. Peut-être le comprend-il même plus qu'un peu.

Cowboy parla en hopi. Sawkatewa l'écouta. Il avait le visage arrondi, ce beau nez un peu large qu'ont beaucoup de Hopis et la mâchoire longue, rendue plus longue encore par la perte des dents. Ses joues et son menton étaient tout ridés autour de sa bouche enfoncée, mais sa peau, de même que ses yeux, paraissaient sans âge, et ses cheveux, coupés avec une frange comme il est de tradition pour les hommes, chez les Hopis, étaient encore presque tous noirs. Tandis qu'il écoutait, ses doigts travaillaient le fil, vifs et agiles comme des anguilles.

Cowboy acheva de traduire. Poliment le vieil homme attendit un moment puis s'adressa à Cowboy en hopi sur un débit rapide, s'arrêta de parler et rit.

Cowboy fit un geste de dénégation. Sawkatewa parla à nouveau, rit à nouveau. Cowboy lui répondit assez longuement en hopi. Puis il se tourna vers Chee.

– Il dit que vous devez le prendre pour un vieil imbécile. Il dit qu'il a appris que quelqu'un cassait le moulin à vent qui se trouve là-bas, et que nous sommes à la recherche de celui qui l'a cassé pour le mettre en prison. Il dit que vous essayez de lui faire dire qu'il était au moulin cette nuit-là.

– Qu'est-ce que vous lui avez dit ?

– Que ce n'était pas vrai.

– Mais comment ? insista Chee. Dites-moi tout ce que vous lui avez dit.

Le front de Cowboy se plissa.

– Je lui ai dit que nous ne pensions pas que c'était lui qui avait cassé le moulin. Je lui ai dit que nous pensions que c'étaient des Navajos qui l'avaient cassé parce qu'ils étaient furieux de devoir quitter les terres hopi.

– Je vous demande de dire à Sawkatewa que nous désirions retirer ce que nous avons dit, dit Chee en parlant tout en regardant Sawkatewa droit dans les yeux. Dites-lui que nous ne le nions pas : nous pensons qu'il pourrait être l'homme qui casse le moulin.

– Mais mon vieux, vous êtes cinglé, s'insurgea Cowboy. Qu'est-ce que vous espérez ?

– Dites-lui, insista Chee.

Cowboy haussa les épaules. Il s'adressa à Sawkatewa en hopi. Sawkatewa eut l'air surpris, et intéressé. Pour la première fois, ses doigts abandonnèrent leur travail vif et agile. Sawkatewa joignit ses mains sur ses cuisses. Il se tourna et parla en direction de l'obscurité qui régnait dans la pièce voisine où se tenait le garçon albinos.

– Qu'est-ce qu'il a dit ? questionna Chee.

– Il a demandé au garçon de nous préparer du café, répondit Cowboy.

– Maintenant, dites-lui que je suis en train d'apprendre comment devenir *yataalii* * parmi les miens et que celui qui m'apprend est un vieil homme, un homme qui, comme lui, est un ancien très respecté de son peuple. Dites-lui que ce vieil oncle à moi m'a enseigné à respecter le pouvoir des Hopis et tout ce qui leur a été enseigné par leur Peuple Sacré sur la façon de faire venir la pluie et préserver le monde de la destruction. Dites-lui que quand j'étais enfant je venais avec mon oncle sur Première Mesa pour que nos prières puissent se mêler à celles des Hopis pendant les cérémonies. Dites-lui ça.

Cowboy traduisit en hopi. Sawkatewa écoutait, ses

164

yeux allant de Cowboy à Chee. Il demeurait assis, parfaitement immobile. Puis il hocha la tête.

– Dites-lui que mon oncle m'a appris qu'à bien des égards le Dinee et les Hopis sont très, très différents. Le Peuple Sacré *, Femme-qui-Change et Dieu-qui-Parle nous ont enseigné comment nous devons vivre et les choses que nous devons faire pour rester en harmonie avec le monde qui nous entoure. Mais ils ne nous ont pas enseigné comment appeler les nuages de pluie. Nous ne savons pas faire descendre du ciel la bénédiction de l'eau comme les Hopis ont appris à le faire. Nous ne possédons pas cet immense pouvoir qui a été donné aux Hopis, nous respectons les Hopis et nous les honorons de le posséder.

Cowboy répéta le tout. Le bruit du tonnerre leur parvint à travers le toit, tout proche maintenant. Un craquement brusque et soudain, suivi d'un grondement répété par l'écho. Ça tombe bien, pensa Chee. Le vieil homme hocha à nouveau la tête.

– Mon oncle m'a dit que les Hopis possèdent ce pouvoir parce qu'on leur a enseigné la façon de faire certaines choses, mais qu'ils perdront ce pouvoir s'ils ne les font pas comme il faut.

Chee marqua un temps d'arrêt, puis poursuivit :

– C'est pour cette raison que nous disons que nous ne savons pas si c'est un Hopi ou un Navajo qui casse le moulin. Un Navajo pourrait le faire par colère.

Chee se tut, leva légèrement une main, la paume en avant, pour s'assurer que le vieil homme comprenait bien l'accent qu'il voulait mettre dans ses paroles, et reprit :

– Mais un Hopi pourrait le faire parce que le moulin est *kahopi*.

C'était l'un des douze mots hopi environ que Chee avait mémorisés jusque-là. Cela voulait dire quelque chose comme « anti-Hopi » ou correspondait à l'affirmation inverse des valeurs hopi.

Cowboy traduisit. Cette fois, Sawkatewa répondit assez longuement, ses yeux allant alternativement de l'un à l'autre.

165

– Où vous voulez en venir avec tout ça ? demanda Cowboy à Chee. Vous croyez que c'est lui qui a saboté le moulin ?

– Qu'est-ce qu'il a dit ? demanda Chee.

– Il a dit que les Hopis forment un peuple qui croit à la prière. Il a dit que beaucoup d'entre eux se sont égarés sur le mauvais chemin, qu'ils copient les façons de faire qu'enseignent les hommes blancs, et qu'ils veulent laisser le Conseil Tribal tout diriger au lieu de faire comme on nous l'a appris quand nous avons émergé * du monde inférieur. Mais il a dit que ce soir les prières sont redevenues efficaces. Il a dit que ce soir le nuage va apporter aux Hopis la bénédiction de l'eau.

– Dites-lui que j'ai dit que nous, les Navajos, partageons cette bénédiction et que nous en sommes reconnaissants.

Cowboy traduisit. Le garçon rentra dans la pièce et posa sur le sol à côté du vieil homme une grande tasse à café de couleur blanche. Il tendit à Cowboy un gobelet en mousse polyuréthanne et à Chee un gobelet en carton Ronald McDonald pour boissons rafraîchissantes. La lumière de la lampe à pétrole déposait sur la peau du garçon, blanche comme la cire, une lueur jaune, et se reflétait dans les verres épais de ses lunettes cerclées de métal. Il disparut dans l'autre pièce sans dire un mot.

Le vieil homme avait repris la parole.

Cowboy plongea les yeux dans son gobelet, s'éclaircit la gorge.

– Il a dit que même s'il s'était trouvé là-bas, on lui avait raconté que l'avion s'était écrasé de nuit. Il demande comment quelqu'un aurait pu voir quelque chose ?

– Peut-être que c'était impossible, reconnut Chee.

– Mais vous pensez qu'il y était ?

– Je le sais, répondit Chee. Je serais prêt à mettre ma main au feu qu'il y était.

Cowboy regarda Chee, attendit. Le garçon revint avec une casserole en aluminium qui fumait ; il versa le café qu'elle contenait dans la tasse du vieil homme, puis dans

166

le gobelet en mousse polyuréthanne de Cowboy, enfin dans le gobelet McDonald de Chee.

– Dites-lui, reprit Chee en regardant directement Sawkatewa, que mon oncle m'a appris qu'il y a certaines choses qui sont interdites. Il m'a appris que les Navajos et les Hopis sont d'accord sur certaines choses et que l'une d'elle est que nous devons respecter notre terre mère. Comme les Hopis, nous avons des endroits qui nous apportent leur bénédiction et qui sont sacrés. Des endroits où nous trouvons tout ce dont nous avons besoin pour nos bourses à médecine.

Chee se tourna vers Cowboy :

– Dites-lui ça. Après je continuerai.

Cowboy traduisit. Le vieil homme trempa les lèvres dans son café tout en écoutant. Chee fit de même. C'était du café soluble préparé avec de l'eau bouillante qui avait le goût du gypse et un peu celui de la rouille provenant du fût qui servait de réservoir. Cowboy en termina. A nouveau il y eut un grondement de tonnerre et soudain le crépitement des grêlons au-dessus de leurs têtes sur le toit. Le vieil homme sourit. L'albinos, appuyé maintenant contre le montant de la porte, sourit lui aussi. La grêle se changea rapidement en pluie : de grosses gouttes qui tombaient dru, mais pas tout à fait aussi bruyamment. Chee éleva légèrement la voix.

– Il y a un endroit près du moulin où la terre a apporté aux Hopis la bénédiction de l'eau. Et les Hopis se sont acquittés de leur dette en donnant des *pahos* en offrande à l'esprit de la terre de ce lieu. Ils le font depuis très, très longtemps. Mais un jour des gens ont fait quelque chose qui est *kahopi*. Ils ont creusé un puits dans la terre et drainé l'eau loin de l'endroit sacré. Et l'esprit de la source a cessé de donner l'eau. Et ensuite il a rejeté l'offre du *paho*. Lorsqu'il lui a été offert, l'esprit l'a renversé sur le sol. Aujourd'hui, nous autres Navajos sommes aussi un peuple paisible. Pas aussi paisible que les Hopis, peut-être, mais paisible quand même. Et malgré cela, mon oncle m'a appris qu'il faut protéger nos lieux sacrés. S'il s'était agi d'un sanctuaire des Navajos, s'il s'était agi d'un sanctuaire placé sous ma protection, alors je l'aurais protégé.

Chee hocha la tête. Cowboy traduisit. Sawkatewa plongea à nouveau les lèvres dans son café.

– Il existe des lois supérieures à la loi de l'homme blanc, ajouta Chee.

Sawkatewa acquiesça de la tête sans attendre que Cowboy traduise. Il s'adressa au garçon qui disparut dans la pénombre pour revenir au bout d'un instant avec trois cigarettes. Il en tendit une à chacun, ôta le verre de la lampe à pétrole et la présenta à chacun à tour de rôle pour qu'ils utilisent la flamme de la mèche. Sawkatewa tira interminablement sur sa cigarette et laissa un filet de fumée s'échapper du coin de sa bouche. Chee aspira une petite bouffée. Il n'avait pas envie de fumer. L'humidité de la pluie avait déferlé sur la pièce, la remplissant de l'odeur de l'eau, de l'odeur d'ozone des éclairs, de l'arôme de la poussière mouillée, de la sauge, et des mille autres choses propres au désert d'où émane un parfum lorsque tombent sur elles des gouttes de pluie. Mais cette fumée avait, d'une certaine façon, une signification cérémonielle.

Chee ne voulait absolument pas s'aliéner le vieil homme. Il aurait fumé des aracées plutôt que de changer sa disposition d'esprit.

Enfin, Sawkatewa se leva. Il posa sa cigarette, tendit ses mains devant lui, les paumes dirigées vers le sol, à peu près au niveau de la taille, et commença à parler. Il parla pendant près de cinq minutes.

– Je ne vais pas tout vous traduire tout de suite, dit Cowboy. Il est remonté jusqu'à l'époque où les Hopis ont émergé dans ce monde-ci par le *sipapuni* et découvert que Masaw en avait reçu la garde. Et il raconte comment Masaw a laissé chacun des différents peuples choisir sa façon de vivre, comment les Navajos ont choisi le long épi du maïs tendre pour avoir une vie facile, et comment les Hopis ont choisi l'épi court et dur de telle sorte qu'ils connaîtraient toujours des temps difficiles mais qu'ils ne s'éteindraient jamais. Ensuite il a raconté comment Masaw a formé chacun des clans, comment le Clan de l'Eau a été formé et comment le Clan du Brouillard s'est séparé du Clan de l'Eau, et tout le reste. Je ne vais pas vous traduire tout ça. Là où il voulait en venir...

– Si vous ne traduisez pas pendant trois ou quatre minutes, il va s'apercevoir que vous trichez, objecta Chee. Allez, traduisez. On n'est pas pressés ?

Cowboy traduisit donc: Chee apprit les migrations vers les limites du continent à l'ouest et vers les limites du continent à l'est, vers la porte glacée de la terre au nord, et vers l'autre limite de la terre au sud. Cowboy lui raconta comment le Clan du Brouillard avait laissé ses empreintes dans toutes les directions sous la forme de maisons troglodytiques à flanc de falaises et de villages de pierres abandonnés, comment il en était venu à faire alliance avec le peuple des animaux, comment le peuple des animaux s'était joint au clan et leur avait enseigné la cérémonie qu'il fallait célébrer pour que les gens puissent conserver leurs cœurs d'animaux en même temps que leurs cœurs d'êtres humains et passer de l'un à l'autre en traversant le cercle magique. Il lui raconta comment le Clan du Brouillard avait fini par atteindre le terme de son grand cycle de migrations et par arriver à Oraibi, et comment il avait demandé au Clan de l'Ours un endroit pour bâtir son village, de la terre pour faire pousser son maïs et des lieux de chasse où il trouverait les aigles dont il avait besoin pour ses cérémonies. Il lui raconta comment le *kikmongwi* d'Oraibi avait d'abord refusé, puis avait accepté quand le clan avait offert d'apporter ses rites Ya Ya à la religion des Hopis. Cowboy s'arrêta et acheva ce qui lui restait de café.

– Je commence à m'enrouer, remarqua-t-il. Et de toute façon c'est à peu près tout. A la fin, il a dit, oui, il existe des lois supérieures à celle de l'homme blanc. Il a dit que la loi de l'homme blanc ne concerne absolument pas les Hopis. Il a dit que pour un Hopi, ou un Navajo, ce n'est pas bon de se laisser entraîner dans les affaires des hommes blancs. Il se dit que même s'il ne croyait pas à tout cela, il faisait nuit lorsque l'avion s'est écrasé. Il a dit qu'il n'y voit pas dans le noir.

– Ce sont ses mots exacts ? Qu'il n'y voit pas dans le noir ?

Cowboy eut l'air surpris.

– Ben, dit-il, voyons. Il a dit qu'est-ce qui vous fait croire qu'il pourrait y voir la nuit ?

Chee réfléchit à la réponse. Les rafales de vent rabattaient la pluie contre la vitre et gémissaient à chaque coin du toit.

– Dites-lui que ce qu'il a dit est juste. Ce n'est pas bon pour un Navajo ou un Hopi de se laisser entraîner dans les affaires des Blancs. Mais dites-lui que cette fois-ci nous n'avons pas le choix. Des Navajos et des Hopis y ont été entraînés. Vous et moi. Et dites-lui que s'il nous dit ce qu'il a vu, nous lui dirons quelque chose qui pourra lui être utile pour préserver le sanctuaire.

– Ah bon ? fit Cowboy. Et quoi ?

– Allez-y, traduisez, insista Chee. Et ajoutez aussi ceci. Ajoutez que je pense qu'il peut y voir la nuit parce que mon oncle m'a appris que c'est l'un des dons que l'on reçoit lorsqu'on traverse le cercle Ya Ya. Comme pour les animaux, les yeux ne connaissent plus le noir.

Cowboy paraissait hésitant :

– Je ne suis pas sûr d'avoir envie de lui dire ça.

– Allez, l'exhorta Chee.

Cowboy traduisit. Chee remarqua que l'albinos écoutait sur le seuil de la pièce et qu'il avait l'air inquiet. Mais Sawkatewa sourit.

Il parla.

– Il demande ce que vous pouvez lui dire. Il veut que vous jouiez cartes sur table.

Il avait gagné ! Chee exultait. Il ne serait plus question de marchandage à partir de maintenant. L'accord avait été atteint.

– Dites-lui que j'ai dit que je sais à quel point il est

facile de casser le moulin. Les boulons se dévissent et il n'y a plus qu'à renverser le moulin, après quoi il faut très longtemps pour réparer les dégâts. La deuxième fois aussi cela a été facile. Une barre de fer coincée dans le système d'engrenages. La troisième fois cela n'a pas été trop dur. On tord le cylindre de la gaine de pompe et elle se détruit toute seule. Mais maintenant on ne peut plus enlever les boulons, la boîte d'engrenages est protégée et bientôt la gaine de pompe le sera elle aussi. La prochaine fois cela va être très difficile d'abîmer le moulin. Demandez-lui si ce n'est pas vrai ?

Cowboy traduisit. Taylor Sawkatewa se contenta de regarder fixement Chee en attendant ce qu'il allait ajouter.

– Si j'étais le gardien du sanctuaire, reprit Chee, ou si j'avais une dette à régler envers le gardien du sanctuaire, comme ce sera le cas lorsqu'il m'aura dit ce qu'il a vu quand l'avion s'est écrasé, j'achèterais un sac de ciment. J'amènerais le sac de ciment jusqu'au moulin et je le laisserais là de même qu'un sac rempli de sable, un baquet plein d'eau et un petit entonnoir en plastique. Si j'étais l'homme qui avait une dette à régler, je laisserais le tout sur place et je m'en irais. Et si j'étais le gardien du sanctuaire, je mélangerais le ciment, le sable et l'eau pour obetnir une pâte un peu moins épaisse que celle que l'on fabrique pour le pain *piki* et j'en verserais un petit peu à l'aide de l'entonnoir dans le puits du moulin, puis j'attendrais quelques minutes que ça sèche, après quoi j'en verserais encore un peu, et je ferais la même chose jusqu'à ce que tout le ciment soit dans le puits et que celui-ci soit scellé et aussi dur que le roc.

Le visage de Cowboy trahissait l'incrédulité.

– Je vais pas lui raconter ça, protesta-t-il.

– Pourquoi pas ?

Sawkatewa dit quelque chose en Hopi. Cowboy lui répondit de manière très brève.

– Il a compris en partie, dit-il à Chee. Pourquoi pas ? Parce que, bon Dieu, réfléchissez une minute.

– Qui le saura à part nous ? demanda Chee. Il vous plaît, ce moulin ?

Cowboy haussa les épaules.

– Alors traduisez-lui.

Cowboy s'exécuta. Sawkatewa l'écouta avec beaucoup d'attention sans quitter Chee des yeux.

Puis il prononça trois mots.

– Il veut savoir quand.

– Dites-lui que je veux acheter le ciment loin de la réserve : peut-être à Cameron ou à Flagstaff. Dites-lui que tout sera au moulin dans deux nuits.

Cowboy transmit le message. Les mains du vieil homme redécouvrirent la laine, le fuseau et le carton de bière, et reprirent leur travail. Cowboy et Chee attendirent. Le vieil homme ne parla pas avant d'avoir rempli le fuseau. Puis il parla longuement.

– Il a dit qu'il est exact qu'il y voit très bien dans le noir, mais pas aussi bien que quand il était jeune. Il a dit qu'il a entendu une voiture remonter Wepo Wash et qu'il est descendu pour voir ce qui se passait. Quand il est arrivé il y avait un homme qui installait une rangée de lanternes sur le sable, tandis qu'un autre le tenait en joue avec une arme. Quand ça a été terminé, celui qui avait disposé les lanternes s'est assis à côté de la voiture et l'autre est resté debout, l'arme toujours braquée.

Cowboy s'arrêta soudain, posa une question et obtint sa réponse.

– C'était une arme de petite taille, dit-il. Un pistolet. Un peu après, un avion les a survolés, très bas au-dessus du sol, et celui qui était par terre s'est levé et a actionné une lampe-torche. Presque aussitôt l'avion est revenu. Le type a de nouveau actionné sa torche, et puis (juste après que l'avion se soit écrasé), l'homme au pistolet a abattu celui qui avait la torche. L'avion a percuté le rocher. L'homme au pistolet a ramassé la torche et est allé voir de plus près du côté de l'avion. Puis il s'est éloigné, il a ramassé toutes les lanternes sauf une et les a mises dans la voiture. Celle-là, il l'a laissée sur le rocher pour pouvoir y voir quelque chose. Après il a commencé à sortir des choses de l'avion. Puis il a appuyé le corps du type qu'il avait tué contre le rocher, il est monté dans sa voiture et il a démarré. Ensuite, Sawkatewa dit qu'il s'est approché de l'avion pour jeter un coup d'œil mais qu'il vous a entendu arriver en courant alors il est parti.

– Qu'est-ce que le type a retiré de l'avion ?

Cowboy transmit la question. Sawkatewa dessina avec ses mains une forme qui pouvait avoir soixante-quinze centimètres de long et cinquante de haut, et fournit une description de l'objet en langue hopi en l'agrémentant de quelques mots anglais. Chee reconnut « aluminium » et « valise ».

– Il a dit qu'il y avait deux trucs qui ressemblaient à des valises en aluminium. A peu près grands comme ça (Cowboy traça les contours d'une valise en aluminium avec ses mains), et hauts comme ça.

– Il n'a pas dit ce que l'homme en a fait, observa Chee. Il les a mises dans la voiture, je suppose.

Cowboy posa la question.

Sawkatewa secoua la tête en signe de dénégation. Il parla. Cowboy eut l'air surpris.

– Il dit qu'il ne croit pas qu'il les ait mises dans la voiture.

– Il n'a pas mis les valises dans la voiture ? Alors qu'est-ce qu'il a bien pu en fiche ?

Sawkatewa parla à nouveau sans attendre la traduction.

– Il dit qu'il a disparu dans l'ombre en les emportant. Il est juste parti un petit moment. Dans l'ombre, là où lui il pouvait rien voir.

– Ça représente combien un petit moment ? Trois minutes ? Cinq ? Ça n'a pas pu être très long. Je suis arrivé sur place environ vingt minutes après que l'avion ait percuté le rocher.

Cowboy transmit la question. Sawkatewa haussa les épaules. Réfléchit. Dit quelque chose.

173

– A peu près le temps que ça prend pour faire cuire un œuf dur. Voilà ce qu'il dit.

– Comment était l'homme ?

Sawkatewa n'avait pas été suffisamment près pour bien le distinguer compte tenu du peu de lumière. Il n'avait vu que silhouette et mouvements.

Au dehors, la pluie s'était maintenant éloignée. Poussée par le vent en direction de l'est. Ils pouvaient l'entendre gronder ses menaces et ses promesses là-bas au-dessus de Black Mesa. Mais l'eau s'égouttait des pierres du village, des petits ruisseaux boueux couraient ici et là sur le chemin en pierre, et les rochers avaient des reflets humides dans les phares de la voiture de Cowboy. Un peu plus de cinquante centimètres peut-être, évalua Chee. Une belle averse, mais pas une vraie pluie. Suffisante pour humidifier la terre, pour tout laver et pour aider un peu. Plus important surtout, il fallait une première averse avant que la saison des pluies ne puisse vraiment commencer.

– Vous croyez qu'il sait ce qu'il dit ? demanda Cowboy. Vous croyez que ce type a pas mis la drogue dans sa bagnole ?

– Je crois qu'il nous a dit ce qu'il a vu.

– Ça tient pas debout, protesta Cowboy en rattrapant la voiture qui partait en dérapage sur la piste glissante. Vous allez vraiment le lui amener ce ciment pour qu'il puisse obstruer le puits ?

– Je refuse de répondre dans la mesure où cela pourrait être utilisé contre moi.

– Ah, merde, fit Cowboy. Je vois pas à quoi ça pourrait m'avancer. Vous avez tellement bien réussi à m'embarquer dans toute cette histoire qu'il me reste plus qu'à faire comme si j'avais jamais entendu parler de rien.

– Je ferai la même chose, dit Chee.

– S'il les a pas embarquées dans sa bagnole, ces valises, comment il a bien pu fiche pour les emporter ?

– Je ne sais pas, dit Chee. Peut-être qu'il ne les a pas emportées.

22

Chee avait remarqué les traces dès qu'il avait quitté la route goudronnée pour s'engager sur la piste de terre qui conduisait au Comptoir d'Echanges de Burnt Water et s'enfonçait vers le nord-est en remontant Wepo Wash. Les traces signifiaient seulement que quelqu'un s'était levé encore plus tôt que lui. Elles signifiaient qu'un véhicule était passé par là depuis l'averse de la veille. Ce ne fut que lorsqu'il remarqua les marques de pneus sur le sable humide du lit du wash qu'il devint intéressé. Il arrêta son pick-up truck et en descendit pour y regarder de plus près. C'étaient des pneus presque neufs dont les empreintes étaient communes aux voitures particulières de grosse taille et aux pick-up trucks. Chee les inscrivit dans sa mémoire, plus par habitude qu'avec une intention bien précise : le réflexe symptomatique d'une manière de vivre dans laquelle la mémoire tenait un grand rôle. Peut-être le shérif adjoint Dashee avait-il décidé de venir par ici ce matin, mais les pneus de Dashee étaient des Goodyear, et c'étaient des Firestone qui avaient laissé ces empreintes. Qui pouvait bien remonter Wepo Wash à l'aube ? Où pouvaient-ils aller sinon à l'endroit où s'était produit l'accident ? Doigts-de-Fer qui retournait sur les lieux de son crime ? Chee repartit à vitesse réduite, les yeux grands ouverts, maintenant le bruit de son moteur aussi bas que possible. Aussitôt que la lumière matinale le lui permit, il coupa ses phares. A deux reprises il s'arrêta pour écouter. Il n'entendit que les oiseaux du matin qui s'activaient pour leur première journée d'après orage. Il s'arrêta à nouveau à l'endroit où un arroyo qui partait sur le côté offrait la route de sortie permettant de rejoindre la piste menant à son moulin. Les traces de pneus toutes fraîches continuaient à remonter le wash. Chee obliqua vers la droite et s'engagea dans l'arroyo. Il avait une excellente raison officielle pour aller voir le moulin. On l'avait prévenu de ne pas s'approcher de l'avion.

Un vol de corneilles avait investi l'endroit et, sur le moulin, penchée sur l'ailette stationnaire du gouvernail de direction, la sentinelle croassa son signal de danger éraillé à l'approche du véhicule. Chee se gara, plus ou moins hors de vue, derrière le réservoir d'eau, et se dirigea directement vers le sanctuaire. La terre aride avait pratiquement bu toute l'eau, mais l'averse avait été suffisamment violente pour entraîner un écoulement sur deux ou trois centimètres de profondeur au fond de l'arroyo, le nettoyant entièrement. Il n'y avait aucune trace fraîche.

Il prit son temps, faisant fréquemment halte pour tendre l'oreille. Il se trouvait près de l'endroit où l'arroyo se jetait dans Wepo Wash quand il repéra les premières traces de pas. Il les étudia. Quelqu'un avait remonté l'arroyo sur à peu près cent cinquante mètres puis avait fait demi-tour. L'embouchure de l'arroyo était à quatre cents mètres environ en amont du lieu de l'accident. Chee se dissimula derrière les épais buissons qui se plaisaient là. Une Chevrolet Blazer de couleur blanche était garée à côté de l'épave. Deux hommes étaient visibles. Chee reconnut Collins, le blond qui lui avait passé les menottes dans sa maison mobile, mais l'autre homme ne lui était que vaguement connu. Solidement bâti, il approchait de la quarantaine et cela se voyait, il portait une chemise et un pantalon kaki ainsi qu'une casquette à grande visière. Collins et lui se tenaient à une cinquantaine de mètres l'un de l'autre. Ils étaient occupés à passer au crible la rive opposée du Wash, fourrageant dans les buissons et inspectant les anfractuosités. Collins travaillait d'amont en aval et s'éloignait de l'endroit où se tenait Chee. Le deuxième homme progressait vers l'amont en direction de Chee. Où l'avait-il déjà vu ? Il avait l'impression que c'était récent, ou assez récent. Probablement un agent fédéral de plus, venu d'ici ou d'ailleurs. Tandis qu'il réfléchissait à la question, Chee entendit un bruit de pas sur le sable.

Il se baissa derrière son buisson, s'accroupissant pour

être encore moins visible. Dans cette position, il ne put que partiellement distinguer l'homme qui passa au ras de l'embouchure de l'arroyo. Mais il en vit suffisamment pour reconnaître Johnson qui s'avançait lentement, un bâton à la main.

Johnson s'arrêta. Chee ne pouvait voir que le haut de son torse, mais étant donné la façon dont ses hanches pivotèrent, il lui donna l'impression qu'il regardait du côté de l'arroyo. Chee se raidit. Il retint son souffle. Puis Johnson se détourna.

– Trouvé quelque chose ?

Chee n'entendit qu'une seule réponse. Une voix, qui pouvait être celle de Collins, qui criait « Rien ».

Les jambes de Johnson disparurent rapidement à sa vue.

Chee, prudemment, recula jusqu'à l'embouchure de l'arroyo. Tant qu'il n'aurait pas réussi à localiser Johnson, celui-ci pouvait être n'importe où. Il entendit la voix de l'agent de la DEA à la hauteur du lieu de l'accident et respira mieux. Il voyait maintenant les trois hommes, debout sous l'aile dressée vers le ciel, apparemment occupés à discuter. Puis ils grimpèrent dans leur voiture, Johnson au volant. La voiture effectua un large demi-tour tandis que ses roues patinaient sur le sable humide, puis elle s'éloigna dans un rugissement de moteur. S'ils avaient trouvé des valises en aluminium, ils ne les avaient pas chargées dans la Blazer.

Chee consacra un quart d'heure à s'assurer qu'il savait où et comment Johnson et compagnie avaient cherché. L'eau qui s'était écoulée la veille dans Wepo Wash n'avait pas été très profonde mais elle avait complètement nettoyé le sable. Chaque marque faite ce matin était aussi visible qu'une trace de craie sur un tableau noir tout propre. Johnson et compagnie avaient soigneusement inspecté les deux parois bordant le wash, en aval et en amont, ainsi que les alentours de la masse basaltique. Ils avaient fouillé sous les buissons, déplacé les branchages, examiné les anfractuosités. Nul endroit où aurait pu être

177

dissimulée une valise de taille moyenne n'avait été oublié.

Chee s'assit sous l'aile et rumina ses pensées. Dans le sillage de l'averse, l'air de la matinée était imprégné d'humidité, et des nappes de brouillard continuaient à s'évaporer sur les pentes les plus hautes de Big Mountain. Quelques fumerolles de nuages blancs signalaient déjà qu'il pourrait y avoir un nouvel après-midi d'orage. Il sortit son carnet de sa poche et relut les notes qu'il y avait inscrites le jour précédent. Dans la rubrique qu'il avait intitulée « Dashee », il ajouta une remarque supplémentaire : « Johnson apprend immédiatement ce que le vieil Hopi nous a dit. Comment ? »

Il relut la question. Quand Cowboy était arrivé à Flagstaff il avait rédigé un rapport dactylographié, tout comme Chee l'avait fait à Tuba City. Johnson de toute évidence avait appris l'existence des valises au cours de la nuit. Par Dashee ? Par la personne qui était de service de nuit au bureau du shérif ?

Chee referma le carnet et marmonna une imprécation navajo. Quelle différence cela pouvait-il faire ? Il ne soupçonnait pas réellement Cowboy. Ses réflexions partaient toutes dans la mauvaise direction. « Toute chose possède une direction qui lui est propre », lui aurait dit son oncle. « Tu dois t'y prendre *comme le soleil*. Aller de l'est vers le sud, puis vers l'ouest, pour finalement revenir par le nord. C'est ainsi que le soleil se déplace. C'est ainsi que tu te tournes quand tu rentres dans un hogan, c'est ainsi que tout fonctionne. C'est ainsi que tu dois réfléchir. » Et que diable pouvaient bien signifier les abstractions navajo de son oncle appliquées au cas présent ? Elles signifiaient, se dit Chee, que tu devrais partir du début et avancer progressivement jusqu'à la fin.

Bon, alors, où était le début ? Des gens au Mexique avec de la cocaïne. Des gens aux Etats-Unis qui voulaient l'acheter. Et quelqu'un qui travaillait pour un groupe ou pour l'autre, qui connaissait un bon endroit bien dissimulé pour faire atterrir un avion . Joseph Musket ou le jeune West, ou peut-être même tous les deux plus le père West. Musket est libéré de prison, il arrive à Burnt Water et il prépare l'atterrissage.

Chee marqua un temps d'arrêt pour mettre de l'ordre dans tout cela.

Alors la DEA a vent de quelque chose. Johnson va voir West dans sa prison, le menace, s'arrange pour le faire tuer.

Chee marqua un nouveau temps d'arrêt, sortit son carnet de sa poche, l'ouvrit à la bonne page et y griffonna : « Johnson s'arrange pour faire tuer West ? Si oui, pourquoi ? »

Et puis, deux jours plus tard, John Doe est tué sur Black Mesa, peut-être par Musket. Mais peut-être Doigts-de-Fer est-il un sorcier. Ou peut-être qu'il n'y a absolument aucun lien entre Doe et tout le reste. Peut-être ne s'agit-il là que d'un événement isolé, peut-être n'a-t-il été qu'une victime accidentelle des forces du mal. Peut-être. Chee en doutait. Rien dans son conditionnement de Navajo ne le préparait à accepter tranquillement que les coïncidences se produisent parfois.

Il passa sur John Doe, laissant tout ce qui le concernait sans solution, et en arriva à la nuit de l'accident. Il devait y avoir trois hommes dans la GMC quand elle était arrivée. L'un d'eux devait être déjà mort ; un cadavre déjà assis sur le siège arrière, et l'autre sans doute prisonnier tenu en respect par une arme à feu. Par Doigts-de-Fer ? Deux hommes venus d'ailleurs qui sont là pour surveiller la livraison de la cocaïne. Qui rencontrent Musket afin qu'il les guide jusqu'au lieu d'atterrissage. Musket qui en tue un, qui garde l'autre vivant. Pourquoi ? Parce que cet homme était le seul à savoir comment signaler au pilote qu'il pouvait atterrir sans danger. Ce devait être la raison. Et une fois que le signal est donné, il le tue. Pourquoi Doigts-de-Fer aurait-il laissé un corps et caché l'autre ? Pour donner aux propriétaires de la drogue une impression trompeuse sur l'identité du voleur ? C'était possible. Chee réfléchit un moment. Cette histoire de corps l'avait travaillé depuis le début et ce n'était pas fini.

Musket, ou le conducteur, quel que soit son nom, avait dû prévoir de l'enterrer à un moment où à un autre. Sinon à quoi aurait servi une pelle ? Mais pourquoi l'enterrer quand il était plus facile de l'emmener au fond d'un arroyo et de l'abandonner aux prédateurs ?

Chee se leva, sortit son canif dont il ouvrit la lame la plus longue. Il s'en servit pour tester le lit du wash près de l'endroit où il s'était assis. La lame s'enfonça facilement dans le sable mouillé. Mais cinq centimètres en-dessous de la surface, la terre était compacte. Il regarda autour de lui. Le soulèvement de basalte constituait une barrière autour de laquelle tournoyaient les eaux de ruissellement. Là, le fond devait être irrégulier. En certains endroits le courant devait raviner en profondeur après les pluies violentes, après quoi les trous devaient être comblés par les alluvions dues à l'écoulement plus lent des eaux après les orages de moindre importance. Chee sortit du wash et se dépêcha de retourner vers son pick-up truck qui était demeuré au moulin. De derrière le siège du conducteur il extirpa la manivelle du cric, une longue barre d'acier coudée destinée à augmenter la force du bras de levier exercée à l'extrémité servant à coiffer les boulons de roue, et aplatie en une lame étroite à l'autre extrémité afin de pouvoir aisément faire sauter les enjoliveurs. Il reprit la direction du wash en l'emportant avec lui.

Il ne lui fallut pas plus de quelques minutes pour trouver ce qu'il cherchait. La cachette ne pouvait être que derrière le bloc de basalte puisque le vieux Taylor Sawkatewa leur avait dit que l'homme qui avait déchargé les valises les avait emmenées là où lui ne pouvait rien voir dans une zone d'ombre. Chee n'enfonça pas plus de vingt fois son outil dans le sable mouillé avant de rencontrer l'aluminium.

Il y eut le bruit mat de l'acier entrant en contact avec le métal peu épais de la valise. Chee sonda à nouveau le sol, le sonda encore et trouva la seconde valise. Il se mit à genoux et creusa le sable avec ses mains. Les valises étaient enterrées verticalement, côté à côte, et leurs poignées n'étaient pas à plus de quinze centimètres de profondeur.

Il reboucha précautionneusement les petits trous qu'avait fait sa manivelle de cric, remit en place le sable qu'il avait creusé avec ses mains, le tassa pour lui donner la fermeté voulue, puis il s'empara de son mouchoir et effaça les traces qu'il avait laissées à la surface du sol. Après cela, il marcha sur la cachette : le sable n'était en rien différent de celui qu'il n'avait pas creusé. Enfin, il passa presque une heure à se fabriquer un petit balai avec des touffes d'herbe-aux-lapins et à effacer précautionneusement les traces laissées par Jimmy Chee dans le fond de Wepo Wash. Si jamais quelqu'un suivait ses traces, il découvrirait seulement qu'il avait suivi le lit de l'arroyo jusqu'au wash puis qu'il était remonté au moulin. Et qu'il était parti.

23

La radiotélégraphiste appela Chee au moment où il quittait la route Burnt Water-Wepo Wash pour s'engager sur la chaussée goudronnée de la Navajo 3. Elle avait un renseignement qui venait de la Police Mobile d'Arizona. L'une de leurs voitures de patrouille avait repéré Priscilla Bisti et ses fils en train de charger six caisses de vin dans son pick-up truck à Winslow dans la màtinée. Les policiers avaient ensuite vu Mme Bisti prendre l'Arizona 58 vers le nord en direction de la Réserve Navajo.

– A quelle heure ?

– Vers dix heures quatorze, répondit la radiotélégraphiste.

– Autre chose ?

– Non.

– Est-ce que vous pouvez aller voir sur mon bureau si on m'a laissé des messages par téléphone ?

– Je n'ai pas le droit, répondit-elle.

Elle s'appelait Shirley Topaha. Sirley Topaha avait achevé depuis deux ans ses études à l'école secondaire de Tuba City où elle avait été cheerleader [1] pour les Tigres de Tuba City. Elle avait de jolis yeux, des dents très blanches, une peau parfaite et des formes généreuses. Chee avait noté tout cela, de même que la tendance qu'elle avait à flirter avec les policiers, visiteurs, prisonniers, etc., à l'unique condition qu'ils soient de sexe masculin.

– Le capitaine n'en saura rien, insista Chee. Cela pourrait me faire gagner beaucoup de temps. Ce serait vraiment très gentil de votre part.

– Je vous rappelle dans un instant, répondit-elle.

Ce qu'elle fit à peu près cinq minutes plus tard. Elle le fit à peu près deux minutes après que Chee eut bifurqué vers l'ouest dans la direction de Moenkopi et de Tuba City. Ce qui était bien dommage parce que cela voulait dire qu'il lui fallait s'arrêter et faire demi-tour.

– Deux messages, lui signala Shirley. L'un dit s'appeler Johnson, du Service de Répression du Trafic des Stupéfiants, et il y a le numéro que voici à Flagstaff. (Elle lui donna le numéro.) Et l'autre dit de bien vouloir appeler Mlle Pauling au Motel Hopi.

– Merci, Shirley.

– Terminé, répondit-elle.

L'homme qui se trouvait derrière le bureau de la réception au motel du Centre Culturel Hopi laissa sonner le téléphone à cinq reprises dans la chambre de Mlle Pauling, puis déclara qu'elle n'était pas là. Chee alla regarder dans la salle à manger du motel. Elle était assise à une table d'angle, devant une tasse de café, et était plongée dans un exemplaire de la *Gazette* de Phoenix.

---

(1) Cheerleader : personne chargée d'entretenir, par la voix et le geste, l'enthousiasme des supporters d'une équipe sportive.

– Vous m'avez laissé un message, lui dit Chee. Est-ce que Gaines est revenu ?

– Oui, répondit-elle. Asseyez-vous. Savez-vous comment faire pour mettre un téléphone sur écoute ?

Elle avait l'air nerveuse, toute excitée.

– Mettre un téléphone sur écoute ? répéta Chee en s'asseyant. Qu'est-ce qui se passe ?

– Il y a eu un message pour Gaines, expliqua-t-elle. Quelqu'un l'a rappelé. Ils ont dit qu'ils allaient le rappeler à quatre heures et que s'il était prêt à discuter, il fallait qu'il soit dans sa chambre à cette heure-là.

– Le réceptionniste vous a montré le message ?

– Bien sûr, dit-elle. C'était lui qui tenait la réception quand nous sommes arrivés ensemble et nous avons des chambres contiguës. Mais nous n'avons pas beaucoup de temps devant nous. (Elle jeta un coup d'œil à sa montre.) Moins d'une demi-heure. Est-ce qu'on peut mettre son téléphone sur écoute ?

– Mlle Pauling, objecta Chee. Nous sommes sur Deuxième Mesa, en Arizona. J'ignore comment on fait pour mettre un téléphone sur écoute.

– Je pense que c'est facile.

– Ça a l'air facile à la télévision. Mais il faut avoir un certain matériel. Et il faut savoir comment s'y prendre.

– Vous pourriez appeler quelqu'un ?

– S'il faut brancher un téléphone sur écoute, pas en moins de trois jours minimum. Dans la Police Navajo, cela n'entre pas dans nos méthodes de travail. Si vous appelez le FBI à Phoenix, ils sauront comment faire, mais ils ne peuvent rien faire sans mandat.

Sans compter, pensa Chee, qu'il y a Johnson de la DEA qui ne s'embarrasserait pas d'un mandat et qui avait probablement le matériel nécessaire dans sa poche revolver. Il se demanda pourquoi Johnson voulait qu'il le rappelle. En tout cas, c'était un coup de téléphone qu'il n'avait pas l'intention de donner.

Mlle Pauling avait l'air découragée. Elle mordillait sa lèvre inférieure.

– Et si on collait simplement l'oreille à la cloison ? proposa Chee. Où est-ce qu'ils les mettent les téléphones ? Vous pourriez entendre dans la chambre d'à côté en étant dans la vôtre ?

Elle considéra cette solution.

– J'en doute, répondit-elle. Même s'il parlait fort.

Chee consulta sa montre. Il était quinze heures trente-trois. Dans vingt-sept minutes, à peu de choses près, Doigts-de-Fer allait appeler Ben Gaines afin de discuter des modalités pour réaliser l'échange de deux valises d'aluminium remplies de cocaïne contre... contre quoi ? Probablement une énorme somme d'argent. Quelle que soit la marchandise d'échange, il faudrait bien que Musket indique l'endroit et l'heure. Chee regretta avec ferveur de ne pas avoir à sa disposition les écouteurs et les pinces de raccordement, enfin, ce qui était nécessaire pour pouvoir espionner un appel téléphonique.

– Est-ce qu'on pourrait dire au gars qui se trouve au standard que quand le coup de téléphone arrivera, Gaines sera dans votre chambre ? Qu'il le passe sur votre téléphone ?

– Ça ne marcherait pas.

A peine l'avait-il suggéré que Chee s'était rendu compte que cela ne marcherait pas.

– Non, à moins que je puisse imiter la voix de Gaines, dit-il.

Elle secoua la tête.

– Vous n'y arriveriez pas.

– Sans doute, reconnut Chee qui se mit à réfléchir.

– A quoi pensez-vous ? s'enquit-elle. A quelque chose qui peut nous aider ?

– Non. Je me disais que ce serait bien si nous pouvions nous glisser derrière ce standard téléphonique et arriver à pratiquer une épissure sur les fils.

Il rejeta cette idée en haussant les épaules.

– Non, acquiesça Mlle Pauling. Je crois qu'il s'agit d'un standard GTE. Il faut des outils.

Chee la regarda avec surprise :

– Un standard GTE ?

– Je crois bien. Il ressemble à celui que nous avions au lycée.

– Vous vous y connaissez en standards téléphoniques ?

– J'en ai fait marcher un. Pendant presque un an. J'ai aussi fait de l'archivage et plein d'autres choses.

– Vous pourriez faire marcher celui-là ?

– C'est à la portée de n'importe qui. A condition d'être assez intelligent pour savoir mettre un pied devant l'autre. (Elle rit.) On peut dire que ce n'est pas un travail exigeant une formation particulière. Trois minutes d'instruction et...

Elle n'acheva pas sa phrase.

– Et le standardiste peut suivre les conversations ?

– Bien sûr, dit-elle.

Elle fronça les sourcils en le regardant, et ajouta :

– Mais il ne faut pas s'imaginer qu'ils vont...

– Combien de temps nous reste-t-il ? Je vais faire une manœuvre de diversion pour attirer ce Hopi hors du motel et vous, vous vous occupez de l'appel.

Par la suite, plusieurs possibilités vinrent à l'esprit de Chee, qui valaient toutes mieux que d'allumer un incendie. Moins éclatantes, moins risquées, et aboutissant au même résultat. Mais sur le moment il n'avait qu'environ vingt minutes devant lui. La seule idée positive qui lui vint fut celle du feu.

Il tendit un billet de dix dollars à Mlle Pauling.

– Réglez votre note, lui dit-il. Tenez-vous à proximité du standard. Deux ou trois minutes avant quatre heures, j'arriverai en courant et j'attirerai le préposé dehors.

Le matériau dont il avait besoin se trouvait exactement à l'endroit où il se souvenait l'avoir vu. Un gros tas d'herbes [1] qui avaient été arrachées et poussées par le

---

(1) Tumbleweeds (cf. Végétation dans le glossaire).

vent se trouvaient dans un recoin situé derrière le musée du Centre Culturel. Chee inspecta le tas avec appréhension. Il était un peu mouillé à cause de l'orage de la veille au soir, mais (comme il s'agissait de ce genre d'herbes), mouillé ou pas, il allait brûler avec des flammes d'un rouge ardent. Et le tas était légèrement plus important qu'il n'en avait le souvenir. Il jeta un regard inquiet alentour. Les herbes étaient entassées dans l'angle existant à la jointure de deux des murs en aggloméré de béton qui constituaient l'arrière du musée, et était opportunément hors de vue. Il espéra que personne ne l'avait vu. Il se représentant les titres des journaux : INCENDIE HOPI : POLICIER NAVAJO ARRETE. POLICIER PYROMANE EMBRASE CENTRE CULTUREL. Il se représenta en train d'expliquer cela au capitaine Largo. Mais il n'avait pas le temps d'y penser. Un rapide regard alentour et il gratta une allumette. Il la tint tout près du sol, sous la masse grise épineuse constituée pa les tiges. Ces herbes qui s'enflammaient toujours d'un seul coup, prirent à peine, le feu s'éteignit, couva, reprit, couva, reprit, couva. Chee gratta une autre allumette, essaya un endroit plus sec, jeta nerveusement un coup d'œil à sa montre. Moins de six minutes. Les herbes prirent : les flammes montèrent, produisant une chaleur soudaine et une épaisse fumée blanche. Chee recula, agita énergiquement son chapeau d'uniforme pour attiser le feu. (Si quelqu'un me regarde faire en ce moment, je ne sortirai jamais de prison.) Le feu crépitait maintenant, entraînant la réaction en chaîne de la chaleur. Chapeau à la main, Chee se précipita vers la réception du motel.

Il franchit le seuil en courant, atteignit le bureau de la réception. L'employé, un jeune homme, parlait avec une femme hopi plus âgée que lui.

– Désolé de vous interrompre, dit Chee ; mais il y a quelque chose qui brûle là dehors !

Les Hopis se tournèrent poliment vers lui.

– Quelque chose qui brûle ? demanda l'employé.

– Qui brûle, oui, répéta Chee avec conviction. Il y a de la fumée qui monte au-dessus du doit. Je crois que le bâtiment est en train de brûler.

– En train de brûler ! s'écria le Hopi.

Il contourna son bureau à toutes jambes. Mlle Pauling se tenait à l'entrée de la cafétéria et suivait ce qui se passait, prête à intervenir.

Le feu dévorait rageusement les herbes quand ils atteignirent l'angle du mur. L'employé apprécia la situation d'un seul regard.

– Essayez d'écarter ça du mur, cria-t-il à Chee. Je vais chercher de l'eau.

Chee jeta un coup d'œil à sa montre. Quatre heures moins trois. L'aurait-il allumé trop tôt ? Il écrasa les herbes sous ses bottes, écartant d'un coup de pied une partie du tas encore épargné afin de retarder la progression des flammes. Puis le Hopi revint, ramenant deux seaux d'eau et deux compagnons. Les herbes flambaient maintenant avec cette intense chaleur résineuse commune aux plantes du désert. Chee combattait désormais le feu sans arrière-pensée, respirait la fumée âcre à pleins poumons, toussait, les yeux remplis de larmes. En un temps qui sembla ne pas excéder la minute, tout fut terminé. L'employé jetait un dernier seau d'eau sur le dernier endroit qui continuait à fumer. L'un des hommes qui leur avait prêté maint forte examinait les endroits de son jean où les flammèches avaient fait des trous. Chee, qui pleurait, se frotta les yeux.

– Je me demande ce qui a pu déclencher ça, dit-il. On ne croirait pas que ces trucs pourraient brûler comme ça après la pluie qu'il y a eu.

– Saloperies d'herbes, renchérit le Hopi. Je me le demande bien, ce qui a pu déclencher ça.

Ses yeux étaient fixés sur Chee. Celui-ci crut détecter un soupçon naissant.

– Peut-être une cigarette, dit-il.

Il se mit à fouiller avec son pied dans le tas calciné. Le feu avait duré un peu plus longtemps qu'il ne lui avait semblé. Il était quatre heures quatre.

– Ça a noirci le mur, dit le Hopi en l'inspectant de près. Va falloir le repeindre.

Il se détourna pour retourner vers le motel.

– Il faudrait que quelqu'un vérifie le toit, dit Chee. Les flammes dépassaient le parapet.

Le Hopi s'arrêta et regarda en direction du toit en terrasse. Il avait l'air sceptique.

– Y a pas de fumée, dit-il. Ça va. Ce toit-là il doit encore être mouillé.

– Je crois bien que j'ai vu de la fumée, insista Chee. Ça serait affreux si ce toit goudronné prenait feu. Est-ce qu'il y a un moyen de monter là-haut ?

– Je suppose que je ferais mieux de vérifier, acquiesça l'employé.

Il s'éloigna à grands pas dans la direction opposée. Pour aller chercher une échelle, se dit Chee. Il espéra que l'échelle était très, très loin.

M\ue Pauling, avec une précipitation craintive, sortait de derrière le comptoir quand Chee poussa la porte. Elle avait l'air dans tous ses états.

Chee l'emmena sans perdre une seconde jusqu'à sa voiture de police. L'employé se dépêchait de traverser le patio en ramenant une échelle en aluminium.

– Il a appelé ?

Elle acquiesça de la tête, toujours incapable de parler.

– Quelqu'un vous a vue ?

– Deux clients seulement. Ils voulaient payer leur repas. Je leur ai dit qu'ils n'avaient qu'à laisser l'argent sur le comptoir. Ça va ?

– Moi, ça me va, oui.

Il lui tint la portière puis monta dans la voiture du côté du conducteur. Ils ne parlèrent ni l'un ni l'autre jusqu'à ce qu'il eût quitté le parking et qu'il se fût engagé sur la route.

Alors M\ue Pauling se mit à rire.

– C'est drôle quand même, remarqua-t-elle. A part quand j'étais gamine, je n'avais jamais ressenti une peur pareille.

188

– Oui, c'est drôle. Moi aussi je suis encore sous le coup.

Elle rit à nouveau puis déclara :

– Je crois que ce qui fait peur c'est la situation extrêmement embarrassante dans laquelle on risque de se retrouver. Qu'est-ce qu'on va raconter si le gars revient et qu'il vous trouve là derrière son comptoir en train de jouer à la standardiste ?

– Exactement, renchérit Chee. Qu'est-ce qu'on va dire s'il dit : « Hé, vous là, qu'est-ce qui vous prend de mettre le feu à mon centre culturel ? »

Mlle Pauling parvint à se contrôler.

– Mais le coup de téléphone a bien eu lieu, dit-elle.

– Il a dû être court.

– Dieu merci, s'exclama-t-elle avec ferveur.

– Qu'avez-vous appris ?

– C'était un homme. Il a demandé Gaines, et Gaines a décroché à la première sonnerie ; l'autre lui a demandé s'il voulait récupérer les valises et...

– Il a dit les valises ?

– Les valises, oui, confirma-t-elle. Et Gaines a dit oui, ils les voulaient, alors l'autre lui a dit que ça pouvait s'arranger. Et après il a dit que ça leur coûterait cinq cent mille dollars, qu'il faudrait que ce soit en coupures de dix et de vingt mais pas avec des numéros qui se suivent, dans deux valises, et il a dit qu'il faudrait que ce soit le Grand Patron en personne qui les amène. Et Gaines a répondu que ça allait poser un problème, alors l'autre a dit ou le Grand Patron ou pas question, et Gaines a dit que ça allait demander du temps. Il a dit que ça allait prendre au moins vingt-quatre heures. Et l'autre a répondu qu'ils allaient en avoir davantage. Il a dit que l'échange aurait lieu à neuf heures du soir dans deux jours à compter de ce soir.

– Vendredi soir, calcula Chee.

– Vendredi soir, confirma-t-elle. Ensuite il lui a dit de se tenir prêt à neuf heures vendredi soir, et il a raccroché.

– Et c'est tout ?

189

– Oh, il a dit qu'il reprendrait contact pour dire à Gaines où la rencontre aurait lieu. Et *ensuite,* il a raccroché.

– Mais il n'a pas précisé le nom de l'endroit ?

– Non.

– Il a dit autre chose ?

– Je vous ai rapporté l'essentiel.

– Il a expliqué pourquoi c'était le grand patron qui devait apporter l'argent ?

– Il a dit qu'il ne faisait confiance à personne d'autre. Il a dit que si le grand patron venait lui-même, personne n'allait prendre le risque de faire le malin.

– Il y a eu des noms de prononcés ?

– Oh, oui, confirma-t-elle. L'autre a appelé Gaines Gaines, et une fois Gaines a dit quelque chose qui ressemblait à « Palanzer ». Il a dit quelque chose comme : « Je ne saisis pas pourquoi vous faites ça, Palanzer. Vous auriez ramassé presque autant. » C'était après que l'autre (Palanzer, je suppose), ait dit qu'il voulait les cinq cent mille dollars.

– Qu'est-ce que l'autre a répondu à ça ?

– Il a ri, c'est tout. Enfin ça ressemblait à un rire. Sa voix m'a paru étouffée pendant toute la conversation... comme s'il parlait avec quelque chose dans la bouche.

– Ou quelque chose devant la bouche.

Chee se tut un instant avant d'ajouter :

– Il a bien spécifié neuf heures du soir ?

Mlle Pauling hocha la tête.

– Il a dit, « Neuf heures du soir exactement. »

Chee quitta la chaussée goudronnée, effectua un demi-tour et reprit la route du motel. Ses vêtements sentaient la fumée.

– Bon, fit Mlle Pauling. Maintenant nous savons qui l'a et quand l'échange va avoir lieu.

– Mais nous ne savons pas où, dit Chee.

Pourquoi étouffer sa voix, s'interrogeait-il. Parce que le correspondant devait être ce bon vieux Doigts-de-Fer, et parce que Doigts-de-Fer voulait que Gaines croie que c'était Palanzer qui l'appelait. Joseph Musket, en dépit des années passées parmi les hommes blancs, n'avait sûrement pas perdu la prononciation gutturale navajo.

– Comment allons-nous faire pour découvrir où cela aura lieu ? demanda-t-elle.

– Ça, ça va demander pas mal de réflexion, répondit Chee.

24

La réflexion ne sembla pas servir à grand-chose. Chee s'endormit ce soir-là en réfléchissant. Le lendemain matin, il se leva et se rendit au bureau de police, toujours plongé dans ses réflexions. Ses seules conclusions étaient qu'il devait être en train de réfléchir dans la mauvaise direction. Il n'y avait pas grand-chose dans son casier intitulé « Messages », à part une note lui signalant que Johnson de la DEA essayait de le joindre, et une copie carbone du rapport sur la réapparition du collier de Burnt Water. Ce dernier ne faisait que répéter ce que Dashee lui avait appris, mais plus en détail.

Une dénommée Edna Nezzie, vingt-trois ans, célibataire, du camp de Femme-Grise Nezzie, au nord de Teec Nos Pos, avait gagé le collier à Mexican Water. Il avait été reconnu grâce à la description laissée au directeur de la poste par la Police Tribale. Subséquemment, la dénommée Nezzie avait répondu au policier chargé de l'enquête, Eddie Begay, que le collier lui avait été donné par un individu qu'elle avait rencontré l'avant-veille à une danse des squaws près de Mexican Water. Elle avait identifié cet individu comme étant un Navajo d'une trentaine d'années qui lui avait dit s'appeler Joseph Musket. Tous deux étaient montés dans un pick-up truck Ford de couleur blanche que Musket conduisait. Là, ils avaient eu des rapports sexuels. Musket avait ensuite donné le collier à la dénommée Nezzie et ils étaient retournés danser. Elle ne l'avait pas revu depuis.

Chee plissa le front en regardant le rapport, essayant de déterminer pourquoi il y avait quelque chose qui clochait. Les yeux toujours fixés sur la feuille, il tendit la main vers le téléphone, appela les renseignements et demanda le numéro du Comptoir d'Echanges de Teec Nos Pos. La sonnerie retentit à cinq reprises avant qu'il n'obtienne une réponse.

Chee se nomma.

— J'ai juste besoin d'un petit renseignement. a quel clan appartient Femme-Grise Nezzie ?

— Nezzie, reprit la voix. Elle est née au Rocher Debout, pour l'Eau Amère.

— Vous êtes sûr ?

— Je suis l'un des gendres de la vieille femme, affirma la voix. Je me suis marié chez eux. Le père est né Eau-Qui-Se-Mêle et Poteaux Nombreux.

— Merci, dit Chee avant de raccrocher.

Il se rappelait comment madame Musket s'était présentée : née au Peuple du Rocher Debout, avait-elle dit, et pour le Clan de la Boue. Par conséquent l'homme qui avait prétendu s'appeler Joseph Musket à la danse des squaws de Mexican Water ne pouvait absolument pas être Joseph Musket. Pour un Navajo, danser avec une femme appartenant au même clan maternel représentait une violation des tabous les plus forts. Et les rapports sexuels qui avaient suivi, à l'intérieur d'un même clan constituaient la forme d'inceste la plus abominable, certaine de causer la maladie, certaine de causer la folie, susceptible d'apporter la mort. S'il s'agissait de Musket, cela pouvait seulement signifier qu'il avait menti à la jeune fille sur le clan auquel il appartenait. Autrement elle n'aurait jamais dansé avec lui, ne l'aurait jamais accompagné dans son véhicule, ne lui aurait pas même adressé la parole si ce n'est pour échanger des politesses. Et aucun Navajo ne se livrerait à une tromperie aussi effroyable.

A moins, se dit Chee, qu'il ne fût sorcier.

Chee laissa un message pour indiquer à Largo où il pouvait le joindre, puis partit pour Cameron. En chemin il se souvint de ce que madame Musket lui avait dit sur le retour de Doigts-de-Fer au hogan, sur son besoin urgent de la cérémonie purificatrice traditionnelle des Navajos, sur l'intention qu'il avait manifestée de revenir au sein du Peuple pour élever des moutons. Une telle attitude était incompatible avec un inceste délibéré : un acte dont tout Navajo imprégné des valeurs traditionnelles savait qu'il mettait en danger la santé du clan tout entier. Chee ramena le problème à deux possibilités. Soit quelqu'un s'était fait passer pour Doigts-de-Fer à la danse des squaws, soit Doigts-de-Fer était un fou. Ou, en d'autres termes, un sorcier.

A Cameron, Chee acheta un sac de ciment sur le chantier de bois de charpente, un baquet à la quincaillerie et un entonnoir en plastique flexible au drugstore. Puis il effectua le long parcours solitaire pour retourner à la Réserve Hopi, sans cesser de réfléchir. Au moulin, il déposa le sac de ciment à côté du mur du puits, plaça l'entonnoir juste à côté et recouvrit les deux avec le baquet, au cas où les nuages de pluie qui recommençaient à s'amasser à l'ouest engendreraient de l'humidité.

Il redescendit Wepo Wash pour se rendre au Comptoir d'Echanges de Burnt Water et se gara à l'ombre du tremble à côté de la jeep rouillée et cabossée de West. Il n'avait encore réussi à trouver qu'une seule et unique idée. Il pouvait surveiller la cachette des valises et coincer Musket au moment où il viendrait les déterrer. Ce n'était pas une très bonne idée. Chee ne pensait pas pouvoir espérer que Musket viendrait chercher les valises. Il y avait bien plus de chances que Doigts-de-Fer empoche son argent avant d'indiquer aux acheteurs l'endroit où ils pouvaient récupérer la marchandise. Chee ne s'intéressait pas aux acheteurs. Officiellement, légalement, et conformément à des ordres spécifiques, il ne s'y intéressait pas. Mais Doigts-de-Fer était de son ressort. Il avait reçu l'ordre de régler l'affaire du cambriolage de Burnt Water. Il avait reçu l'ordre d'éclaircir cette histoire de sorcellerie sur Black Mesa. Doigts-de-fer était la réponse à la première question. Doigts-de-Fer avait peut-être quelques éléments de réponse pour la seconde.

Chee resta assis à son volant. Il regarda les nuages d'orage qui s'amassaient à l'ouest. Il reprit tout depuis le début. Sa conclusion était la même. Musket serait obligé de se rendre au lieu de rendez-vous fixé par lui, quel qu'il soit, afin d'avoir son argent. Il n'y avait guère de chances qu'il aille déterrer les valises. Le lieu de l'accident devait lui paraître dangereux. Musket ne pouvait dire à Gaines qu'à la dernière minute l'endroit où celui-ci devait le rencontrer : sinon, cela pouvait donner aux acheteurs la possibilité de lui tendre un piège. Chee ne parvenait pas à trouver un moyen réalisable lui permettant d'intercepter cette information. Il avait envisagé de déterrer les valises lui-même, de les cacher ailleurs et de laisser un message pour contraindre Musket à venir à lui. Mais ce seraient très certainement les acheteurs qui trouveraient le message et qui viendraient à lui. C'était le genre d'ennuis qu'il n'avait pas l'intention de s'attirer. En fait, c'était le genre d'ennuis qu'il avait constamment eu en tête depuis que Johnson l'avait prévenu que les trafiquants de drogue allaient se lancer à sa recherche. La prédiction de Johnson ne s'était pas avérée exacte... mais pouvait toujours le devenir. Les gens pour lesquels travaillait Gaines pouvaient fort bien deviner que Palanzer avait obligatoirement eu besoin de l'aide de quelqu'un du coin. Chee n'avait absolument aucun moyen de savoir de manière catégorique s'ils connaissaient l'existence de Doigts-de-Fer.

Il sortit son carnet et ré-examina ce qu'il y avait inscrit pendant qu'il attendait Cowboy Dashee. « Où est J. Musket ? » Il garda les yeux fixés sur la question. Puis il passa à la suivante : « Pourquoi le cambriolage ? ». Puis il regarda : « Qui est John Doe ? » Il réfléchit aux dates. Doe était mort le dix juillet, le jeune West était mort le six. Deux semaines plus tard, Musket avait franchi le seuil du comptoir d'échanges pour disparaître (apparemment après être revenu la nuit même pour embarquer un lot de bijoux gagés). Puis, plusieurs semaines plus tard, il avait fait tranquillement cadeau d'un seul et unique objet. Ou quelqu'un en avait fait cadeau en se faisant passer pour lui.

Chee descendit de son véhicule et pénétra dans le comptoir d'échanges. Si West n'était pas occupé, il allait reprendre avec lui cette histoire de cambriolage de A jusqu'à Z.

West était en train de ranger dans une boîte une commande d'articles d'épicerie et de bricoles diverses pour une Navajo d'une quarantaine d'années. Les achats comprenaient un rouleau de cette corde légère et souple que les Navajos utilisent pour attacher les moutons, les chevaux, les chargements à transporter à l'arrière des pick-up trucks ainsi que les innombrables choses qu'il faut attacher. West avait gardé le rouleau de corde pour la fin. Il le laissa tomber dans la boîte, dit quelque chose à la femme puis l'en ressortit. En écartant les bras avec des gestes rapides, il en mesura cinq à six mètres qu'il ramassa ensuite dans sa main droite en un entrelac de boucles, le tout sans jamais s'arrêter de parler à sa cliente. Demeuré sur le seuil, Chee ne pouvait entendre ce qu'il lui disait. En tous cas, cela attira vers eux deux hommes qui se tenaient au bout du comptoir. West tendit la corde à la femme. Les Navajos l'inspectèrent tous les trois. Ils avaient de larges sourires. West l'illusionniste était sur le point d'officier. Il reprit la corde, l'enroula en une demi douzaine de boucles qu'il tenait de son énorme main droite. Sa main gauche extirpa un couteau de la poche de sa salopette. Il trancha les boucles et exhiba sept fragments séparés. Puis il se débarrassa du couteau, sortit de sa poche un mouchoir à motifs géométriques et en couvrit les extrémités qu'il venait de trancher. Il parlait sans s'interrompre un instant. Chee supposa qu'il était en train d'expliquer les pouvoirs réparateurs de son mouchoir magique. Un instant plus tard, West retira le morceau de tissu et du même mouvement laissa choir la corde. Elle tomba sur le sol, à nouveau en un seul morceau. West la ramassa vivement, tira dessus en la tenant par ses deux extrémités. Il la tendit à la femme. Celle-ci inspecta la corde et parut convaincue. Les deux hommes qui avaient suivi du regard arboraient un sourire appréciateur. Chee souriait, lui aussi. Un bon tour, bien exécuté. Il l'avait déjà vu faire, lors d'un spectacle de magie organisé au profit d'une œuvre sur Union Mall à l'Université du Nouveau Mexique. Cela lui avait pris presque toute la journée pour découvrir par élimination la seule façon possible dont le tour avait pu être exécuté. Et le soir même il s'était rendu à la bibliothèque, avait déniché sur les étagères remplies de livres un ouvrage consacré aux tours de magie et acquis la confirmation qu'il avait vu juste. Le tour reposait sur l'illusion, créée par les boucles rassemblées, que la corde avait été coupée en morceaux alors qu'en réalité, seuls des petits fragments de celle-ci avaient été sectionnés à l'une de ses extrémités ; et ils avaient été subtilisés lorsque le mouchoir avait été retiré d'un geste pour être glissé dans une poche.

Chee se tenait sur le seuil, et il lui revint en mémoire le tour du trois de carreau qui reposait également sur la création d'une illusion : l'idée trompeuse selon laquelle la carte que la victime nommait avait de l'importance. West était passé maître dans l'art de contrôler la façon dont les gens pensent. Un maître de l'illusion.

Le sourire de Chee s'évanouit. Son visage adopta l'aspect nonchalant et indifférent qui est caractéristique d'une totale concentration d'esprit. Lentement, le sourire réapparut, puis s'élargit, pour se convertir en un grand rire d'exultation qui était suffisamment fort pour attirer l'attention de West. Il regardait Chee d'un air étonné. Son public aussi avait les yeux fixés sur le policier navajo.

– Vous voulez me voir ? demanda West.

– Plus tard, répondit Chee.

Il se hâta de sortir, le sourire s'effaçant de son visage tandis que ses idées se précisaient, et remonta dans son véhicule. Le carnet était sur le siège. Il l'ouvrit, chercha la page qu'il voulait.

En face de « Pourquoi le cambriolage ? », il écrivit : « Y a-t-il eu cambriolage ? » Puis il étudia les autres questions. En face de « Musket a-t-il tué John Doe ? », il écrivit : « John Doe était-il Doigts-de-Fer ? » Puis il referma le carnet, démarra et dirigea son pick-up truck vers la sortie du parking du comptoir d'échanges. Il parlerait plus tard à West. Pour l'instant, il avait besoin de temps pour bien réfléchir à tout cela. Est-ce que West, le magicien, l'illusionniste, s'était servi de Jim Chee pour donner naissance à l'une de ses illusions ? Il avait besoin de temps pour répondre à cette question. Mais dès maintenant, alors qu'il suivait la route cahoteuse proche de Wepo Wash, face au crépuscule rougeoyant et aux nuées d'orage qui promettaient de la pluie mais ne donnaient rien, il était pratiquement sûr que lorsqu'il aurait bien réfléchi, il connaîtrait la réponse. Et la réponse serait oui. Oui, durant toutes ces semaines, Doigts-de-Fer avait été caché derrière la stupidité de Jim Chee.

25

La réponse en fait n'était pas un oui catégorique. C'était « probablement ».

Avec le coucher du soleil, les nuées orageuses perdirent leur volonté de se développer. Avec la fraîcheur de la nuit, elles perdirent leur volonté de vivre. Chee conduisait lentement, vitre baissée, le bras posé sur la portière, et savourait la brise. Des éclairs illuminaient toujours de jaune et de blanc le nuage qui se trouvait à l'ouest, et au nord le ciel noir produisait également de temps en temps une zébrure fulgurante. Mais les nuages se mouraient. Au-dessus de lui, les étoiles brillaient. Le Plateau du Colorado et le Désert Peint allaient traverser sous la sécheresse un nouveau cycle du soleil. Mais Chee n'en avait qu'une conscience assez vague. Il était en train d'atteindre des conclusions.

Cet homme qu'il avait vu sortir du bureau de West ; cet homme dont West avait prétendu qu'il venait de le mettre à la porte ; cet homme dont West avait dit qu'il s'appelait Joseph Musket pouvait très bien ne pas avoir été lui du tout. Et c'était propablement`le cas, se dit Chee. West s'était simplement servi de Jim Chee, un tout nouveau policier qui n'avait jamais vu Musket, pour établir officiellement que Musket était vivant et en bonne santé et qu'il avait été mis à la porte par West le lendemain du jour où les restes de John Doe avaient été retrouvés sur Black Mesa. Il l'avait fait avec adresse, demandant à Chee de venir au moment où il savait qu'un Navajo qui correspondait à ses besoins serait sur place, puis suscitant l'intérêt de Chee à son égard alors qu'il était trop tard pour bien le regarder. Le pseudo Musket, supposa Chee, devait être quelqu'un qui vivait ailleurs : quelqu'un que Chee n'aurait pas l'occasion de voir à Burnt Water. C'était sa première conclusion. La seconde reposait sur une autre illusion. West avait probablement mis en scène sa supercherie concernant Musket, puis arrangé le prétendu cambriolage, parce que Joseph Musket était déjà mort. Tué par qui ? Probablement par West lui-même. Pourquoi ? Chee s'en préoccuperait plus tard. Il trouverait bien une raison. Il y en avait toujours une. Pour l'instant il se concentrait sur la ligne blanche très effacée qu'éclairaient ses phares, et sur la représentation mentale de ce qui avait dû se passer.

L'air frais sentait la sauge mouillée, les buissons de créosote et l'ozone. Pour la première fois depuis de nombreux jours, Chee se sentait en harmonie avec ses pensées. *Hozro* à nouveau. Son cerveau travaillait normalement, suivait un cours naturel. West s'était retrouvé avec le corps de Musket sur les bras. Il avait tué Musket ou alors quelqu'un d'autre l'avait fait, à moins que Musket ne soit mort, tout simplement. Et West ne voulait pas que cela se sache. Pas encore. Peut-être avait-il eu vent de l'imminente livraison de drogue. Peut-être son fils lui en avait-il parlé. Peut-être l'avait-il appris de la bouche de Musket. Et il voulait s'en emparer. Mais si les convoyeurs apprenaient que leur contact à Burnt Water était mort, ils risquaient de changer le lieu de l'atterrissage ou de tout annuler. Par conséquent le décès et le corps avaient été dissimulés.

Chee se surprit à admirer l'intelligence du procédé. West savait qu'il avait affaire à des gens extrêmement dangereux. Il savait qu'ils se lanceraient à la poursuite du voleur. Il voulait qu'il y ait quelqu'un d'autre que lui-même qu'ils puissent rechercher. Doigts-de-Fer avait hérité de ce rôle. Ce qui voulait dire que West ne pourrait jamais, au grand jamais, courir le risque que le corps, ou même le squelette, de quelqu'un qui correspondait à la description de Musket fût découvert puis identifié. Un squelette, même un fragment de mâchoire, serait suffisant pour qu'on puisse lui associer le nom d'un personne disparue ayant fait de la prison... et dont les radios dentaires, les empreintes digitales et toutes les autres données vitales seraient aisément accessibles. Par conséquent, West avait disposé le corps sur le chemin traditionnel qu'empruntait le groupe du Messager porteur de branches d'épicéa, là où il serait découvert exactement quand il souhaitait qu'il le fût. Il avait imité la mutilation pratiquée par les sorciers (aux mains, aux pieds, et probablement aussi au pénis), afin d'éliminer le relevé des empreintes digitales auquel est soumis tout corps non identifié. C'était la seule erreur qu'il avait commise (celle qui consistait à ne pas prendre en compte le fait que les Hopis ne signaleraient pas la découverte du corps avant leurs cérémonies du Niman Kachina), et cela n'avait pas eu de conséquences. Et ensuite (Chee sourit à nouveau, goûtant la subtilité de la chose), West s'était assuré que sur les rapports officiels Musket apparaîtrait comme ayant été vu vivant et en bonne santé à Burnt Water après que le corps eut été découvert. Ce qui devait éliminer le risque de la comparaison des radios dentaires. Il aurait d'ailleurs agi de la sorte même si la découverte du corps avait été signalée tout de suite.

Chee avait achevé de reconstituer toute l'affaire avant que son pick-up truck ne s'attaque à la longue montée qui escaladait la falaise de Moenkopi Wash, ne dépasse le village hopi et n'atteigne l'intersection de la route du Tuba City. Avant qu'il n'ait atteint Tuba City, il en arriva à une autre conclusion. West dissimulait le corps de Palanzer pour la même raison qu'il avait rendu Musket à jamais invisible. Palanzer-plus-Musket aurait fourni aux propriétaires de la cocaïne une cible encore plus logique contre laquelle épancher leur rage.

Les flaques laissées par une averse ne survivent pas longtemps au climat du désert. Les flaques du chemin conduisant à la maison mobile de Chee avaient disparu depuis longtemps. Mais les ornières laissées par ses roues étaient encores meubles, et de repasser au même endroit allait les creuser davantage. Il se gara, descendit de voiture, et entreprit de parcourir à pied les cinquante derniers mètres qui le séparaient de chez lui. De loin en loin s'entendait toujours un grondement de tonnerre vers le nord, mais le ciel maintenant était un flamboiement d'étoiles. Chee marchait sur les graminées à touffes en se disant que la majeure partie de son problème n'était pas résolue. Il n'y avait absolument rien dont il pût apporter la preuve. Tout ce qu'il aurait à proposer au capitaine Largo seraient des spéculations. Non. Ce n'était pas exact. Maintenant les restes de John Doe pouvaient être identifiés... à moins, bien sûr, que Musket ne soit jamais allé chez le dentiste. Ce qui était peu probable. Chee huma la nuit, l'odeur de l'air purifiée par l'eau. L'odeur, soudain, du café chaud.

Il se figea sur place. Du café ! D'où cela venait-il ? Il braqua son regard sur sa maison. Plongée dans l'ombre et le silence. C'était la seule source possible de cet arôme puissant. Il l'avait installée à cet endroit-là, sous ce tremble, pour être isolé et tranquille. Ce site l'en assurait. La cafetière la plus proche était à quatre cents mètres de là. Quelqu'un attendait dans le noir à l'intérieur de sa maison. L'impatience les avait gagnés. Dans l'obscurité, ils s'étaient fait du café. Chee fit demi-tour et repartit à pas rapides vers son pick-up truck. Un fracas soudain s'éleva de la maison. Ils le surveillaient depuis qu'il était arrivé et qu'il s'était garé. Ils l'avaient vu faire demi-tour. La marche de Chee se mua en course. Il avait la clef de contact à la main lorsqu'il ouvrit la portière d'un geste brusque. Il entendit la porte de la maison s'ouvrir violemment, puis le bruit d'une course. L'instant d'après il insérait la clef de contact dans le tableau de bord. Le moteur encore chaud se réveilla avec un rugissement. Chee enclencha la marche arrière sans ménagement et alluma ses phares.

La lumière illumina deux hommes en pleine course. L'un était le plus jeune des deux hommes que Chee avait vus en train de l'observer dans la salle de restaurant du Centre Culturel Hopi. L'autre, Chee l'avait vu fouiller sur le lieu de l'accident, aider Johnson à chercher les valises. Le plus jeune tenait un pistolet à la main. Chee éteignit ses phares et, dans un grondement de moteur, lança le pick-up truck en marche arrière dans le chemin. Il ne ralluma pas les phares avant d'avoir regagné le bitume.

26

Il passa la nuit à côté de son pick-up truck, dans un cul-de-sac au fond sablonneux qui partait de Moenkopi Wash. Il s'était arrêté à deux reprises pour être absolument certain qu'il n'avait pas été suivi. Et malgré cela, il n'était pas tranquille. Il donna au sable la forme qui convenait pour lui faire épouser ses hanches et ses épaules, déroula sa couverture et s'allongea, regardant au-dessus de lui le ciel étoilé. Il ne restait rien de la vaine promesse de pluie de l'après-midi hormis de temps en temps un roulement de tonnerre lointain quelque part du côté de la frontière avec l'Utah. Pourquoi ces deux hommes l'avaient-ils attendu chez lui ? Ce n'était visiblement pas une visite amicale. Etait-il possibile qu'il se fût trompé en pensant qu'il avait déjà vu l'un des deux avec Johnson dans Wepo Wash ? Il aurait était plus normal qu'ils appartiennent à la bande des trafiquants de drogue. Ainsi que Johnson l'en avait prévenu, il paraissait logique qu'ils viennent s'occuper de lui. Mais pourquoi maintenant ? Ils devaient bien savoir que la drogue allait leur être revendue. Est-ce qu'ils pensaient qu'il était l'un des voleurs qui organisaient la vente ? Lui, plus Musket, plus Palanzer ? Mais si l'homme était celui qu'il avait vu avec Johnson dans le wash, cela voulait dire tout autre chose. Qu'est-ce que la DEA lui voulait ? Et pourquoi la DEA l'attendrait-elle dans le noir au lieu de le faire appeler dans le bureau de Largo pour discuter ? Etait-ce parce que, une fois de plus, les intentions de la DEA n'étaient pas très orthodoxes ? Parce qu'il n'avait pas rappelé à la suite de l'appel de Johnson ? Ce type de spéculation ne le conduisit nulle part. Il tourna ses pensées vers le coup de téléphone que Gaines avait reçu. Le lendemain soir aurait lieu l'échange : cinq cent mille dollars en billets contre deux valises remplies de cocaïne. Mais où ? Tout ce qu'il savait maintenant, qu'il ignorait auparavant, c'était que le correspondant pouvait être

West, et que Musket pouvait être mort. Ce qui ne semblait pas l'aider à grand chose. Puis, comme il reprenait le tout depuis le début, comme il reprenait en partant de l'est pour aller au sud, à l'ouest, et au nord avant de revenir à l'est, exactement comme son oncle le lui avait appris, il comprit que ça pouvait l'aider. Tout doit avoir une cause. Rien ne se produit sans raison. Pourquoi retarder le paiement davantage qu'il n'était nécessaire... ainsi que le correspondant le faisait ? En quoi le lendemain soir serait-il différent de la veille ? Différent pour West ? Probablement, d'une certaine façon, les nuits seraient différentes sur le calendrier des cérémonies hopi. Et West devait être au courant de ces différences. Il avait été marié à une Hopi. Selon la tradition hopi, il était entré sous la domination matriarcale de sa femme : entré dans son village et dans sa maison. Trois ou quatre années, avait dit Dashee. Certainement suffisamment longtemps pour savoir un certain nombre de choses sur le calendrier religieux des Hopis.

Chee trouva une position plus confortable. La tension nerveuse commençait à le quitter, cette sensation d'être pourchassé. Il se sentait détendu et il avait sommeil. Demain il se mettrait en contact avec Dashee et apprendrait ce qui allait se passer le soir dans le monde des esprits kachina et des hommes qui portaient les masques sacrés pour les personnifer.

Il était en train de penser aux kachinas lorsqu'il se laissa gagner par le sommeil, et il rêva d'eux. Il se réveilla courbatu et endolori. Il secoua sa couverture pour en faire tomber le sable, la plia et la rangea derrière le siège du conducteur. Ceux qui l'avaient attendu chez lui avaient probablement quitté Tuba City depuis longtemps, mais il décida de ne pas courir de risques. Il prit donc vers le sud en direction de Cameron. Il arriva au petit café au bord de la route juste comme le soleil se levait, commanda des crêpes et des saucisses pour son petit déjeuner et appela Dashee depuis la cabine publique.

– Quelle heure est-il ? demanda Dashee.

– Tard, répondit Chee. J'ai besoin d'un renseignement. Qu'est-ce qui se passe ce soir en pays Hopi ?

– Bon Dieu, s'écria Dashee. Il est à peine un peu plus de six heures. Je viens de me coucher. Je suis de nuit toute la semaine.

– Désolé. Mais répondez-moi, pour ce soir.

– Ce soir ? Y a rien ce soir. Le Chu'tiwa, la cérémonie de la Danse du Serpent, c'est après-demain à Walpi. Y a rien ce soir.

– Nulle part ? insista Chee. Ni à Walpi, ni à Hotevilla, ni à Bacobi, nulle part ?

Il était déçu et cela s'entendait à sa voix.

– Pas grand chose, corrigea Dashee. Essentiellement des trucs dans les kivas, c'est tout. Ils préparent les cérémonies du Serpent. Rien de public.

– Et dans le village où West a habité ? Le village de sa femme ? Lequel c'était ?

– Sityatki, répondit Dashee.

– Il se passe quelque chose là-bas ?

Il y eut un long silence.

– Cowboy ? Vous êtes toujours là ?

– Oui.

– Quelque chose à Sityatki ce soir ?

– Pas grand chose.

– Mais quelque chose quand même ?

– Pas pour les touristes.

– De quoi s'agit-il ?

– Eh bien, c'est quelque chose que nous appelons Astotokaya *. Ça veut dire le Lavage des Cheveux. C'est pas public. Une sorte de cérémonie d'initiation aux sociétés religieuses du village.

Pour Chee, cela n'était pas le genre de chose dont West pouvait tirer parti.

– Est-ce que ça attire beaucoup de monde ? Je crois que c'est dans cette direction-là que je cherche.

Dashee éclata de rire.

– Exactement le contraire : ils bloquent les routes.

204

Personne n'est censé entrer. Tout le monde est censé rester enfermé, et même pas regarder par la fenêtre. Les gens qui habitent les maisons qui donnent sur les kivas, ils doivent aller ailleurs. Personne ne bouge à part ceux qui s'occupent de l'initiation dans les kivas et les adolescents qui sont initiés. Et ils ne sortent pas avant l'aube.

– Racontez-moi ce qui se passe, dit Chee.

Sa déception avait disparu. Il pensait savoir désormais à quel endroit West allait organiser sa rencontre.

Cowboy ne voulait rien dire de plus.

– C'est confidentiel, expliqua-t-il. Ils font des choses qu'on est absolument pas censé raconter.

– Je crois que ça pourrait être important. Il s'est passé quelque chose de bizarre hier. J'étais au Centre Culturel et le réceptionniste a été appelé dehors, alors comme le téléphone sonnait Mlle Pauling a pris sa place pour s'occuper du standard et...

– J'en ai entendu parler de ce feu, l'interrompit Dashee. C'est vous qui l'avez allumé ?

– Pourquoi est-ce que j'allumerais un feu ? s'insurgea Chee. Ce que j'essaye de vous dire c'est que Mlle Pauling a entendu ce type dire à Gaines que les gens à qui appartenait la cocaïne peuvent la racheter pour cinq cent mille dollars. Il a dit qu'il faudrait qu'ils aient l'argent dans deux valises d'ici neuf heures vendredi soir. Et il a dit qu'il reprendrait contact ave ceux pour leur dire où l'échange aurait lieu.

– Comment vous avez fait pour savoir quand il fallait allumer le feu ? demanda Dashee. Comment vous avez fait pour savoir quand il allait appeler ? Bougre d'imbécile, vous avez failli réduire en cendres le Centre Culturel.

– Ce qui est important c'est pourquoi attendre jusqu'à vendredi neuf heures ? C'est ça la question ; et je crois que la réponse c'est parce qu'ils veulent faire ça dans un endroit où les acheteurs s'imaginent qu'il va y avoir tout un tas de curieux partout, occupés à regarder quelque chose, alors qu'en fait ça va se passer en privé.

205

– Sityatki, dit Cowboy.

– Exactement. Ça paraît logique.

Un long silence pendant que Cowboy réfléchissait à tout cela.

– Pas tant que ça, dit-il. Pourquoi se donner tout ce mal si c'est uniquement pour échanger de la cocaïne contre de l'argent ?

– Par prudence. Il leur faut un endroit où les types qui vont racheter la machandise ne vont pas tranquillement les descendre pour garder l'argent et le reste.

– Ça sera pas plus sûr là-bas qu'ailleurs, contesta Dashee.

Peut-être, en effet, se dit Chee. Mais alors pourquoi attendre vendredi soir ?

– Bon, reprit-il, je crois que l'échange va avoir lieu à Sityatki, et si vous m'en disiez un peu plus sur ce qui va s'y passer, je saurais peut-être pourquoi.

Cowboy le lui raconta donc, à son corps défendant et avec tant d'hésitations que quand il eut laborieusement terminé, les crêpes et les saucisses de Chee étaient froides sans qu'il ait réussi à apprendre grand chose. Le point crucial qui ressortait de tout cela c'était que le village était coupé de l'extérieur depuis la tombée de la nuit jusqu'à l'aube, que les habitants étaient censés rester dans les maisons et ne pas regarder par les fenêtres pour espionner les esprits qui venaient dans les kivas pendant la nuit, et que des rondes composées de prêtres de la kiva parcouraient les rues de temps en temps, mais ceci, pensait Cowboy, plus pour respecter les traditions que pour s'en assurer sérieusement.

Chee mangea sans se presser, tuant une partie du temps qu'il devait laisser s'écouler avant de pouvoir appeler le capitaine Largo à son bureau. Largo serait juste un peu en retard et Chee voulait être au bout du fil à attendre le capitaine lorsque celui-ci arriverait. De légères pressions psychologiques de ce genre facilitaient parfois les choses, et Chee était sûr qu'il allait en avoir besoin.

– Il n'est pas encore arrivé, lui répondit la jeune

femme du standard.

– Vous êtes sûre ? insista-t-il. D'habitude il arrive à peu près à huit heures cinq.

– Une petite minute, corrigea la jeune femme. Il entre sur le parking.

Ce qui était exactement ce que Chee avait souhaité.

– Largo, dit Largo.

– Chee au bout du fil. J'ai deux informations à vous communiquer.

– Au téléphone ?

– Quand je suis rentré chez moi hier soir il y avait deux hommes qui m'attendaient chez moi. Toutes lumières éteintes. Le pistolet à la main. L'un des deux en tous cas.

– Hier soir ? s'enquit Largo.

– Vers dix heures, peut-être.

– Et c'est maintenant que vous nous avertissez ?

– Je crois que l'un des deux appartient au Service de Répression des Stupéfiants. En tous cas, je crois bien l'avoir vu avec Johnson. Et s'il y en a un qui en faisait partie, je suppose qu'ils en faisaient partie tous les deux. Quoi qu'il en soit, ne sachant pas trop ce qu'il fallait faire, j'ai filé.

– Du grabuge ?

– Non. J'ai deviné qu'ils m'attendaient à l'intérieur alors je suis retourné vers mon pick-up truck. Ils m'ont entendu et sont sortis en courant. L'un d'eux avait un pistolet, mais il n'a pas tiré.

– Comment vous saviez qu'ils étaient là ?

– L'odeur du café.

Largo ne fit pas de commentaire sur ce point.

– Les enfants de salauds, dit-il.

– La deuxième c'est que Mlle Pauling m'a dit qu'elle a intercepté un coup de téléphone que Gaines a reçu. Le correspondant a dit à Gaines qu'il pouvait récupérer la cocaïne contre cinq cent mille dollars, qu'il devait avoir l'argent et se tenir prêt vendredi à vingt-et-une heures, et...

– Où ça ?

– Il ne l'a pas dit. Cette affaire n'est pas de notre ressort alors je n'ai pas posé trop de questions. J'en ai parlé à Cowboy Dashee et je suppose qu'ils vont aller interroger Mlle Pauling.

– J'ai entendu dire qu'ils avaient eu un petit feu là-bas. Vous êtes au courant ?

– C'est moi qui l'ai signalé. Un tas d'herbes qui s'est enflammé.

– Ecoutez, fit Largo. Je vais jeter un petit coup d'œil sur les façons de faire de la DEA. Il est hors de question que ce genre de chose se reproduise. Et quand je vais en parler je vais leur dire que je vous ai donné l'ordre très strict de ne pas vous occuper de cette affaire de drogue. Je vais leur dire que je vais vous fiche à la porte de la Police Navajo en vous bottant le cul si j'entends ne serait-ce qu'une seule allusion suggérant que vous allez faire l'andouille sur les plates-bandes des agents fédéraux. Je vais leur dire que vous comprenez parfaitement la situation. Que vous savez que je le ferai. Sans aucune hésitation. Vous savez que si vous allez coller votre nez dans cette affaire de drogue, ou si vous vous approchez de quelqu'un qui y est impliqué, vous êtes instantanément et définitivement suspendu de vos fonctions. Révoqué. A la porte.

Largo s'interrompit un instant pour laisser à son discours le temps de faire son effet.

– Bon, reprit-il. Vous avez bien compris, hein ? Vous avez compris qu'après avoir raccroché le téléphone je vais rédiger à fin d'archivage une notification stipulant que pour la troisième et dernière fois Jim Chee a été avisé, officiellement et conformément au règlement, que toute intrusion de sa part dans le déroulement de cette enquête aurait pour conséquence sa mise à pied immédiate, ladite notification stipulant en outre que Chee a bien compris et accepté de se conformer à ces instructions. Bon, vous avez bien tout saisi ?

– J'ai saisi, répondit Chee. Un petit détail quand

même. Vous voulez bien marquer dans votre notification ce que je suis censé faire en ce moment ? Y marquer que vous m'avez chargé de travailler sur le moulin, de résoudre l'affaire du cambriolage de Burnt Water, de retrouver Joseph Musket et d'identifier le corps de John Doe de Black Mesa ? Vous voulez bien marquer tout cela aussi ?

Il y eut à nouveau un long silence. Chee se dit que Largo n'avait jamais eu l'intention de rédiger la moindre notification à verser aux archives. Et il était en train de s'interroger sur les motifs qu'avait Chee de lui demander cela.

– Pourquoi ? demanda le capitaine.

– Simplement pour que tout y soit, tout, dans les archives, au même endroit.

– C'est bon, fit Largo.

– Et je crois que nous devrions demander au bureau du médecin légiste de Flagstaff d'appeler le Pénitencier d'Etat du Nouveau Mexique pour voir s'ils pourraient dénicher des radios dentaires de Joseph Musket, puis s'ils pourraient les comparer aux radios qu'ils ont prises des dents de John Doe.

– Attendez une minute, intervint Largo. Vous avez vu Musket vivant après la découverte du corps de John Doe.

– J'ai vu un homme, précisa Chee. West m'a dit que c'était Musket.

Un nouveau silence.

– Ah, fit Largo. Oui, bien sûr.

– Et pour le moulin. Je crois savoir qui est responsable, mais c'est quelque chose que nous ne réussirons jamais à prouver.

Il parla à Largo de la source, du sanctuaire, et de la façon dont, quand le shérif adjoint Dashee et lui-même étaient allés lui parler, le vieux Taylor Sawkatewa avait tacitement reconnu avoir été sur place la nuit où l'avion s'était écrasé.

– Une minute, dit Largo. Quand a eu lieu cette visite ? C'était après que je vous aie donné l'ordre de ne pas vous mêler de cette histoire de drogue.

– Je travaillais sur le moulin, protesta Chee. On découvre parfois davantage que ce que l'on recherche.

– Je m'en aperçois, remarqua Largo d'un ton sévère. Il me faut votre compte rendu écrit sur tout cela.

– Est-ce que demain ce sera assez tôt ?

– Pas vraiment. Qu'est-ce qui vous empêche de venir ici et de le faire tout de suite ?

– Je suis beaucoup trop loin, à Cameron. Et j'ai pensé que j'allais consacrer ma journée à voir si je peux nous attraper le voleur de Burnt Water.

27

La première étape devant mener à ce que Chee appelait « attraper le voleur de Burnt Water » faisait partie des rites navajos. Dans les faits, il fallait partir en chasse. Depuis leurs origines, les navajos étaient un peuple de chasseurs. Comme toutes les cultures orientées vers la chasse, ils abordaient la tâche sanglante, dangereuse et psychologiquement traumatisante qui consistait à tuer une créature sœur avec une prudence très élaborée. Tout tendait à minimiser le mal causé. Le système avait été imaginé dans les temps sombres et glacés où le Dinee tout comme les loups faisait sa proie de l'élan et du caribou de l'Arctique. Et la première étape de ce système était la purification du chasseur.

A côté du terrain où était installée sa maison mobile, il n'y avait aucun endroit où il aurait pu édifier un sauna. Il avait donc trouvé un endroit sur la crête derrière Tuba City. Il l'avait construit dans un petit arroyo en se servant de l'un de ses bords verticaux comme d'un mur et en érigeant une sorte d'appentis constitué de blocs rocheux et de branches de genévriers. Il y avait alentour du bois mort à profusion pour alimenter le puits de braises. L'eau nécessaire, Chee l'apporta de chez lui dans deux récipients de plastique pliables. Au milieu de la matinée, les pierres furent suffisamment chaudes. Chee se déshabilla, ne gardant que son caleçon. Il se redressa, se tourna vers l'est, et chanta le premier des quatre chants des bains * de vapeur :

« Je viens du Mont Graystreak ;

Je suis tout près.

Je suis le Dieu-qui-Parle,

Fils de Vent Femelle. Je suis près de toi.

Avec un arc noir dans ma main droite,

Avec une flèche ornée de plumes jaunes dans ma main gauche.

Je suis le Dieu-qui-Parle, je suis prêt... »

Il chanta tous les couplets, se laissa tomber à quatre pattes et se glissa par l'entrée du sauna, pénétrant dans la chaude obscurité qui régnait à l'intérieur. Il se servit de l'un des récipients de plastique pour verser de l'eau sur les gros galets qui crépitèrent, et abaissa la lourde couverture de toile devant l'entrée pour l'obstruer. Dans l'obscurité envahie de vapeur il chanta trois autres chants qui retraçaient comment Dieu-qui-Parle et les autres personnages *yei* * de la légende avaient attrapé Dieu Noir sous son déguisement de corbeau, comment Dieu Noir avait ôté son habit de plumes noires, et comment Dieu Noir, finalement, avait été amené par ruse à relâcher tous les animaux constituant le gibier, qu'il avait jusqu'alors tenus captifs.

Ce rituel une fois achevé, Chee n'était pas très sûr de la manière dont il lui fallait procéder. Ce n'était pas le genre de question qu'il aurait jamais imaginé de poser à Frank Sam Nakai. « Oncle, comment se prépare-t-on pour une chasse qui conduira le chasseur dans un village hopi au cours d'une Nuit Sacrée où les esprits kachina sont présents ? Comment se prépare-t-on à prendre au piège l'un de ses semblables ? » L'aurait-il demandé que Frank

211

Sam Nakai lui aurait fourni une réponse, il le savait. Il aurait allumé une cigarette, l'aurait fumée, et finalement il lui aurait fourni une réponse. Chee, en ayant terminé avec ses chants de bain de vapeur, s'assit dans l'étouffante chaleur humide et réfléchit au problème selon la Voie Navajo : de l'est vers le nord. Le but du rituel de la chasse, la Voie de la Chasse, était d'établir l'harmonie entre le chasseur et sa proie. Si l'on s'apprêtait à traquer le cerf, la Voie de la Chasse reprenait la formule ancienne par laquelle l'homme retrouvait sa capacité à ne faire qu'un avec le cerf. On ne changeait que légèrement la formule selon l'animal. L'animal, dans le cas présent, était un homme. Un anglo-américain, ancien mari d'une hopi, qui faisait du commerce avec les Navajos, un magicien malin, intelligent, dangereux. Chee sentait la sueur qui ruisselait sur son corps tomber de son menton, de ses sourcils et de ses bras, et réfléchissait à la manière dont il fallait changer le chant pour l'adapter à West. Il chanta :

« Je suis le Dieu-qui-Parle. Le Dieu-qui-Parle,
Je pars à sa poursuite.
En-dessous de l'est, je pars à sa poursuite.
Vers cet endroit de Wepo Wash, je pars à sa poursuite.
Moi, qui suis le Dieu-qui-Parle, je me lance sur ses traces.
Vers Black Mesa, vers les villages hopi,
Va m'entraîner la chasse.
Je suis le Dieu-qui-Parle. Sa chance sera avec moi.
Ses pensées seront mes pensées tandis que je le poursuivrai. »

Couplet après couplet il chanta, adaptant le rituel ancien afin qu'il réponde à ce besoin nouveau. Les chants invoquaient Dieu-qui-Parle, Begochidi, Dieu-qui-Appelle, Dieu Noir en personne et le Peuple Prédateur : Premier Loup, Premier Puma, Premier Blaireau ; il faisait revivre le rôle tenu par Faiseur de Gibier et par tous ceux qui, appartenant au Peuple Sacré, apparaissaient dans le grand mythe navajo qui relatait la naissance de la chasse et la manière dont l'homme était devenu lui-même un prédateur. Du début à la fin, couplet après couplet, le but était identique à ce qu'il avait été depuis l'époque où les ancêtres de Chee chassaient sur les glaciers : renaître au règne d'avant l'homme et à nouveau ne faire qu'un avec l'animal chassé, partager son âme, ses façons d'être, ses pensées, son existence même.

Chee se contenta de substituer « l'homme West » à « le beau cerf » et poursuivit :

« Dans la lumière déclinante du soir, l'homme West s'adresse à moi.

Sorti de l'ombre, l'homme West vient au devant de moi.

Nos âmes sont une seule âme, à l'homme West et à moi, le Dieu-qui-Parle.

Nos esprits sont un seul esprit, à l'homme West et à moi, le Dieu-qui-Parle.

Au-devant de ma flèche ornée de plumes, l'homme West s'avance.

A ma flèche ornée de plumes, l'homme West présente son flanc.

Que mon arc noir lui apporte la bénédiction de sa beauté.

Que ma flèche ornée de plumes le rende semblable au Dieu-qui-Parle.

Qu'il puisse marcher, et que je puisse marcher, pour toujours dans la Beauté.

Que nous puissions marcher avec la beauté tout autour de nous.

Que ma flèche ornée de plumes vienne tout arrêter dans la Beauté. »

Il aurait dû y avoir un ultime rite, et un ultime couplet. Autrefois, quand les traditions vivaient, l'arc du chasseur était béni. Aujourd'hui, on le faisait parfois pour le fusil, avant la chasse au cerf. Chee ouvrit son étui et en tira son pistolet. C'était un Ruger 38 avec un canon de longueur moyenne. Il n'était pas particulièrement adroit pour s'en servir ; tous les ans il parvenait à atteindre le total de

213

points réglementaires, mais de justesse. Il ne s'en était jamais servi pour tirer sur un être vivant et n'avait jamais décidé de ce qu'il ferait s'il se trouvait confronté à une situation exigeant de lui qu'il ouvre le feu sur l'un de ses congénères. Confronté à une provocation ou une urgence bien réelle, Chee présumait qu'il tirerait, mais ce n'était pas là le genre de décision que l'on pouvait prendre dans l'abstrait. Dans l'immédiat, Chee fixa son regard sur son pistolet, essaya de s'imaginer en train de tirer sur West. Il n'y parvint pas. Il replaça le pistolet dans l'étui. Ce faisant, il s'aperçut que le couplet final du rite normal du bain de vapeur ne pouvait être chanté maintenant. Le couplet qui venait était le Chant de la Bénédiction qui appartenait à la Voie de la Bénédiction. Mais Jim Chee, shaman du Peuple à la Parole Lente, ne pouvait chanter de chant de bénédiction pour l'instant. Pas avant que sa chasse ne se soit achevée et qu'il ne soit revenu à ce bain de vapeur pour se purifier une nouvelle fois. D'ici là, Jim Chee s'était mué en prédateur, voué à sa chasse par les chants de la Voie de la Chasse. Le Chant de la Bénédiction devrait attendre. Il établissait l'harmonie avec la beauté. La Voie de la chasse établissait l'harmonie avec la mort.

28

Jim Chee attendit West, Doigts-de-Fer, ou celui qui allait venir, exactement comme un lion des montagnes attend le gibier à un point d'eau. Il choisit un poste d'observation qui lui offrait une bonne vue sur l'endroit où les valises étaient enterrées et d'où il pouvait intervenir rapidement pour procéder à une arrestation. Il avait inspecté les alentours et n'avait découvert aucune trace indiquant que la jeep de West ou un autre véhicule était venu depuis les recherches infructueuses menées par Johnson. Il enfonça sa manivelle de cric dans le sable jusqu'à ce qu'il sente l'acier rencontrer l'aluminum. L'appât était toujours en place. Puis il s'assit sur la rive du wash derrière un écran de genévriers et attendit. Il ne pensait pas que West allait venir. Mais s'il venait quand même, il serait là à l'attendre.

C'était maintenant le milieu de l'après-midi, il restait un peu moins de six heures avant les neuf heures du soir fatidiques qu'avait notifié le correspondant pour effectuer l'échange de la drogue contre l'argent. Le temps était humide (circonstance rare pour le plateau du Colorado), et les nuages d'orage s'amassaient au nord dans la direction de l'Utah et vers l'ouest au-dessus de Mogollon Rim. Chee ressentait encore les effets de la chaleur et de la déshydratation consécutives au bain de vapeur. A deux reprises il avait avalé une énorme quantité d'eau pour remplacer tout le liquide perdu et, en fait, il transpirait. Néanmoins, il sentait une sorte d'acuité de vision et de réflexion toute neuve. Hosteen Nakai lui avait parlé de l'époque où tous les êtres doués d'intelligence n'avaient pas encore atteint leur stade définitif, où ce-qui-serait-animal et ceux-qui-seraient-humains pouvaient encore converser ensemble et changer de forme. Par les rites, la Voie de la Chasse avait pour but de restaurer de manière très limitée ce pouvoir révolu à un niveau mental. Chee s'interrogeait là-dessus tandis qu'il attendait. Avait-il un peu plus la façon de voir et de penser du loup ou celle du puma ?

Il n'y avait aucun moyen de répondre à cette question. Il récapitula donc tout ce qu'il savait de l'affaire qui l'occupait, tout depuis le début, en se concentrant sur West. West le magicien qui le forçait à penser à la télépathie plutôt qu'à la façon mathématique dont on peut diviser un paquet de cartes. West qui détournait l'attention de la femme Navajo venue lui acheter la corde, qui détournait l'attention de Chee de la solution facile du trois de carreau, qui détournait l'attention de la raison pour laquelle les mains de Musket avaient été écorchées. Toujours à fausser la réalité par le biais de l'illusion. Et maintenant, pourquoi West ne demandait-il que cinq cent mille dollars pour une cargaison de drogue que la DEA estimait valoir des millions de dollars ? Pourquoi aussi peu ? Parce qu'il voulait l'argent tout de suite ? Parce qu'il voulait réduire au maximum le risque que les propriétaires ne soient pas disposés à racheter ? Parce que West n'était pas quelqu'un de cupide ? Telle était sa réputation. Et elle paraissait justifiée. Il n'avait pas de goûts dispendieux. Il ne buvait pas. Il ne s'intéressait pas aux femmes. Comparé aux autres comptoirs d'échanges, Burnt Water semblait marcher très raisonnablement, et les prix pratiqués par West, de même que ses taux d'intérêts sur les objets gagés, ne trahissaient aucune tendance à vouloir escroquer les gens. En fait, on savait qu'il pouvait se montrer généreux à l'occasion. Cowboy avait une fois raconté à Chee que West avait donné vingt dollars à un ivrogne pour qu'il puisse payer son billet de car pour Flagstaff. Ce n'était pas là le geste d'un homme qui aimait l'argent pour l'argent.

Dans ce cas, qu'est-ce qu'il allait faire de cinq cent mille dollars ? Comment allait-il les utiliser, lui qui vivait seul et n'avait personne pour qui, ou avec qui, les dépenser ? Il y avait forcément une raison pour qu'il ait exigé cette somme, pour qu'il ait monté le faux cambriolage, pour qu'il ait pris ces risques et qu'il ait tué. Une raison qui lui appartenait. Une raison d'homme blanc.

Le regard de Chee se fixa sur le lit sablonneux de Wepo Wash. Lentement, cette raison d'homme blanc lui apparut. Chee la mit à l'épreuve de tout ce qu'il savait, de tout ce qui s'était passé. A tous les niveaux, cela concordait. Il était maintenant certain que West ne viendrait pas chercher les valises.

Il abandonna sa cachette et retourna vers l'arroyo où il avait garé sa voiture de police. Il prit le volant et, sans faire le moindre effort pour se dissimuler, remonta le wash jusqu'au lieu de l'accident. Il se gara à côté de la masse basaltique. La pelle se trouvait dans son pick-up truck mais il n'en avait pas vraiment besoin. Il creusa avec ses mains, dégageant les deux valises, puis il les extirpa de leur trou. Elles étaient étonnamment lourdes : chacune entre vingt-cinq et trente kilos, évalua-t-il. Il les chargea à l'arrière de la voiture, claqua la porte du coffre puis passa le bras par la vitre du conducteur pour s'emparer de son bloc-note.

S'il ne se trompait pas, il était en train de perdre son temps. Mais s'il se trompait, quelqu'un allait venir dans la journée (ou alors un autre jour), pour déterrer ce qu'il y avait dans la cachette et disparaître avec. Des questions, alors, resteraient sans réponse, et Chee n'aurait plus aucun moyen de trouver ces réponses. Il détestait les questions sans réponses.

Sur le bloc de papier, il inscrivit, en majuscules d'imprimerie : J'AI LES VALISES. RESTEZ A BURNT WATER ET COMPTEZ LE NOMBRE DE LETTRES CONTENUES DANS MON MESSAGE. Ensuite il compta les lettres. Soixante dix-neuf.

Il plongea la main dans la boîte à gants, trouva une bouteille d'aspirine vide dans laquelle il rangeait ses allumettes, enleva les allumettes et glissa le papier plié à l'intérieur. Il effaça ses empreintes digitales et laissa tomber la bouteille dans le trou qui avait contenu les valises.

29

Le village de Sityatki, comme de nombreux villages pueblos du Sud-Ouest, s'était scindé en deux à cause de la convoitise que l'eau courante fait naître chez les hommes. Le village d'origine était toujours perché sur la falaise est de Troisième Mesa d'où il dominait, du haut d'un à-pic de plus de cent-vingt mètres, le lit sablonneux de Polacca Wash. Mais juste le long du Wash, le Bureau des Affaires Indiennes avait construit au petit bonheur un certain nombre de ces maisons sans étages préfabriquées, en bois et en plâtre, qui sont le modèle standard des programmes de relogement gouvernementaux ; ils les avaient équipées d'un réfrigérateur et d'un réservoir d'eau sous pression, et avait de la sorte attiré au pied de la falaise jusqu'aux trois-quarts peut-être de la population jeune de Sityatki. Ces déserteurs, dans leur majorité, continuaient à observer loyalement les traditions du village, leurs devoirs envers les clans du Renard, du Coyote et du Feu qui l'avaient fondé dans le courant du quatorzième siècle, et envers la société religieuse dans laquelle ils avaient été initiés. Mais en général ils étaient présents dans le village seulement en esprit, ou quand les cérémonies rituelles l'exigeaient. Ce soir-là, la présence de la plupart d'entre eux n'était pas exigée (on les avait, en fait, dissuadés de venir), et les petites maisons de pierres qui leur appartenaient de droit par le ventre de leurs mères, de leurs grand-mères et de leurs arrières grand-mères depuis environ vingt généra-tions, demeuraient vides. Ce soir était le soir du Lavage des Cheveux qui voit les quatre grandes fraternités religieuses du village (Wuchim, Flûte, Unicorne, Deux Cornes), initier les jeunes. Depuis plus d'une semaine, le *na'chi* de la Prêtrise Wuchim était planté sur la kiva Wuchim à la limite est de la plaza de Sityatki, ses plumes de faucon agitées par la brise d'août : une sorte de drapeau indiquant aux Hopis que les prêtres de Wuchim se préparaient pour les cérémonies. Les kivas des trois autres prêtrises étaient également signalées par leurs emblèmes respectifs. Et l'après-midi même, les rares familles qui habitaient encore la partie est du village avaient déserté leurs maisons et tendu des couvertures devant portes et fenêtres. Quand la nuit viendrait, aucun œil profane ne regarderait au dehors pour voir les kachinas arriver du monde des esprits afin de venir dans les kivas bénir leurs nouveaux frères.

Tout cela Jim Chee le savait (ou pensait le savoir), parce qu'il avait suivi à l'Université du Nouveau Mexique des cours d'ethnologie portant sur les états du Sud-Ouest, ce qui lui en avait appris assez pour en soutirer un peu plus à un Cowboy Dashee embarrassé et réticent.

Chee n'était jamais venu à Sityatki mais il s'était fait fastidieusement (pour Cowboy) décrire le village en détail par son ami, depuis la disposition des rues jusqu'aux virages et aux possibilités de quitter l'unique route en cul-de-sac qui permettait d'y accéder. Il approchait précisément de l'un de ces points de sortie qu'offrait la route, un chemin latéral qui descendait en zigzags pour permettre de rejoindre non sans danger le lit de Polacca Wash. Il projetait de laisser sa voiture à cet endroit où elle serait invisible depuis la route d'accès. Si ce que Dashee lui avait dit était exact, un prêtre de la Prêtrise Unicorne émergerait de la kiva de sa prêtrise un peu après la tombée de la nuit et « fermerait » la route en répandant en travers de celle-ci une ligne continue de farine de maïs et de pollen. Il tracerait ensuite des lignes sacrées similaires en travers des sentiers qui entraient dans le village par des directions différentes, interdisant tout accès à l'exception de la « piste spirituelle » empruntée par les kachinas. L'intention de Chee était d'atteindre le village quand il ferait suffisamment sombre pour éviter d'être aperçu par West, ou par quiconque pourrait le connaître, mais avant que Sityatki ne fût rituellement protégé contre les intrus. Il gara sa voiture derrière un buisson de genévriers à proximité du wash, fit passer sa lampe torche de la boîte à gants à la poche revolver de son jean, et verrouilla la portière. A peu près quinze cents mètres de marche, se dit-il, y compris la côte raide pour remonter sur le rebord de la mesa. Mais il s'était arrangé pour pouvoir disposer d'au moins une heure de jour. Il avait compté large.

Il n'avait pas parcouru cent mètres lorsqu'il vit la jeep de West. Comme la voiture de Chee, elle avait été laissée derrière un écran de végétation. Chee l'inspecta rapidement, ne remarqua rien d'intéressant et se hâta de reprendre son escalade. Il sentait qu'il lui fallait faire vite. Pourquoi West était-il venu aussi tôt ? Sans doute pour cette même raison qui avait poussé Chee. Il avait sans doute transmis le lieu de la rencontre par téléphone le plus tardivement possible, puis s'était précipité pour être sûr qu'il y serait le premier et qu'on ne pourrait pas lui tendre de piège.

Parvenu au sommet de la mesa, Chee resta à l'écart de la route mais suffisamment près d'elle cependant pour pouvoir la surveiller. Un vieux pick-up truck passa, roulant un peu plus vite qu'il n'était prudent ou confortable sur la chaussée bosselée. Des Hopis, pensa Chee, qui se dépêchaient d'aller vaquer à leurs devoirs rituels, ou qui étaient peut-être seulement pressés de rentrer chez eux avant que le village ne fût clos. Puis arriva une voiture, bleu sombre et toute neuve, une Lincoln qui s'avançait prudemment sur la surface pierreuse. Chee s'immobilisa pour la regarder et sentit la tension monter en lui. Ça ne pouvait pas être une voiture du village. Un curieux peut-être, mais les Hopis d'ordinaire accueillants entouraient cet évènement d'une grande discrétion, n'encourageaient pas les touristes à venir y assister. Plus vraisemblablement, la Lincoln bleue confirmait qu'il ne s'était pas trompé sur l'endroit où West avait organisé le rachat de la marchandise. C'était là le Grand Patron qui venait apporter la rançon pour récupérer sa cargaison de cocaïne. Sans dépasser la vitesse de la marche, la voiture se glissa au creux d'un affaissement dans la chaussée. Lorsqu'elle fut parvenue au plus profond de la dénivellation, la portière arrière s'ouvrit et un homme en descendit, courbé sur lui-même ; il referma la portière derrière lui sans faire de bruit et disparut aussitôt derrière les genévriers tout au bord de la falaise. Trop loin, trop sombre et trop rapide pour que

Chee ait eu le temps de voir si l'homme lui était connu ou non. Il vit seulement qu'il était blond et qu'il portait une chemise grise et bleue. Le Grand Patron n'avait apparemment pas observé l'ordre qu'on lui avait donné de venir seul ; il avait amené un garde du corps avec lui. Tout comme Chee, le garde du corps avait l'intention de se glisser dans le village sans se faire remarquer.

Chee attendit ; il voulait donner à l'homme le temps de prendre une bonne avance. Mais en y réfléchissant, cela n'avait aucune importance que celui-ci le voie ou pas. Sans son uniforme, en jean et en chemise de tous les jours, Chee s'avoua que cet homme blanc ne verrait en lui qu'un Hopi de plus qui revenait de Dieu sait où pour rentrer chez lui. Il se l'avoua avec une certaine réticence. Pour lui, les Navajos et les Hopis, ou les Navajos et n'importe quel autre peuple en fait, n'avaient pas plus de ressemblance que les pommes et les oranges entre elles. Et ça n'avait été que quand Hosteen Nakai lui avait fait remarquer qu'après trois années passées à l'Université du Nouveau Mexique il était toujours incapable de faire la distinction entre Suédois et Britanniques, ou Juifs et Libanais, que Chee avait accepté de reconnaître que la réaction « tous les Indiens se ressemblent » était quelque chose de naturel pour les hommes blancs, un élément de plus à ajouter à la somme de plus en plus importante de renseignements qu'il amassait sur la culture anglo-américaine.

Il repartit en se dépêchant, ne se souciant plus d'être vu. Comme lui, l'homme qui s'était laissé glisser de la voiture demeurait à l'écart de la route. Et comme Chee, il longeait le rebord de la mesa. Pendant un moment, Chee s'efforça de le retrouver dans son champ de vision chaque fois qu'il le perdait de vue, puis l'homme lui échappa lorsque le crépuscule s'installa. Chee ne pensait pas que ça aurait une quelconque importance. Sityatki n'était pas grand : un ensemble de cinquante habitations au plus, serrées autour de deux petites plazas ayant chacune deux petites kivas. Cela ne devrait pas être difficile de retrouver la Lincoln bleue.

Il atteignit la limite du village un peu plus tôt qu'il ne l'avait prévu. Le soleil était maintenant bien au-dessous de l'horizon, mais les nuages qui s'étaient amoncelés tout l'après-midi donnaient à la lumière mourante une sorte de grisaille maussade. Loin vers l'ouest, là-bas sur la région de Mogollon Rim et du Grand Canyon, l'orage noircissait le ciel. Chee fit halte à côté d'une baraque en planches, jeta un coup d'œil à sa montre et décida d'attendre qu'il fasse encore un peu plus sombre. Aucun souffle de vent n'agitait l'air : il était immobile et, événement rare s'il en fût, imprégné d'une humidité chaude et étouffante. Il allait peut-être y avoir de la pluie. Une vraie pluie : un déferlement diluvien qui mettrait un terme à la sécheresse. Chee espéra qu'il en irait ainsi, mais sans y croire. Même quand l'orage s'abat, l'habitant du désert conserve son scepticisme inné à l'égard des nuages. Il lui est difficile de croire à la pluie même quand elle s'abat sur lui. Il a vu trop d'averses s'évaporer entre le grondement du tonnerre et la terre brûlée.

Le tonnerre se fit alors entendre, un grondement lointain dont l'écho se répercutait quelque part au-dessus de Black Mesa. Et lorsque le bruit mourut, Chee perçut un rythme assourdi. Celui des tambours rituels, se dit-il, qui provenait de l'une des kivas souterraines du village. Il devait être temps de se remettre en route.

Un chemin partait de la baraque et suivait le bord de la falaise, longeant le mur extérieur de l'habitation la plus extérieure au village, serpentant dans l'étroit espace qui séparait les pierres irrégulières du vide. Chee s'y engagea. En contrebas, au fond du wash, l'obscurité était presque totale. Des lumières étaient allumées dans les logements construits par le Bureau des Affaires Indiennes (des rectangles jaune vif), et les phares d'un véhicule progressaient lentement sur la route qui suivait le cours d'eau asséché. D'habitude, Chee ne rencontrait pas de problème particulier à cause du vide. Mais là, il se sentit gagné d'un malaise nerveux et angoissé. Il s'avança le long du mur, tourna dans l'allée qui séparait deux des contructions rapprochées et se retrouva face à la plaza.

Personne en vue. La Lincoln non plus. Une vieille Plymouth, un camion semi-remorque et une demi-douzaine de pick-up trucks étaient garés ici et là le long des maisons constituant les côtés nord et ouest de la plaza, et une vieille Ford dont les roues arrière avaient été enlevées reposait de guingois sur le sol juste à côté de l'endroit où Chee se tenait.

Au-delà du village, le ventre noir du nuage s'illumina sous l'effet d'un éclair interne, s'éclaira à nouveau puis redevint progressivement noir. De la kiva située sur sa gauche parvinrent aux oreilles de Chee les bruits des tambours et les voix étouffées qui s'élevaient en une incantation rythmique. Le nuage répondit à leur appel par un violent roulement de tonnerre. Où pouvait bien être la Lincoln ?

Tout en se remémorant ce que Dashee lui avait dit de la disposition du village, Chee fit le tour de la plaza en longeant les murs des maisons et en se faisant aussi discret que possible. Il trouva le passage qui menait à la plaza inférieure, un tunnel sombre entre des murs de pierres brutes. De l'autre côté de la plaza inférieure était garée la Lincoln bleue.

La partie la plus ancienne du village entourait cet espace dégagé de taille restreinte et, pour l'essentiel, elle était abandonnée depuis plusieurs générations. De l'endroit où Chee se tenait, plongé dans l'obscurité à l'entrée de la ruelle, seules deux des maisons paraissaient être peut-être encore utilisées. Les fenêtres de l'une étaient éclairées par une faible lumière de couleur jaune, et l'autre, deux portes plus loin, avait de la fumée qui s'échappait du tuyau de poêle lui servant de cheminée. A part cela, il n'y avait aucun signe de vie. Les cadres des fenêtres de la maison contre laquelle s'appuyait Chee avaient été enlevés et une partie du toit s'était effondré. Chee fouilla du regard la maison plongée dans l'ombre puis enjamba le rebord de la fenêtre et posa les pieds sur le sol de terre tassée à l'intérieur. A ce moment-là il entendit des petits claquements réguliers. Le bruit se rapprocha, s'enfla soudain. Clac-clac. Clac-clac. Clac-clac. Les bruits étaient espacés comme si quelqu'un qui marchait lentement agitait un instrument à chaque pas. Cela provenait du passage que Chee venait de quitter. L'instant d'après Chee vit une silhouette passer devant la fenêtre par laquelle il venait d'entrer.

Un soudain grondement de tonnerre recouvrit le bruit. Profitant du fracas, Chee s'approcha précautionneusement de la façade du bâtiment en se baissant pour éviter les poutres du plafond effondré. Par l'ouverture autrefois fermée par la porte de la maison, il vit l'homme faire le tour de la petite plaza en marchant lentement. Il portait une sorte de jupe de cérémonie qui descendait à peu près jusqu'à ses genoux. Des grelots fabriqués avec des carapaces de tortue étaient attachés juste sous ses genoux. Sur sa tête, il portait une sorte de casque, surmonté de deux grandes cornes recourbées comme des cornes de bélier. Dans sa main il tenait quelque chose qui ressemblait à un bâton. Tandis que Chee le regardait, le marcheur s'arrêta.

Il se retourna, et regarda dans la direction de Chee.

– *Haquimi ?*

Le marcheur lança sa question droit vers lui.

Chee, pétrifié, retint son souffle. Il était impossible que l'homme pût le voir. Les ultimes lueurs du crépuscule éclairaient encore un peu la plaza, mais sous le toit effondré où il se tenait, l'obscurité était totale. Le marcheur se détourna de la cachette de Chee en pivotant d'un quart de cercle tout en faisant retentir ses grelots.

– *Haquimi ?* cria-t-il à nouveau.

Et à nouveau il demeura immobile, attendant une réponse qui ne vint pas. Encore un quart de cercle, et à nouveau la question résonna. Chee respira. Ça devait faire partie du rôle de la patrouille dont Cowboy lui avait parlé : les membres des prêtrises Unicorne et Deux Cornes qui donnaient à leurs kivas l'assurance rituelle qu'il n'y avait pas d'intrus à redouter. Ils crient « Qui êtes-

224

vous ? » lui avait dit Cowboy et, bien sûr, personne ne répond parce que personne n'est censé être dans les rues à l'exception de Masaw et de certains des kachinas qui pénètrent dans le village par la piste spirituelle. S'il y a un kachina qui arrive, il répond, « Je suis moi. »

L'homme était maintenant tourné vers la gauche de Chee. Il lança à nouveau sa question. Cette fois, instantanément, elle reçut une réponse. *« Pin u-u-u. »* Un hululement faisant davantage penser à un oiseau qu'à un être humain. Il provenait d'un endroit situé tout près de la plaza, dans les ténèbres, et Chee sentit ses cheveux se dresser sur sa nuque. La voix d'un kachina répondant à son frère humain ? Chee scrutait l'ombre par l'ouverture de la porte, essayant de déterminer d'où le bruit était venu. Il entendit le grondement du tonnerre et le claquement rythmé des grelots du prêtre qui s'éloignait lentement du lieu d'où était venue la réponse. Un éclair étincelant illumina la plaza. Elle était vide.

Chee regarda le cadran lumineux de sa montre. Au téléphone, le correspondant avait dit neuf heures pour l'échange. Encore presque une heure à attendre. Pourquoi aussi longtemps ? West (mais ne devrait-il pas continuer à penser qu'il s'agissait de Doigts-de-Fer ?) avait dû dire à l'homme de la Lincoln bleue d'être là au crépuscule, avant que la route ne soit fermée. Il avait dû lui indiquer où il devait se garer et lui ordonner de rester dans sa voiture et d'attendre. Mais pourquoi aussi longtemps ? Pourquoi ne pas en finir ? A nouveau un éclair : un grand trait flamboyant qui zébra le ciel et s'abattit quelque part sur Black Mesa. Sa lumière blanche éclaira brièvement la plaza vide, mais suffisamment longtemps pour montrer à Chee que l'homme qui était dans la Lincoln bleue portait un chapeau de paille.

Chee se rendit compte qu'il transpirait. C'était inhabituel dans cette région de désert (particulièrement après la tombée de la nuit, quand la température avait tendance à chuter.) Ce soir, semblable à une couverture moite, l'humidité retenait la chaleur de la journée. Assurément, il allait pleuvoir. Un nouvel éclair de lumière qui s'intensifia, s'intensifia encore. Chee remarqua que la maison située sur la gauche du passage qu'il avait emprunté était elle aussi vide et abandonnée. Elle lui offrirait une meilleure vue sur la Lincoln. Profitant du grondement du tonnerre, il se glissa hors de sa cachette, traversa l'étroite allée et enjamba l'ouverture béante de la fenêtre.

Il resta un moment immobile pour laisser à ses yeux le temps de s'habituer à l'obscurité plus dense de cette maison. Quelque chose lui chatouilla les narines. Une odeur douceâtre. Faible. Plutôt chimique. Comme un parfum désagréable. Un éclair. Lointain, mais qui fit pénétrer suffisamment de lumière par le seuil dépourvu de porte pour permettre à Chee de voir qu'il se trouvait dans une pièce vide au sol de terre tassée. Une pièce jonchée de débris éparpillés, de plâtre détaché des murs, de détritus apportés par le vent. Sur sa gauche, un encadrement de porte s'ouvrait sur ce qui devait être une pièce située sur l'arrière du bâtiment. L'odeur venait peut-être de là. Mais elle pouvait attendre. Il s'approcha de l'entrée principale. Elle consistituait un bon point d'observation sur la Lincoln et il resta immobile, les yeux fixés sur sa forme sombre, attendant qu'un éclair vienne lui en apprendre davantage.

Soudain le vent se leva, étonnamment frais et humide, apportant avec lui le parfum riche et délicieux de la pluie. Le vent mourut aussi rapidement qu'il s'était levé et Chee entendit le clac-clac, clac-clac, clac-clac que produisaient les carapaces de tortues rituelles du prêtre guetteur. Le bruit était très proche et Chee recula, s'éloigna de la porte. Au même moment, le prêtre passa devant l'entrée. Un prêtre guetteur différent. Chee ne put distinguer qu'une silhouette noire, mais celui-ci était d'une taille supérieure à l'autre. Un éclair illumina brièvement la plaza et Chee vit que l'homme s'était arrêté devant le trou laissé béant par la porte de la maison d'à-côté et qu'il en scrutait l'intérieur.

Avec toute la célérité qu'autorisaient la prudence et l'obscurité, Chee se déplaça en direction de l'endroit où sa mémoire lui disait qu'il avait vu l'entrée de la pièce du fond. Il y serait invisible même si le prêtre jetait un coup d'œil dans la maison, Il fit courir le bout de ses doigts sur le plâtre rugueux, rencontra le bois de l'encadrement de la porte et se glissa par l'ouverture en faisant bien attention à l'endroit où il posait les pieds dans l'obscurité. L'odeur, maintenant, était forte. Une odeur chimique, incontestablement. Chee fit la grimace en essayant de l'identifier. Il se déplaça prudemment, s'enfonçant dans l'obscurité. Puis il s'arrêta. A quelques dizaines de centimètres de lui, quelqu'un respirait.

C'était un bruit faible, le simple souffle d'une respiration profonde. Chee se figea sur place. Très loin au-dessus de la mesa le tonnerre roula, gronda, puis mourut. Le silence. Et dans ce silence, le bruit faible de l'air inhalé, de l'air exhalé. Une respiration tranquille, régulière. Qui semblait venir du sol. Quelqu'un qui dormait ? Chee sortit la lampe-torche de sa poche revolver, entoura à plusieurs reprises le verre dans son pan de chemise, s'accroupit, orienta la lampe en direction du son. Il l'alluma, l'éteignit aussitôt.

La lumière diffuse avait révélé un petit homme assez âgé étendu par terre sur le dos. Il n'avait sur lui qu'un caleçon, une chemise bleue et des mocassins. Il paraissait dormir. Toujours accroupi, Chee se rapprocha de deux pas et ralluma sa lampe. L'homme portait la coiffure à frange courte chère aux Hopis férus de traditionalisme, et il semblait avoir sur le front et les joues une sorte de peinture ornementale rituelle. Où était son pantalon ? Chee se hasarda à réutiliser la lampe. La pièce était vide. Aucune trace de vêtements. Qu'est-ce que cet homme faisait là ? Il était saoul, très probablement. Il était entré ici pour cuver.

Chee remit la lampe dans sa poche. Du dehors lui parvint la question rituelle lancée par le prêtre guetteur. Il revint dans la pièce de devant. Encore quarante minutes à attendre. Il ne risquait plus rien à se remettre à surveiller la Lincoln.

Il se plaça juste en retrait du seuil donnant sur l'extérieur. Il faisait maintenant nuit noire mais l'espace dégagé de la plaza, même par cette nuit nuageuse, était bien plus claire que l'intérieur de la maison où il avait établi sa surveillance. Il y voyait assez bien, et il vit le prêtre guetteur de la Prêtrise Deux Cornes s'approcher lentement de la Lincoln. Parvenu à la voiture il s'arrêta, juste à côté de la portière contre laquelle était assis l'homme au chapeau de paille, et il se pencha vers lui. Dans le silence, Chee entendit une voix, basse et indistincte. Puis une autre voix. Le guetteur qui demandait à Chapeau de Paille ce qu'il faisait là ? Ou qui lui disait de s'en aller ? Qu'allait faire Chapeau de Paille ? Et pourquoi West, ou celui qui avait tout préparé, n'avait-il pas prévu cet accroc dans le déroulement de son plan ?

Au moment où cette question lui vint à l'esprit, il trouva la réponse à une question antérieure. A plusieurs questions antérieures. L'homme qui se trouvait dans la pièce de derrière n'était pas saoul. Il n'aurait pas bu le jour d'une cérémonie aussi importante. L'odeur chimique douceâtre était celle du chloroforme. Ce n'était pas un pantalon que cet homme avait porté. C'était la jupe de cérémonie. Et des grelots en carapace de tortue. On l'avait endormi, puis dépouillé de son costume de prêtre Deux Cornes.

Là-bas vers la Lincoln bleue, le prêtre Deux Cornes s'éloignait de la portière de la voiture, et il s'en éloignait vite. Aucun bruit désormais n'accompagnait sa marche.

Il y eut un aveuglant éclair de lumière blanche légèrement bleutée, presque instantanément suivi d'un coup de tonnerre fracassant. L'éclair illumina le prêtre Deux Cornes. Il longeait la kiva et se dirigeait rapidement vers une trouée entre les maisons qui conduisait à la plaza supérieure. Ce devait être West. Mais il aurait dû avoir deux valises. Il aurait dû avoir cinq cent mille dollars. Ses mains étaient vides. Chee hésita un instant puis se précipita vers la Lincoln. Les premières gouttes l'accueillirent tandis qu'il traversait la plaza en courant. D'énormes gouttes d'eau glacées, espacées au début, qui se transformèrent en un déferlement torrentiel froid et étourdissant.

A nouveau il y eut un éclair. Un grand gaillard blond émergea d'une maison en ruine juste derrière l'endroit où était garée la Lincoln. Il avait quelque chose dans la main, un pistolet peut-être. Comme Chee, il fonçait vers la Lincoln. L'éclair de lumière ne révéla pas grand chose de plus à Chee : il n'aperçut que le blond à la chemise grise et bleue et, très rapidement, la Lincoln à l'intérieur de laquelle le chapeau n'était plus visible.

L'homme atteignit la voiture peut-être trois secondes avant Chee. Celui-ci n'avait pas l'intention de s'arrêter ; il n'en avait pas le temps. La Lincoln bleue, le chapeau de paille, rien de cela ne le concernait plus maintenant. Mais l'autre l'arrêta. Il leva sa main gauche.

– Aidez-le, dit-il.

La pluie s'abattait maintenant en un véritable déluge. Chee sortit sa lampe-torche et l'alluma. La pluie martelait sa nuque, ruisselait sur le visage de l'autre homme qui demeurait immobile, comme frappé de stupeur. Un pistolet pendait au bout de sa main droite, prolongé par un filet d'eau qui tombait sur le sol.

– Rangez votre arme, ordonna Chee.

Il ouvrit la portière avant de la Lincoln. Le chapeau de paille était tombé sur le plancher, en-dessous du volant, et l'homme âgé d'une quarantaine d'années à qui il appartenait était tombé lui aussi, sur le côté, la tête vers le siège du passager. Dans la lumière jaune de la torche, le sang qui jaillissait de sa gorge sur les sièges bleu pâle paraissait noir. Chee se pencha à l'intérieur du véhicule pour mieux voir. Les blessures semblaient avoir été causées par un objet comparable à un couteau de chasse. Essentiellement à la gorge et au cou : au moins une douzaine d'entailles féroces.

Chee se recula.

– Aidez-le, répéta le garde du corps blond.

– Je ne peux pas l'aider, répondit Chee. Personne ne le peut. Il l'a tué.

– Salopard d'Indien. Pourquoi il a fait ça ?

Il y avait deux valises posées sur le plancher de la voiture du côté du passager. Du sang qui coulait du siège tombait sur l'une d'elles. West n'aurait eu qu'à tendre le bras et à les soulever pour s'en emparer. Il avait exigé cinq cent mille dollars. Pourquoi ne les avait-il pas pris ?

– Ce n'était pas un Indien, dit Chee. Et j'ignore pourquoi.

Mais en le disant, il comprit qu'il le savait. C'était la vengeance et non l'argent que West voulait. C'était cela dont il s'agissait depuis le début. Le vent sombre qui gouvernait Jake West. Chee laissa le garde du corps blond debout à côté de la Lincoln et s'élança pour traverser la plaza. West devait se diriger vers sa jeep. Il ne pouvait savoir que quelqu'un savait où il l'avait garée.

30

La première partie du trajet qui le séparait de l'endroit où West avait laissé sa jeep, Chee la parcourut d'un seul trait. Cette phase de course prit fin lorsqu'il heurta de plein fouet une branche de pin pignon qui le jeta au sol et grava une entaille sanglante sur le côté de son front. Après cela, il progressa tantôt à grandes enjambées, lorsque la visibilité était bonne, et tantôt à petites foulées prudentes, lorsqu'elle ne l'était pas. Les bourrasques de pluies s'éloignèrent vers l'est, le ciel s'éclaircit un peu, et Chee se retrouva courant plus souvent qu'il ne marchait. Il voulait arriver à la jeep avant que West ne l'atteigne. Il voulait y être pour l'attendre. Mais quand il trouva les fourrés où était garée la jeep, et qu'il se fraya un chemin au travers aussi discrètement que possible, West s'installait déjà au volant.

Chee dégaina son pistolet et actionna sa torche.

— M. West, dit-il. Levez les bras de façon à ce que je voie bien vos mains.

— Qui c'est ? demanda West en plissant les yeux à cause de la lumière. C'est vous, Chee ?

Dans la mémoire de Chee repassa l'image de l'homme à la gorge ruisselante de sang à l'intérieur de la Lincoln.

— Mains en l'air, répéta-t-il. Le bruit que vous venez d'entendre c'est mon pistolet que je viens d'armer.

West, lentement, leva les mains.

— Sortez de là, ordonna Chee.

West descendit de la jeep.

— Mettez les mains sur le capot. Ecartez les jambes.

Chee le fouilla, s'empara du revolver à canon court qui était dans l'une de ses poches. Il ne trouva rien d'autre.

— Où est le couteau ? demanda-t-il.

West ne répondit pas.

— Pourquoi vous n'avez pas pris l'argent ?

— Ce n'était pas l'argent que je voulais. C'était le type. Et je l'ai eu ce salopard.

— Parce que votre fils a été tué ?

— Oui, reconnut West.

— Je crois que vous n'avez peut-être pas tué le bon.

— Si, assura West. J'ai eu le bon. Celui qui donnait les ordres.

— Mettez vos mains derrière votre dos.

Il lui passa les menottes.

Chee fut soudain aveuglé par un faisceau de lumière.

— Lâchez votre arme, ordonna une voix. Allez ! Tout de suite !

Chee laissa tomber le pistolet.

— La torche aussi !

Chee laissa tomber la torche. Elle produisit un rond de lumière à ses pieds.

— Vous êtes têtu comme une mule, dit la voix. Je vous

231

ai dit de ne pas vous mêler de ça.

C'était la voix de Johnson. Et c'était le visage de Johnson que Chee voyait maintenant dans la lumière de sa torche.

– Les mains derrière le dos, poursuivit-il.

Puis il emprisonna les mains de Chee derrière son dos avec des menottes.

Il ramassa le pistolet de Chee, puis celui de West, et les lança à l'arrière de la jeep de West.

– Impec, dit-il. Finissons-en avec ça pour pouvoir aller nous mettre à l'abri. On va chercher la came. (Du bras qui tenait le pistolet il désigna West.) Où est-ce que vous l'avez planquée ?

– Je crois bien que je vais me trouver un avocat pour en discuter avec lui d'abord, répondit West.

Chee se mit à rire, mais il n'en avait aucune envie. Il se sentait idiot. Il aurait dû prévoir la présence de Johnson. Celui-ci était du genre à trouver une façon d'intercepter les instructions données par West pour le rendez-vous. Il allait de soi que si un coup de téléphone avait été à nouveau le moyen utilisé, mettre une ligne sur table d'écoute n'était certes pas un obstacle pour l'agent de la DEA.

– Je n'ai pas l'impression que Johnson va se montrer aussi respectueux de la loi, intervint Chee.

– Ça, c'est sûr, confirma Johnson. Je vais lui proposer exactement le même marché que celui qu'il a présenté à l'organisation. Il garde les cinq cent mille dollars. Moi je prends la came.

– Comment pouvez-vous savoir qu'il ne l'a pas déjà rendue ? demanda Chee.

– Parce que je l'ai gardé à l'œil, répondit Johnson. Il n'est pas encore allé la récupérer.

– Mais peut-être qu'il l'a planquée là-haut, quelque part dans le village, suggéra Chee.

Johnson le laissa dire.

– En route, ordonna-t-il à West. On va prendre ma voiture. On va chercher la marchandise.

232

West ne bougea pas. Il regardait Johnson bien en face à travers le faisceau lumineux de la lampe. Johnson le frappa avec son pistolet : un coup violent en plein visage. West recula en titubant, perdit l'équilibre et s'écroula contre la jeep.

Johnson ricana. Il y eut à nouveau toute une série d'éclairs. La pluie redoubla.

– Il ne s'y attendait pas, commenta Johnson en s'adressant à Chee. Il croit toujours que je suis un flic réglo dans votre genre. Vous savez bien que nous, vous, hein ?

– Oui. Ça fait déjà un bon moment que je le sais.

West essayait de se relever avec des gestes maladroits à cause de ses bras attachés derrière son dos.

– Depuis quand ? insista Johnson. Ça m'intéresse.

– Eh bien, expliqua Chee, quand vous êtes allé chercher la marchandise du côté du lieu de l'accident, dans Wepo Wash, l'un de ces types qui cherchait avec vous était un des gangsters. Ou tout au moins, c'est l'impression que j'ai eue. Mais je me méfiais déjà.

– Parce que je vous avais un peu bousculé ?

West était à nouveau debout ; du sang coulait sur sa joue. Chee tarda volontairement à répondre. Il voulait être certain que West entendrait ce qu'il allait dire.

– A cause de la façon dont vous avez fait tuer le fils de West à l'intérieur de son pénitencier. Vous le faites sortir de la prison, vous arrivez à le faire parler en employant je ne sais quel moyen, et ensuite vous le remettez avec tous les autres détenus. Si vous l'aviez mis dans une cellule à part pour qu'il ne risque rien, l'organisation aurait su qu'il avait parlé. Ils auraient annulé la livraison.

– Pas bête du tout, acquiesça Johnson qui ricana à nouveau. Comme ça on est sûr que ce petit salopard va être obligé de convaincre tout le monde qu'il a pas ouvert le bec.

Dans la lumière jaune de la lampe, le visage de West avait l'immobilité d'un masque dont les yeux étaient fixés sur Johnson.

– Et on est sûr qu'ils ne vont pas le laisser vivre, compléta Chee, pas avec le risque de vous voir revenir pour lui parler à nouveau.

– Je n'arrive pas à trouver une seule raison de ne pas en finir avec vous, dit Johnson. Vous en voyez une, vous ?

Chee n'en voyait pas. Il supposait seulement que Johnson attendait encore un tout petit peu pour que le coup de feu qui allait le tuer soit couvert par le bruit du tonnerre. Lorsque le prochain éclair arriverait, Johnson patienterait jusqu'au début du grondement de tonnerre, et à ce moment-là il l'abattrait.

– Je vois une raison de vous tuer, ajouta Johnson. Y a West qui me verra le faire et comme ça il saura vraiment que je n'hésiterai pas à lui faire la même chose s'il ne se montre pas coopératif.

– J'en vois une, de raison de ne pas me tuer, affirma Chee. C'est moi qui ai la cocaïne.

Johnson eut un large sourire.

Il y eut une amorce d'éclair. Chee se rendit compte qu'il parlait plus vite.

– Elle est dans deux valises. Des valises en aluminium.

Le sourire de Johnson s'effaça.

– Comment je pourrais le savoir, hein ? demanda Johnson.

– Vous étiez sur place quand l'avion s'est écrasé. Vous avez peut-être vu West, Palanzer et cette sale crapule de Musket les sortir de l'avion et les embarquer.

– Ils ne les ont pas embarquées, répliqua Chee. West a creusé un trou dans le sable, derrière le bloc de rocher ; ensuite il les a recouvertes de sable qu'il a bien tassé, et le lendemain matin, vous, les fédéraux, vous êtes venus tout piétiner et vous avez tassé le sable encore plus.

– Ah tiens, fit Johnson.

– Alors j'y suis allé, j'ai sorti la manivelle de cric de mon pick-up truck et j'ai testé le sable à droite et à gauche jusqu'à ce que je rencontre du métal. Après j'ai creusé. Deux valises en aluminium. Des grosses. Peut-être

234

quatre-vingt centimètres de long. Et lourdes. Un poids qui doit approcher les trente kilos pour chacune. Et à l'intérieur, tous les sachets en plastique. D'environ une livre chacun. Combien ça peut bien valoir une pareille quantité de cocaïne ?

A nouveau Johnson souriait, d'un sourire vorace cette fois.

– Vous l'avez vue, dit-il. Elle est absolument pure. La meilleure qualité du monde. Blanche comme de la neige. Quinze millions de dollars. Vingt peut-être, vu la pénurie qu'il y a cette année.

L'éclair illumina le ciel. Dans une seconde, ce serait le tour du tonnerre.

– Donc vous avez une raison de me laisser vivre qui équivaut à quinze millions de dollars, conclut Chee.

– Où est-ce qu'elle est ? demanda Johnson.

Le déferlement du tonnerre engloutit presque sa question.

– Je pense qu'il vaudrait mieux commencer par parler un peu affaires, dit Chee.

– Qui n'a pas son petit vice caché ? remarqua Johnson. Bon, cette fois, il y en a assez pour tous. (Un nouveau sourire.) Nous allons prendre votre voiture. La radio peut se révéler utile. Si M. West ici présent fait des siennes là-haut dans le village, ça pourra nous servir d'être au courant.

– Ma voiture ?

– Faites pas le malin. Je l'ai vue. Elle est garée juste en bas de la pente au milieu de ces buissons là-bas. Allons-y.

La pluie tombait à nouveau à verse. Les Navajos ont des mots pour qualifier la pluie. L'orage bref, aussi bruyant que violent est la « pluie mâle ». L'averse plus douce et continue qui détrempe tout est la « pluie femelle ». Mais ils n'ont pas de mot pour ce genre de pluie diluvienne. Ils progressèrent à travers un mur d'eau assourdissant, respirant de l'eau, pratiquement aveuglés par l'eau. Johnson marchait derrière Chee tandis que West, comme hébété, trébuchait devant eux, et que le faisceau de lumière provenant de la lampe de Johnson n'éclairait que des rideaux de pluie.

Ils firent halte à côté de la voiture de Chee.

– Sortez vos clefs, ordonna Johnson.

– Je ne peux pas, répondit Chee.

Il était obligé de crier pour couvrir de sa voix le bruit de la pluie qui martelait le toit de la voiture.

– Essayez, dit Johnson dont l'arme visait sa poitrine. Essayez vraiment. Contorsionnez-vous un peu. Autrement je vous colle un coup sur le crâne et je les sors moi-même.

Chee se contorsionna. En se tortillant au niveau des hanches et des épaules, il parvint à insérer son index dans la poche de son pantalon. Puis, en tirant, il fit glisser son pantalon latéralement de trois ou quatre centimètres. Il parvint à récupérer son trousseau de clefs.

– Laissez-les tomber par terre et reculez, lui ordonna Johnson avant de ramasser les clefs.

Chee prit conscience d'un second bruit, encore plus fort que le martèlement de la pluie. Polocca Wash s'était transformé en torrent. Cette trombe d'eau s'était déversée pendant une heure au-dessus de Black Mesa en se déplaçant lentement. Derrière elle et en dessous d'elle, des millions de tonnes d'eau ruisselaient de la mesa en empruntant des dizaines de washes de taille moindre, des vingtaines d'arroyos, dix mille petits itinéraires suivis par les eaux d'écoulement... qui convergeaient tous vers Polocca, et vers Wepo, projetant des murs d'eau qui déferlaient vers le sud-ouest en rugissant pout aller se jeter dans le Petit Colorado. Le rugissement que Chee distinguait mêlait le bruit des branchages et le grondement des gros cailloux emportés dans Polocca par la force des flots. D'ici deux heures il n'y aurait plus un seul pont, grand ou petit, plus un seul moyen praticable permettant de se rendre des mesas Hopi au canyon du fleuve.

Johnson faisait sauter les clefs dans la paume de sa main tout en observant Chee et West d'un air pensif. Le faisceau de sa lampe tressautait. Dans la lumière, Chee pouvait voir à quel point le niveau du torrent avait déjà monté. Le flot turbulent s'attaquait aux genévriers qui ne se trouvaient pas à plus de sept ou huit mètres en contrebas de l'endroit où sa voiture était garée.

– Il vient de me venir une ou deux idées intéressantes, dit Johnson. Je crois que je sais où vous avez mis la cocaïne.

– Ça m'étonnerait, répondit Chee.

– Je me suis longtemps demandé pourquoi, tous les deux vous étiez pas venus ensemble. Vous savez, pour économiser l'essence, et l'usure des pneus. Et je me dis que West, il a voulu venir tôt pour voir comment les choses se présentaient et s'assurer que personne ne vous avait tendu un piège. Alors il a pas amené la cocaïne. Où voulez-vous cacher ça dans une jeep ?

Tout en parlant, Johnson fit dévier la lumière de sa lampe en direction des vitres de la voiture de police de Chee. Il regarda à l'intérieur.

– Après, une fois que West a regardé partout et qu'il n'y a aucun danger (et si quelqu'un lui saute dessus ils sont obligés de le relâcher parce qu'il n'a pas la camelote et qu'ils la veulent), après tout ça, voilà M. Chee qui s'amène dans sa voiture de police. Et quel meilleur endroit pour cacher de la cocaïne qu'une voiture de police ?

Johnson dirigea le faisceau de sa lampe droit dans les yeux de Chee.

– Où trouver meilleur endroit ? insista-t-il.

– Superbe idée, dit Chee.

Il essayait désespérément d'inventer un plan. Johnson allait ouvrir le coffre pour vérifier. Ensuite, il n'aurait absolument plus aucune raison de garder Chee en vie. La lumière abandonna le visage de Chee pour se porter sur celui de West. De l'eau mêlée de sang ruisselait sur sa joue depuis l'endroit où sa pommette était entaillée, puis disparaissait dans sa barbe. Chee pensa que jamais il n'avait vu une telle haine sur les traits de quelqu'un. West comprenait maintenant pourquoi son fils était mort.

237

West comprenait qu'il s'était trompé de cible en poignardant l'autre homme.

– Une gentille petite hypothèse, reprit Johnson. Voyons ce que ça donne dans la réalité.

Il coinça la lampe sous son bras et garda son arme braquée sur Chee tandis qu'il bataillait pour faire entrer la clef dans la serrure. Le capot s'ouvrit. La lumière du coffre éclaira la scène.

Johnson laissa éclater son rire, un véritable gloussement de joie.

– Il y a encore un petit problème, dit Chee. Et si ce que vous voyez là n'étaient que deux valises pleines de farine de blé de la meilleure qualité ? Ça ne pèse pas aussi lourd que la cocaïne, mais si vous ne savez pas quel poids ces trucs-là sont censées peser, vous ne pourrez jamais faire la différence d'un simple coup d'œil.

– Bon, ben on va regarder, alors, dit Johnson. Je sais faire la différence et vous commencez à me taper sur le système.

Il posa la lampe à l'intérieur du coffre tout en gardant son pitolet braqué sur Chee. Il ne regardait pas les valises, mais Chee l'entendait tripoter l'une des fermetures.

– Où est la clef ? demanda-t-il.

– Je ne pense pas qu'ils l'aient livrée avec, répondit Chee. Peut-être qu'ils l'ont envoyée aux acheteurs. Qui sait ?

– Restez là-bas, ordonna Johnson.

Il redressa les deux valises, dégagea la manivelle de cric et en enfonça l'extrémité aplatie dans l'une des jointures. Il força. La serrure céda. La valise s'ouvrit. Johnson regarda à l'intérieur.

– Regardez-moi ça, gloussa-t-il.

Chee s'élança, mais West fut plus rapide que lui. Et cependant, Johnson eut le temps de faire pivoter son arme dans sa direction et de tirer à deux reprises avant qu'il ne l'atteigne. West hurlait : un cri animal, incohérent. Johnson essaya de s'écarter, glissa sur le sol mouillé. L'épaule de West le projeta contre le coffre ouvert. Un craquement se fit entendre. Chee se précipitait aussi vite qu'il le pouvait mais avait du mal à conserver son équilibre à cause de ses bras attachés dans son dos. Le choc avait projeté Johnson sur le sol, et West aussi était tombé. Chee plongea les mains dans le coffre, tâtonna pour s'emparer de la manivelle, de tout ce que ses mains (liées derrière son dos), pourraient utiliser pour tuer un homme.

La valise en aluminium restée fermée avait basculé sur le côté. Ses mains rencontrèrent la poignée. Il hissa la valise hors du coffre, titubant un instant lorsque le poids se balança dans le vide. Johnson se remettait debout, tâtait le sol autour de lui dans l'obscurité pour retrouver le pistolet qu'il avait lâché.

Chee pivota sur les talons, entraînant la valise derrière lui, calculant : puis il la lâcha au moment où il pensa qu'elle allait percuter Johnson. Il rata son coup.

La valise rebondit sur le sol juste devant les jambes de Johnson et dévala la pente en direction des eaux rugissantes de Polacca Wash.

– Seigneur, hurla Johnson.

Il se précipita pour la rattraper.

West s'était relevé et il courait avec difficulté derrière lui. La pluie déferlait. Un éclair illumina d'une clarté blanche légèrement bleutée l'eau qui tombait.

Retenue par un genévrier, la valise s'était immobilisée juste au-dessus de la surface de l'eau. Johnson l'avait atteinte et la récupérait en la tirant à lui quand il comprit ce que West était en train de faire. Il se retourna et le corps de West le percuta de plein fouet, le projetant en arrière sur la pente dans ce qui était maintenant le fleuve Polacca.

West demeura étendu de tout son long sur le sol, la tête vers le bas et les pieds vers le haut, à côté de la valise. Chee luttait à chaque pas, glissant et patinant sur la pente.

Il s'assit à côté de West.

– Ça va ?

West respirait avec difficulté.

– Je l'ai envoyé dedans ?

– Vous ne vous êtes pas trompé de client cette fois-ci, lui répondit Chee. Personne ne pourrait surnager dans ces eaux-là. Il est en train de se noyer. Si ce n'est pas déjà fait.

West ne dit rien, se contentant de respirer.

– Est-ce que vous pouvez vous lever ?

– Je peux essayer, répondit West.

Il essaya. Une brève tentative. Puis il redevint immobile. Il y avait maintenant un gargouillement qui se mêlait à sa respiration.

– Il va falloir que vous vous leviez, insista Chee. L'eau monte et je ne peux pas vous aider beaucoup.

West fit une nouvelle tentative. Chee parvint à se saisir de son bras et à le tirer vers le haut. Ils joignirent leurs forces et West réussit à se mettre à genoux, puis à se lever. Enfin, après deux chutes, ils parvinrent à lui faire atteindre la voiture, puis à le faire entrer à l'intérieur. Ils restèrent assis, côte à côte, sur le siège avant, sous la lumière du plafonnier, se contentant de respirer. La pluie tambourinait violemment contre le toit.

– J'ai un problème, dit Chee. La clef des menottes que j'ai aux poignets est dans la poche de Johnson et nous ne risquons pas de la récupérer. Mais la clef des menottes que vous avez est sur mon trousseau de clefs. Si je vous enlève vos menottes est-ce que vous pourrez conduire ?

Un gargouillement monta de la poitrine de West.

– Peut-être, dit-il d'une voix très faible.

– On est en train de vérifier les radios dentaires de Joseph Musket. De les comparer avec celles de John Doe que le sorcier est censé avoir tué. Elles vont être identiques et on vous arrêtera pour le meurtre de Musket.

– Ça a bien marché, n'empêche, dit West.

Il émit un bruit qui, au début, aurait pu être un ricanement mais qui se termina par une toux. Visiblement, il y avait du sang dans ses poumons.

– Je vous dis cela parce que je veux que vous sachiez qu'ils vous tiennent. Si je retire vos menottes, ça ne servira à rien d'essayer de me tuer et de vous enfuir. Vous le comprenez bien.

Chee avait toujours les clefs dans sa main droite. Il les y avait gardées depuis qu'il avait extrait son trousseau d la serrure du coffre et qu'il avait déverrouillé la portière avant.

— Penchez-vous de l'autre côté, vers l'autre portière, et tendez-moi vos mains.

West respira, hoqueta, suffoqua.

— Penchez-vous, répéta Chee. Tendez vos mains.

West se pencha laborieusement. Chee se pencha de l'autre côté. En tâtonnant derrière son dos il trouva les mains puissantes de West, trouva la serrure. Il parvint à y insérer la clef en tâtonnant, réussit, enfin, à ouvrir les menottes et à libérer les mains de West.

Mais West était maintenant écroulé contre la portière du passager.

— Allez, West, l'exhorta Chee. Vous voilà libéré. Il faut que vous fassiez démarrer la voiture et que vous nous conduisiez là où nous pourrons trouver de l'aide. Sinon, vous allez vous vider de votre sang.

West ne répondit pas.

Chee tendit ses mains derrière lui, tira West en position assise : il s'écroula à nouveau contre la portière en toussant faiblement.

Chee abandonna.

— West, dit-il. Comment avez-vous fait votre compte pour que le collier squash blossom réapparaisse à Mexican Water ? C'était une erreur.

— Un ami l'a fait pour moi. Un Navajo. Il avait une dette envers moi. (West toussa une nouvelle fois.) Pourquoi ça ? Ça pouvait confirmer que Musket était toujours en vie.

— Votre ami a choisi une fille dans le clan qu'il ne fallait pas.

Chee n'était pas certain que West puisse encore l'entendre.

— West, je vais être obligé de vous laisser ici pour voir

si je peux trouver de l'aide.

West respira.

– O.K., dit-il.

– Encore une chose. Où avez-vous caché les bijoux qui restent ?

West respira.

– Ceux du cambriolage. Quand vous avez fait semblant d'être cambriolé. Où avez-vous caché les bijoux qui manquent ? Beaucoup de braves gens seraient heureux de récupérer leur bien.

– Cuisine, articula faiblement West. Sous l'évier. L'endroit où on peut se glisser pour réparer.

– Merci, dit Chee.

Il ouvrit la portière de la voiture, fit passer ses jambes par l'ouverture et se pencha suffisamment loin pour que son poids porte sur ses pieds. Il perdit l'équilibre et se retrouva assis. Il se rendait bien compte qu'il était épuisé, qu'il n'en pouvait plus. Puis il se rendit compte que West, appuyé contre la portière derrière lui, ne respirait plus.

A partir de ce moment-là, il n'y avait plus urgence. Chee se reposa. Ensuite, avec des gestes maladroits, il tendit les bras derrière son dos et tâta la poche de West. Il réussit à y glisser les doigts et en extirpa un petit tas d'enveloppes détrempées. Ses doigts les séparèrent. Treize. Une par carte de chaque couleur. Classées, il en était sûr, pour que les doigts agiles de West puissent les compter rapidement jusqu'au trois de carreau. Ou bien, si c'était le sept de trèfle qui était demandé, pour qu'il puisse réussir le même tour de magie quelle que soit la bouche dans laquelle il mettait les trèfles. Mais les tours de magie de West étaient terminés maintenant. Chee avait un tout autre problème. Il se remémora le capitaine Largo lui ordonnant d'un ton sévère et furieux de ne pas se mêler de cette affaire de trafic de drogue. Il se représenta en train d'ouvrir le coffre de sa voiture de police et de se trouver face à Largo avec une valise pleine de cocaïne : trente kilos de preuve attestant son insubordination. Une scène qui valait la peine d'être évitée. Chee écouta la pluie et décida de la façon dont il pouvait parvenir à l'éviter. Puis il laissa ses pensées errer vers Mlle Pauling. Elle aussi avait eu sa vengeance. West avait tué son frère de manière à rendre possible sa propre vengeance. Et son frère lui aussi, maintenant, était vengé. Tout au moins, Chee se l'imaginait. Ce n'était pas là une valeur enseignée, ou reconnue, par le système de vie navajo et Chee n'était pas sûr de bien comprendre comment cela était censé fonctionner.

Finalement, il se remit debout en s'aidant de ses mains, contourna la voiture jusqu'au coffre et réussit, les menottes aux poignets, à refermer la seconde valise en dépit de la fermeture abîmée. Il la hissa lentement hors du coffre et s'aventura sur la pente aux rochers glissants et inondés d'eau qui descendait jusqu'à Polacca Wash. L'eau avait monté et s'attaquait à la première valise. Du pied, Chee la poussa violemment devant lui. Elle flotta un court instant avant d'être aspirée par le courant bouillonnant. Puis il pivota sur lui-même et envoya la seconde valise tourbillonner à la suite de l'autre. Quand il se retourna pour regarder, elle avait déjà disparu dans les ténèbres.

Glossaire

Arroyo : Terme espagnol désignant le lit sec, en général au fond d'une gorge ou d'un canyon, d'une rivière dont l'eau se tarit en été.

Astotokaya : (mot hopi) Cérémonie du lavage des cheveux : elle se pratique avec de la mousse de yucca et a vocation purificatrice, comme par exemple les bains de vapeur.

Bahana : Homme de race blanche (ni espagnol, ni mexicain) en hopi.

Bain de vapeur : V. Astotokaya.

Bijoux : Les Indiens du Sud-Ouest fabriquent des bijoux de renommée mondiale, travaillant essentiellement l'argent et la turquoise. Les ceintures *concho* se composent d'une forme unique répétée ou de deux formes alternées en argent, et les colliers *squash blossom* reproduisent un motif en « fleur de courge ».

Bourses à médecine : *jish* en navajo. Indispensable pour assurer les rites guérisseurs, elle symbolise l'harmonie, la substance de la vie et la force de vie (v. dualisme), et est constituée d'un ensemble d'objets sacrés parmi lesquels des échantillons provenant du sol des quatre montagnes sacrées.

Chanteur (*yataalii* en navajo) : Chez les Navajos, il est celui que l'on appelle pour tenir les rites guérisseurs car il est le dépositaire de ces procédures extrêmement complexes destinées à libérer le malade de l'emprise d'un sorcier au moyen de chants et de prières associés à des *sand-paintings* (dessins symboliques exécutés au moyen de sables de couleurs différentes). Un chanteur ne peut en connaître que plusieurs et certains rites disparaissent actuellement. Mais le chanteur n'est ni un homme-médecine ni un shaman : la guérison est collective, profite d'abord au patient puis, par voie de fait, à l'univers tout entier qui retrouve l'harmonie.

Chindi : Mot navajo désignant le fantôme. Les Navajos ne croient pas à un au-delà plaisant après la mort. Au mieux, ils trouvent le néant. Au pire, la partie malsaine et malfaisante de l'individu revient hanter les vivants et leur apporter la maladie et la mort.

Clan : Concept familial très élargi. Chez les Navajos, on en dénombre soixante-cinq ; chez les Hopis, chaque clan a un nom (Clan de l'Ours, clan du Plant-de-Maïs, clan de l'Aigle...) et un esprit tutélaire qui lui est propre et qui est symbolisé par un fétiche de bois ou de pierre, le *tiponi*. Chacun des clans est constitué de sous-clans (v. famille).

Dinee : Le Peuple : tel est le nom que se donnent les Navajos. Ils habitent la région qu'ils appellent *Dinetah*.

Dualisme : Dieu-qui-Parle et Dieu-qui-Appelle, Premier Homme et Première Femme; Garçon Abalone et Fille Abalone, la source de vie qui contient à la fois la « matière » nécessaire à la vie et le moyen lui permettant de passer l'épreuve du temps, la forme non-physique dissimulée à l'intérieur de la forme physique des choses, tous ces éléments de la mythologie navajo relèvent d'un dualisme presque systématique.

Le chiffre quatre est également très important (les 4 montagnes sacrées, les 4 plantes sacrées, les 4 bijoux sacrés, etc.).

Emergence : Avant d'atteindre la surface de la terre, les hommes durent émerger des mondes inférieurs (de 4 à 12 suivant les mythologies) en empruntant le tronc d'un arbre, perçant les différentes couches successives. Les Navajos émergèrent du dernier monde souterrain, alors envahi par les eaux, en empruntant un roseau. Chez les Hopis, on appelle *sipapuni* le lieu de l'émergence dans le Quatrième Monde.

Famille : Chez les Hopis, les clans sont matrilinéaires exogames (seule l'ascendance maternelle entre en ligne de compte pour l'appartenance au groupe tribal et les époux ne peuvent être issus du même clan). Le véritable père ne sera donc pas chargé de l'instruction de la discipline de

246

l'enfant. Ce rôle échoit aux oncles de celui-ci, c'est-à-dire aux hommes de la famille de sa mère (frères, oncles, etc.). Tous les biens appartiennent à l'épouse et si elle se lasse de son mari il n'a plus qu'à reprendre le chemin de son propre clan.

Système également matrilinéaire chez les Navajos, à la différence que les jeunes époux se mettent en quête d'un endroit où construire leur hogan, tant pour s'isoler que pour avoir suffisamment d'espace pour pratiquer l'élevage des moutons. Il faut ici distinguer la notion de clan de ce que Hillerman appelle « outfit » : une sorte de famille ou de clan géographique élargi permettant aux Navajos isolés de se regrouper pour participer à certains travaux ou à certains rites. Cette famille élargie peut regrouper de 50 à 200 personnes.

Fantôme : v. *chindi*.

Femme-qui-Change : Dans la mythologie navajo, elle est fille de Premier Homme et de Première Femme ; elle s'accoupla avec Shivanni, le Soleil-Père, pour donner naissance aux Jumeaux Héroïques, Tueur-de-Monstres et Fils-Né-des-Eaux. Dieu-qui-Parle et Dieu-qui-Appelle lui donnèrent par la suite le don de création. Elle est la seule représentante du Peuple Sacré à être entièrement bonne.

Grand'père : Terme qui, du fait du système clanique des navajos, s'applique aux hommes âgés appartenant au clan de la mère.

Hogan : La maison de l'Indien navajo, sorte de structure au toit arrondi fait de rondins et de boue séchée. Un abri et un corral au minimum viennent le plus souvent la compléter. Le hogan d'été, utilisé pendant le pacage des moutons, est de facture plus grossière.

Hopi : Dans la langue de ces Indiens pueblos, *hopitu* signifie « le peuple paisible ». Leur réserve se trouve enclavée dans la réserve navajo du nord de l'Arizona : 3.000 d'entre eux environ vivent dans les villages (v. ce mot) ancestraux des trois mesas (id.). Leur mythologie est proche de celles d'autres pueblos (les Zuñis) et ils sons célèbres pour leur Danse du Serpent (septembre-octobre), leurs cérémonies religieuses (Soyal ou retour des esprits en décembre-janvier, Powamu ou plantation des fèves en janvier-février, Niman ou retour des esprits vers les Monts San Francisco en juin-juillet, Wuwuchim ou initiation des garçons en novembre-décembre) et leurs statuettes kachinas. Ce sont avant tout des cultivateurs et des chasseurs.

Hosteen : Mot navajo exprimant le respect dû à l'homme adulte à qui l'on s'adresse.

Hozro : Mot navajo signifiant l'harmonie, la beauté.

Jish : Mot navajo, v. bourse à médecine.

Jumeaux Héroïques : v. Femme-qui-Change.

Kachina : Essentiellement les esprits tutélaires ancestraux chez les Hopis, mais également les masques portés pour les personnifier et les statuettes qui les représentent. Ils protègent, nourrissent et guident les vivants auxquels ils apparaissent sous la forme de nuages de pluie.

Kikmongwi : Le chef du village hopi.

Kiva : Chez les Indiens pueblos, une chambre cérémonielle souterraine (on y accède par une échelle) où se préparent et se tiennent de nombreux rites et danses ; il en existe plusieurs par village. Le terme désigne également une fraternité religieuse regroupant des membres appartenant à des clans différents, renforçant ainsi la cohésion de la tribu.

Masaw (ou Masau) : Esprit tutélaire du Quatrième Monde des Hopis. Il est le Dieu du Feu et de la Mort.

Mesa : (mot espagnol). Montagne aplatie caractéristique des états du Sud-Ouest. Lorsqu'elles ressemblent plus à des collines qu'à des plateaux elles deviennent des buttes. Et les buttes au sommet arrondi sont des collines. Parmi les mesas les plus connues, citons Mesa Verde, dans le Colorado, haut-lieu archéologique, et les Première, Deuxième et Troisième Mesas sur lesquelles se perchent les villages hopi ancestraux.

Messager : Il doit ramener, au terme d'un pèlerinage, les branches d'épicéa sacré sans lesquelles le Niman Kachina serait une catastrophe. L'ipicéa possède le pouvoir d'attirer l'humidité et les nuages mais pousse très loin, en des lieux longuement enneigés : Kisigi ou Kisiwu, la Source-dans-les-Ombres, se trouve à 60 km au nord-ouest d'Oraibi.

Mort : Les Navajos ont une crainte maladive de la mort au point de s'entourer de toutes sortes de précautions et d'éprouver une intense répugnance à toucher un cadavre qu'ils enterrent le plus vite possible dans un lieu secret. Pour eux, il n'y a pas de « paradis », au mieux le repos. Dans la mythologie navajo, les Jumeaux Héroïques, après avoir dérobé les armes au Soleil et massacré les monstres qui apportaient la mort aux Navajos, épargnent une sorte de mort appelée *Sa* qui regroupe la Vieillesse, la Saleté, la Misère, la Faim et quelques autres.

Navajo : Les prêtres espagnols les appelaient « Apaches del nabaxu » ; le terme actuel est la corruption espagnole du mot pueblo signifiant « grands champs cultivés ». Arrivés tardivement en Arizona ils se rendirent odieux par leur violence et leurs rapines avant d'acquérir, au contact des autres civilisations, nombre de techniques et de connaissances. Leur faculté d'adaptation s'est une nouvelle fois vérifiée lors de la Deuxième Guerre mondiale. Ils habitent la plus grande réserve des U.S.A., la terre de leurs ancêtres que Kit Carson essaya d'anéantir puis déporta massivement ; ils exploitent eux-mêmes les ressources naturelles d'un sous-sol riche et constituent la nation indienne la plus importante du pays (plus de 130.000 habitants).

Nourriture : Les Hopis cultivent les melons, courges, pastèques, fèves et avant tout différentes sortes de maïs qui servent de base à de nombreux plats : piki (v. ce mot), tosi (bouillie de maïs sucré), tupevu (maïs cuit séché), somiviki (bouillie de maïs présentée dans une feuille d'épi de maïs), etc. Ils se nourrissent également du produit de la chasse, notamment de lapin cuit en ragoût.

Oiseaux : Carouge à épaulettes rouges (agelaius phœnicus) ; colin de Gambel (lophortix squamata), colombe (Zenaidura macroura), faucon (falco sparverius).

Oncle : v. famille et grand-père.

Paho : Offrande faite aux esprits tutélaires. Le plus souvent il s'agit d'une tige de saule rouge décorée de plumes (v. plumes de prière).

Peuple Sacré : Concept navajo. Ils sont capables du bien comme du mal et l'on peut arriver à les manipuler avec les chants et les prières appropriés : ce sont des animaux (le Coyote), le Peuple du Vent, le Peuple du Tonnerre, etc. Le mot navajo correspondant est *yei*.

Piki : Sorte de pain ou de galette aussi mince qu'une feuille de papier. Dans les pueblos, les fours se trouvent à l'extérieur des maisons et l'on y cuit les spécialités locales à base de maïs.

Plaza : Terme espagnol. Ces places sont au nombre de deux dans le village hopi de Sityatki.

Plumes de prières : Il s'agit d'une baguette de saule rouge ornée de plumes que les Indiens pueblos plantent dans le sol en guise d'offrande et qui sont destinées à établir un dialogue entre les hommes et les esprits tutélaires : ces derniers, si satisfaits, apparaîtront sous la forme de nuages de pluie.

Points cardinaux : Ils jouent un très grand rôle dans les rites religieux. Les Hopis en dénombrent six qu'ils associent à des « couleurs » : l'ouest (jaune), le sud (bleu), l'est (rouge), le nord (blanc), l'au-dessus (épi de maïs avec grains noirs dressé), l'au-dessous (épi de maïs sucré). Les enfants hopis reçoivent leur nom en étant présentés au soleil levant.

Chez les Navajos, la porte du hogan fait face à l'est qui symbolise la vie ; l'ouverture pratiquée dans un mur après un décès doit être dirigée vers le nord qui représente le mal ; l'ouest figure la mort. Les quatre montagnes sacrées des Navajos marquant les limites de Dinetah correspondent grossièrement aux points cardinaux ; ce sont Dook o' ooshid (ou Monts San Francisco à l'ouest, couleur jaune), Tso'dzil (ou Mount Taylor au sud, bleue), Sis no jin (ou Blanca Peak à l'est, blanche), et Debe'ntsa (ou La Plata Mountains au nord, noire).

Powaga : (mot hopi). Cœur-double : sorcier ou sorcière.

Prêtrise : v. religion.

Pueblo : Village en espagnol. Au contraire des bergers navajo, semi-nomades, les Indiens pueblos (Hopis, Zuñis, etc.) sont des agriculteurs sédentaires. On les trouve exclusivement dans le sud-ouest des U.S.A. Taos, au Nouveau-Mexique, est le plus visité des pueblos.

Religion : L'organisation de ces tribus est essentiellement religieuse. Il existe, chez les pueblos, une pluralité de prêtrises et de fraternités qui se partagent l'administration du sacré.

Chez les Navajos, le Conseil Tribal est une création récente (vers 1930). Ce peuple n'a jamais constitué une tribu à proprement parler, ce qui explique le non-respect de certains traités au XIX^r siècle : la parole d'un chef de clan n'engageait pas les autres Navajos. Chez eux, il n'y a pas de sociétés religieuses.

Pour l'essentiel, les Indiens du Sud-Ouest croient à l'interdépendance des choses de la nature et à l'harmonie, ou beauté, *hozro* en navajo, qui doit régner dans leur réserve et, par voie de conséquence, dans l'univers tout entier.

Mais les rites navajos sont, à l'exception de la Voie de la Bénédiction, destinés à guérir, à redonner la santé à l'individu et à restaurer l'équilibre de l'univers, alors que chez les hopis, les cérémonies religieuses ont pour but d'appeler les bienfaits que les kachinas, ou esprits ancestraux, pourront leur apporter sous la forme de nuages de pluie.

Richesse : Les pueblos sont organisés autour du principe de la subordination de l'individu au groupe ce qui entraîne un égalitarisme plus ou moins rigoureux ; l'ambition personnelle et l'esprit d'entreprise anglo-saxon n'ont guère d'équivalent dans ces sociétés où coutumes et règles séculaires régissent l'attribution des tâches et des terres.

En ce qui concerne les Navajos, le désir de posséder est

la cause des pires maux. Citons l'un d'eux, Alex Etcitty :
« On m'a appris que c'était une chose juste de posséder ce
que l'on a. Mais si on commence à avoir trop, cela
montre que l'on ne se préoccupe pas des siens comme on
le devrait. Si l'on devient riche, c'est que l'on a pris des
choses qui appartiennent à d'autres. Prononcer les mots
"Navajo riche" revient à dire "eau sèche" ». (Arizona
Highways, août 1979).

Rites guérisseurs : A chaque maladie correspond chez
les Navajos un rite guérisseur qui peut durer jusqu'à neuf
jours. Parfois, pour un seul chant, plusieurs centaines de
prières et d'incantations doivent être exécutées au mot
près. Si le chanteur est à la hauteur, la guérison suivra.

Par exemple, la Voie de l'Ennemi permet de guérir
celui qui est sous l'emprise d'un sorcier, la Voie du
Sommet de la Montagne soulagera celui qui s'est trop
approché d'un ours...

Shivanni : Le Soleil Père.

Sorciers : Hommes et femmes qui ont décidé de faire le
mal, très présents chez les Hopis et les Navajos.

Tavasuh : Celui-qui-écrase-la-tête-des-ennemis. Les
Hopis surnomment ainsi les Navajos qui pratiquaient
autrefois cette coutume au moyen d'un rocher ou d'une
hache de pierre. Les Navajos, eux, appellent les Hopis
« Mangeurs-de-maïs ».

Two Gray Hills : L'un des sept grands styles de
couvertures navajo ; celui-ci mélange les couleurs propres à la terre et possède un pourtour noir. Les
couvertures navajos comportent une erreur symbolisant
la porte de sortie qui permet à l'esprit de l'artisan de
s'échapper.

Végétation : Acajou (cedrela), olivier de Bohême
(elaeagnus angustifolia), épicéa (pinus glabra), pin (pinus),
pin pignon (pinus pinea), tremble d'Amérique (populus
tremuloides) pour les arbres. Pour herbes et buissons :
arroche (atriplex), bouteloue (bouteloua), chamiso ou
chamiza (terme indien dont la traduction est herbe-aux-
lapins), creosote (larrée en français, larrea tridentata),

graminées à touffes (bunchgrass en américain, terme collectif), mesquite (prosope en français, prosopis), tumbleweeds (terme collectif américain, peut-être traduit du hopi ou du navajo, qui désigne des plantes épineuses que le vent arrache et fait rouler sur le sol). Pour certaines de ces plantes nous avons préféré le terme local au terme français.

Village hopi : Au nombre de onze, ils abritent environ 3.000 âmes. Situés à peu près à 2.000 mètres au-dessus du niveau de la mer, ils s'étaient jusqu'à ces dernières années perchés au sommet des trois mesas alors que cultures, pâturages, et certains points d'eau se trouvaient au pied des mesas. Ils portent des noms très imagés : Sityatki (La-Vallée-Etroite, ou Maison-Jaune), Shongopovi (Le-Village-de-la-Source-aux-Roseaux), Oraibi (Le-Haut-Endroit-sur-un-Rocher), etc.

Voie : Rite guérisseur navajo tel la Voie de la Beauté ou la Voie du Sommet de la Montagne. Seule, la Voie de la Bénédiction a un but préventif en enseignant comment le Peuple Sacré a créé le Peuple de la Surface de la Terre, et comment il lui a communiqué les techniques nécessaires pour y vivre.

Wash : Le lit, souvent asséché, d'un important cours d'eau, que des pluies torrentielles tombées parfois très loin en amont peuvent soudain transformer en un fleuve en furie.

Yei : v. Peuple Sacré.

Yucca : (mot haïtien). Plante arborescente à tige ligneuse dont les Indiens du Sud-Ouest ont toujours tiré un maximum de ressources tant au niveau alimentaire que vestimentaire et pratique (cordes, paniers, etc.).

ACHEVÉ D'IMPRIMER
SUR LES PRESSES DE
L'IMPRIMERIE TARDY QUERCY
A CAHORS (LOT)

Imprimé en France
N° d'impression : 6789
Dépôt légal : décembre 1986